统计学习方法

李 航 著

清华大学出版社

北京

内 容 简 介

统计学习是计算机及其应用领域的一门重要的学科。本书全面系统地介绍了统计学习的主要方法,特别是监督学习方法,包括感知机、k 近邻法、朴素贝叶斯法、决策树、逻辑斯谛回归与最大熵模型、支持向量机、提升方法、EM 算法、隐马尔可夫模型和条件随机场等。除第 1 章概论和最后一章总结外,每章介绍一种方法。叙述从具体问题或实例入手,由浅入深,阐明思路,给出必要的数学推导,便于读者掌握统计学习方法的实质,学会运用。为满足读者进一步学习的需要,书中还介绍了一些相关研究,给出了少量习题,列出了主要参考文献。

本书是统计学习及相关课程的教学参考书,适用于高等院校文本数据挖掘、信息检索及自然语言处理等专业的大学生、研究生,也可供从事计算机应用相关专业的研发人员参考。

图书在版编目(CIP)数据

统计学习方法 / 李航著. --北京:清华大学出版社,2012.3 (2016.2 重印)
 ISBN 978-7-302-27595-4

I.①统… II.①李… III.①机器学习 IV.①TP181

中国版本图书馆 CIP 数据核字(2011)第 270938 号

责任编辑:薛 慧
封面设计:薛 慧
责任校对:王淑云
责任印制:刘海龙

出版发行:清华大学出版社
      网   址:http://www.tup.com.cn,http://www.wqbook.com
      地   址:北京清华大学学研大厦 A 座   邮   编:100084
      社总机:010-62770175   邮   购:010-62786544
      投稿与读者服务:010-62776969,c-service@tup.tsinghua.edu.cn
      质 量 反 馈:010-62772015,zhiliang@tup.tsinghua.edu.cn
印 刷 者:三河市君旺印务有限公司
装 订 者:三河市新茂装订有限公司
经   销:全国新华书店
开   本:165mm×240mm   印   张:15.75   字   数:314 千字
版   次:2012 年 3 月第 1 版   印   次:2016 年 2 月第 13 次印刷
印   数:36001~42000
定   价:38.00 元

产品编号:025367-01

献给我的母亲

前　　言

计算机与网络已融入到了人们的日常学习、工作和生活之中，成为人们不可或缺的助手和伙伴. 计算机与网络的飞速发展完全改变了人们的学习、工作和生活方式. 智能化是计算机研究与开发的一个主要目标. 近几十年来的实践表明，统计机器学习方法是实现这一目标的最有效手段，尽管它还存在着一定的局限性.

作者一直从事利用统计学习方法对文本数据进行各种智能性处理的研究，包括自然语言处理、信息检索、文本数据挖掘. 近 20 年来，这些领域发展之快，应用之广，实在令人惊叹！可以说，统计机器学习是这些领域的核心技术，在这些领域的发展及应用中起着决定性的作用.

作者在日常的研究工作中经常指导学生，并在国内外一些大学及讲习班上多次做过关于统计学习的报告和演讲. 在这一过程中，同学们学习热情很高，希望得到指导，这使作者产生了撰写本书的想法.

国内外已出版了多本关于统计机器学习的书籍，比如，Hastie 等人的《统计学习基础》. 该书对统计学习的诸多问题有非常精辟的论述，但对初学者来说显得有些深奥. 统计学习范围甚广，一两本书很难覆盖所有问题. 本书主要是面向将统计学习方法作为工具的科研人员与学生，特别是从事信息检索、自然语言处理、文本数据挖掘及相关领域的研究与开发的科研人员与学生.

本书力求系统而详细地介绍统计学习的方法. 在内容选取上，侧重介绍那些最重要、最常用的方法，特别是关于分类与标注问题的方法. 对其他问题及方法，如聚类等，计划在今后的写作中再加以介绍. 在叙述方式上，每一章讲述一种方法，各章内容相对独立、完整；同时力图用统一框架来论述所有方法，使全书整体不失系统性. 读者可以从头到尾通读，也可以选择单个章节细读. 对每一方法的讲述力求深入浅出，给出必要的推导证明，提供简单的实例，使初学者易于掌握方法的基本内容，领会方法的本质，并准确地使用方法. 对相关的深层理论，则仅予以简述. 在每章后面，给出一些习题，介绍一些相关的研究动向和阅读材料，列出参考文献，以满足读者进一步学习的需求. 本书第 1 章简要叙述统计学习方法的基本概念，最后一章对统计学习方法进行比较与总结. 此外，在附录中简要介绍一些共用的最优化理论与方法.

本书可以作为统计机器学习及相关课程的教学参考书，适用于信息检索及自然语言处理等专业的大学生、研究生.

本书初稿完成后，田飞、王佳磊、武威、陈凯、伍浩铖、曹正、陶宇等人分别审阅了全部或部分章节，提出了许多宝贵意见，对本书质量的提高有很大帮助. 在此向他们表示衷心的感谢. 在本书写作和出版过程中, 清华大学出版社的责任编辑薛慧给予了很多帮助, 在此特向她致谢.

由于作者水平所限, 书中难免有错误和不当之处, 欢迎专家和读者给予批评指正. 意见请发表在新浪博客 (http://blog.sina.com.cn/s/blog_7ad48fee01017dpi.html) 上.

李 航

2011 年 4 月 23 日

目　　录

符 号 表

$\mathbf{R}$	实数集
$\mathbf{R}^n$	n 维实数向量空间，n 维欧氏空间
$\mathbf{H}$	希尔伯特空间
$\mathbf{X}$	输入空间
$\mathbf{Y}$	输出空间
$x \in \mathbf{X}$	输入，实例
$y \in \mathbf{Y}$	输出，标记
X	输入随机变量
Y	输出随机变量
$T = \{(x_1, y_1), (x_2, y_2), \cdots, (x_N, y_N)\}$	训练数据集
N	样本容量
(x_i, y_i)	第 i 个训练数据点
$x = (x^{(1)}, x^{(2)}, \cdots, x^{(n)})^{\mathrm{T}}$	输入向量，n 维实数向量
$x_i^{(j)}$	输入向量 x_i 的第 j 分量
$P(X), P(Y)$	概率分布
$P(X, Y)$	联合概率分布
$\mathbf{F}$	假设空间
$f \in \mathbf{F}$	模型，特征函数
θ, w	模型参数
$w = (w_1, w_2, \cdots, w_n)^{\mathrm{T}}$	权值向量
b	偏置
$J(f)$	模型的复杂度
R_{emp}	经验风险或经验损失
R_{exp}	风险函数或期望损失
L	损失函数，拉格朗日函数
η	学习率
$\|\cdot\|_1$	L_1 范数
$\|\cdot\|_2, \|\cdot\|$	L_2 范数
$(x \cdot x')$	向量 x 与 x' 的内积

$H(X),\ H(p)$	熵
$H(Y\mid X)$	条件熵
S	分离超平面
$\alpha=(\alpha_1,\alpha_2,\cdots,\alpha_n)^{\mathrm{T}}$	拉格朗日乘子，对偶问题变量
α_i	对偶问题的第 i 个变量
$K(x,z)$	核函数
$\mathrm{sign}(x)$	符号函数
$\mathrm{I}(x)$	指示函数
$Z(x)$	规范化因子

第1章 统计学习方法概论

本章简要叙述统计学习方法的一些基本概念. 这是对全书内容的概括, 也是全书内容的基础. 首先叙述统计学习的定义、研究对象与方法; 然后叙述监督学习, 这是本书的主要内容; 接着提出统计学习方法的三要素: 模型、策略和算法; 介绍模型选择, 包括正则化、交叉验证与学习的泛化能力; 介绍生成模型与判别模型; 最后介绍监督学习方法的应用: 分类问题、标注问题与回归问题.

1.1 统 计 学 习

1. 统计学习的特点

统计学习(statistical learning)是关于计算机基于数据构建概率统计模型并运用模型对数据进行预测与分析的一门学科. 统计学习也称为统计机器学习(statistical machine learning).

统计学习的主要特点是: (1) 统计学习以计算机及网络为平台, 是建立在计算机及网络之上的; (2) 统计学习以数据为研究对象, 是数据驱动的学科; (3) 统计学习的目的是对数据进行预测与分析; (4) 统计学习以方法为中心, 统计学习方法构建模型并应用模型进行预测与分析; (5) 统计学习是概率论、统计学、信息论、计算理论、最优化理论及计算机科学等多个领域的交叉学科, 并且在发展中逐步形成独自的理论体系与方法论.

赫尔伯特·西蒙(Herbert A. Simon)曾对"学习"给出以下定义: "如果一个系统能够通过执行某个过程改进它的性能, 这就是学习." 按照这一观点, 统计学习就是计算机系统通过运用数据及统计方法提高系统性能的机器学习. 现在, 当人们提及机器学习时, 往往是指统计机器学习.

2. 统计学习的对象

统计学习的对象是数据(data). 它从数据出发, 提取数据的特征, 抽象出数据的模型, 发现数据中的知识, 又回到对数据的分析与预测中去. 作为统计学习的对象, 数据是多样的, 包括存在于计算机及网络上的各种数字、文字、图像、视频、音频数据以及它们的组合.

统计学习关于数据的基本假设是同类数据具有一定的统计规律性, 这是统计学习的前提. 这里的同类数据是指具有某种共同性质的数据, 例如英文文章、互联网网页、数据库中的数据等. 由于它们具有统计规律性, 所以可以用概率统计方法来加以处理. 比如, 可以用随机变量描述数据中的特征, 用概率分布描述数据的统计规律.

在统计学习过程中, 以变量或变量组表示数据. 数据分为由连续变量和离散变量表示的类型. 本书以讨论离散变量的方法为主. 另外, 本书只涉及利用数据构建模型及利用模型对数据进行分析与预测, 对数据的观测和收集等问题不作讨论.

3. 统计学习的目的

统计学习用于对数据进行预测与分析, 特别是对未知新数据进行预测与分析. 对数据的预测可以使计算机更加智能化, 或者说使计算机的某些性能得到提高; 对数据的分析可以让人们获取新的知识, 给人们带来新的发现.

对数据的预测与分析是通过构建概率统计模型实现的. 统计学习总的目标就是考虑学习什么样的模型和如何学习模型, 以使模型能对数据进行准确的预测与分析, 同时也要考虑尽可能地提高学习效率.

4. 统计学习的方法

统计学习的方法是基于数据构建统计模型从而对数据进行预测与分析. 统计学习由监督学习 (supervised learning)、非监督学习 (unsupervised learning)、半监督学习 (semi-supervised learning) 和强化学习 (reinforcement learning) 等组成.

本书主要讨论监督学习, 这种情况下统计学习的方法可以概括如下: 从给定的、有限的、用于学习的训练数据 (training data) 集合出发, 假设数据是独立同分布产生的; 并且假设要学习的模型属于某个函数的集合, 称为假设空间 (hypothesis space); 应用某个评价准则 (evaluation criterion), 从假设空间中选取一个最优的模型, 使它对已知训练数据及未知测试数据 (test data) 在给定的评价准则下有最优的预测; 最优模型的选取由算法实现. 这样, 统计学习方法包括模型的假设空间、模型选择的准则以及模型学习的算法, 称其为统计学习方法的三要素, 简称为模型 (model)、策略 (strategy) 和算法 (algorithm).

实现统计学习方法的步骤如下:

(1) 得到一个有限的训练数据集合;

(2) 确定包含所有可能的模型的假设空间, 即学习模型的集合;

(3) 确定模型选择的准则, 即学习的策略;

(4) 实现求解最优模型的算法, 即学习的算法;

(5) 通过学习方法选择最优模型;

(6) 利用学习的最优模型对新数据进行预测或分析.

本书以介绍统计学习方法为主, 特别是监督学习方法, 主要包括用于分类、标注与回归问题的方法. 这些方法在自然语言处理、信息检索、文本数据挖掘等领域中有着极其广泛的应用.

5. 统计学习的研究

统计学习研究一般包括统计学习方法（statistical learning method）、统计学习理论（statistical learning theory）及统计学习应用（application of statistical learning）三个方面. 统计学习方法的研究旨在开发新的学习方法；统计学习理论的研究在于探求统计学习方法的有效性与效率，以及统计学习的基本理论问题；统计学习应用的研究主要考虑将统计学习方法应用到实际问题中去，解决实际问题.

6. 统计学习的重要性

近 20 年来，统计学习无论是在理论还是在应用方面都得到了巨大的发展，有许多重大突破，统计学习已被成功地应用到人工智能、模式识别、数据挖掘、自然语言处理、语音识别、图像识别、信息检索和生物信息等许多计算机应用领域中，并且成为这些领域的核心技术. 人们确信，统计学习将会在今后的科学发展和技术应用中发挥越来越大的作用.

统计学习学科在科学技术中的重要性主要体现在以下几个方面：

（1）统计学习是处理海量数据的有效方法. 我们处于一个信息爆炸的时代，海量数据的处理与利用是人们必然的需求. 现实中的数据不但规模大，而且常常具有不确定性，统计学习往往是处理这类数据最强有力的工具.

（2）统计学习是计算机智能化的有效手段. 智能化是计算机发展的必然趋势，也是计算机技术研究与开发的主要目标. 近几十年来，人工智能等领域的研究表明，利用统计学习模仿人类智能的方法，虽有一定的局限性，但仍然是实现这一目标的最有效手段.

（3）统计学习是计算机科学发展的一个重要组成部分. 可以认为计算机科学由三维组成：系统、计算、信息. 统计学习主要属于信息这一维，并在其中起着核心作用.

1.2 监 督 学 习

统计学习包括监督学习、非监督学习、半监督学习及强化学习. 本书主要讨论监督学习问题.

监督学习（supervised learning）的任务是学习一个模型，使模型能够对任意给定的输入，对其相应的输出做出一个好的预测（注意，这里的输入、输出是指某个系统的输入与输出，与学习的输入与输出不同）. 计算机的基本操作就是给定一个输入产生一个输出，所以监督学习是极其重要的统计学习分支，也是统计学习中内容最丰富、应用最广泛的部分.

1.2.1   基本概念

1. 输入空间、特征空间与输出空间

在监督学习中，将输入与输出所有可能取值的集合分别称为输入空间（input space）与输出空间（output space）. 输入与输出空间可以是有限元素的集合，也可以是整个欧氏空间. 输入空间与输出空间可以是同一个空间，也可以是不同的空间；但通常输出空间远远小于输入空间.

每个具体的输入是一个实例（instance），通常由特征向量（feature vector）表示. 这时，所有特征向量存在的空间称为特征空间（feature space）. 特征空间的每一维对应于一个特征. 有时假设输入空间与特征空间为相同的空间，对它们不予区分；有时假设输入空间与特征空间为不同的空间，将实例从输入空间映射到特征空间. 模型实际上都是定义在特征空间上的.

在监督学习过程中，将输入与输出看作是定义在输入（特征）空间与输出空间上的随机变量的取值. 输入、输出变量用大写字母表示，习惯上输入变量写作 X，输出变量写作 Y. 输入、输出变量所取的值用小写字母表示，输入变量的取值写作 x，输出变量的取值写作 y. 变量可以是标量或向量，都用相同类型字母表示. 除特别声明外，本书中向量均为列向量，输入实例 x 的特征向量记作

$$x = (x^{(1)}, x^{(2)}, \cdots, x^{(i)}, \cdots, x^{(n)})^{\mathrm{T}}$$

$x^{(i)}$ 表示 x 的第 i 个特征. 注意，$x^{(i)}$ 与 x_i 不同，本书通常用 x_i 表示多个输入变量中的第 i 个，即

$$x_i = (x_i^{(1)}, x_i^{(2)}, \cdots, x_i^{(n)})^{\mathrm{T}}$$

监督学习从训练数据（training data）集合中学习模型，对测试数据（test data）进行预测. 训练数据由输入（或特征向量）与输出对组成，训练集通常表示为

$$T = \{(x_1, y_1), (x_2, y_2), \cdots, (x_N, y_N)\}$$

测试数据也由相应的输入与输出对组成. 输入与输出对又称为样本（sample）或样本点.

输入变量 X 和输出变量 Y 有不同的类型，可以是连续的，也可以是离散的. 人们根据输入、输出变量的不同类型，对预测任务给予不同的名称：输入变量与输出变量均为连续变量的预测问题称为回归问题；输出变量为有限个离散变量的预测问题称为分类问题；输入变量与输出变量均为变量序列的预测问题称为标注问题.

2. 联合概率分布

监督学习假设输入与输出的随机变量 X 和 Y 遵循联合概率分布 $P(X,Y)$.
$P(X,Y)$ 表示分布函数，或分布密度函数. 注意，在学习过程中，假定这一联合
概率分布存在，但对学习系统来说，联合概率分布的具体定义是未知的. 训练数
据与测试数据被看作是依联合概率分布 $P(X,Y)$ 独立同分布产生的. 统计学习假
设数据存在一定的统计规律，X 和 Y 具有联合概率分布的假设就是监督学习关于
数据的基本假设.

3. 假设空间

监督学习的目的在于学习一个由输入到输出的映射，这一映射由模型来表
示. 换句话说，学习的目的就在于找到最好的这样的模型. 模型属于由输入空间
到输出空间的映射的集合，这个集合就是假设空间（hypothesis space）. 假设空间
的确定意味着学习范围的确定.

监督学习的模型可以是概率模型或非概率模型，由条件概率分布 $P(Y|X)$ 或
决策函数（decision function）$Y = f(X)$ 表示，随具体学习方法而定. 对具体的输
入进行相应的输出预测时，写作 $P(y|x)$ 或 $y = f(x)$.

1.2.2 问题的形式化

监督学习利用训练数据集学习一个模型，再用模型对测试样本集进行预测
（prediction）. 由于在这个过程中需要训练数据集，而训练数据集往往是人工给出
的，所以称为监督学习. 监督学习分为学习和预测两个过程，由学习系统与预测系
统完成，可用图 1.1 来描述.

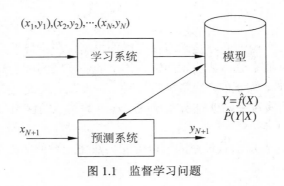

图 1.1 监督学习问题

首先给定一个训练数据集

$$T = \{(x_1, y_1), (x_2, y_2), \cdots, (x_N, y_N)\}$$

其中 (x_i, y_i)，$i = 1, 2, \cdots, N$，称为样本或样本点. $x_i \in \mathcal{X} \subseteq \mathbf{R}^n$ 是输入的观测值，

也称为输入或实例，$y_i \in \mathcal{Y}$ 是输出的观测值，也称为输出．

监督学习中，假设训练数据与测试数据是依联合概率分布 $P(X,Y)$ 独立同分布产生的．

在学习过程中，学习系统利用给定的训练数据集，通过学习（或训练）得到一个模型，表示为条件概率分布 $\hat{P}(Y|X)$ 或决策函数 $Y = \hat{f}(X)$ ．条件概率分布 $\hat{P}(Y|X)$ 或决策函数 $Y = \hat{f}(X)$ 描述输入与输出随机变量之间的映射关系．

在预测过程中，预测系统对于给定的测试样本集中的输入 x_{N+1}，由模型 $y_{N+1} = \arg\max\limits_{y_{N+1}} \hat{P}(y_{N+1}|x_{N+1})$ 或 $y_{N+1} = \hat{f}(x_{N+1})$ 给出相应的输出 y_{n+1}．

在学习过程中，学习系统（也就是学习算法）试图通过训练数据集中的样本 (x_i, y_i) 带来的信息学习模型．具体地说，对输入 x_i，一个具体的模型 $y = f(x)$ 可以产生一个输出 $f(x_i)$，而训练数据集中对应的输出是 y_i，如果这个模型有很好的预测能力，训练样本输出 y_i 和模型输出 $f(x_i)$ 之间的差就应该足够小．学习系统通过不断的尝试，选取最好的模型，以便对训练数据集有足够好的预测，同时对未知的测试数据集的预测也有尽可能好的推广．

1.3 统计学习三要素

统计学习方法都是由模型、策略和算法构成的，即统计学习方法由三要素构成，可以简单地表示为

$$方法＝模型＋策略＋算法$$

下面论述监督学习中的统计学习三要素．非监督学习、强化学习也同样拥有这三要素．可以说构建一种统计学习方法就是确定具体的统计学习三要素．

1.3.1 模型

统计学习首要考虑的问题是学习什么样的模型．在监督学习过程中，模型就是所要学习的条件概率分布或决策函数．模型的假设空间（hypothesis space）包含所有可能的条件概率分布或决策函数．例如，假设决策函数是输入变量的线性函数，那么模型的假设空间就是所有这些线性函数构成的函数集合．假设空间中的模型一般有无穷多个．

假设空间用 $\mathcal{F}$ 表示．假设空间可以定义为决策函数的集合

$$\mathcal{F} = \{f | Y = f(X)\} \tag{1.1}$$

其中，X 和 Y 是定义在输入空间 $\mathcal{X}$ 和输出空间 $\mathcal{Y}$ 上的变量．这时 $\mathcal{F}$ 通常是由一个参数向量决定的函数族：

$$\mathcal{F} = \{f | Y = f_\theta(X), \theta \in \mathbf{R}^n\} \tag{1.2}$$

参数向量 θ 取值于 n 维欧氏空间 $\mathbf{R}^n$，称为参数空间（parameter space）．

假设空间也可以定义为条件概率的集合

$$\mathcal{F} = \{P \mid P(Y \mid X)\} \tag{1.3}$$

其中,X 和 Y 是定义在输入空间 $\mathcal{X}$ 和输出空间 $\mathcal{Y}$ 上的随机变量. 这时 $\mathcal{F}$ 通常是由一个参数向量决定的条件概率分布族:

$$\mathcal{F} = \{P \mid P_\theta(Y \mid X), \theta \in \mathbf{R}^n\} \tag{1.4}$$

参数向量 θ 取值于 n 维欧氏空间 $\mathbf{R}^n$,也称为参数空间.

本书中称由决策函数表示的模型为非概率模型,由条件概率表示的模型为概率模型. 为了简便起见,当论及模型时,有时只用其中一种模型.

1.3.2 策略

有了模型的假设空间,统计学习接着需要考虑的是按照什么样的准则学习或选择最优的模型. 统计学习的目标在于从假设空间中选取最优模型.

首先引入损失函数与风险函数的概念. 损失函数度量模型一次预测的好坏,风险函数度量平均意义下模型预测的好坏.

1. 损失函数和风险函数

监督学习问题是在假设空间 $\mathcal{F}$ 中选取模型 f 作为决策函数,对于给定的输入 X,由 $f(X)$ 给出相应的输出 Y,这个输出的预测值 $f(X)$ 与真实值 Y 可能一致也可能不一致,用一个损失函数(loss function)或代价函数(cost function)来度量预测错误的程度. 损失函数是 $f(X)$ 和 Y 的非负实值函数,记作 $L(Y, f(X))$.

统计学习常用的损失函数有以下几种:

(1)0-1 损失函数(0-1 loss function)

$$L(Y, f(X)) = \begin{cases} 1, & Y \neq f(X) \\ 0, & Y = f(X) \end{cases} \tag{1.5}$$

(2)平方损失函数(quadratic loss function)

$$L(Y, f(X)) = (Y - f(X))^2 \tag{1.6}$$

(3)绝对损失函数(absolute loss function)

$$L(Y, f(X)) = |Y - f(X)| \tag{1.7}$$

(4)对数损失函数(logarithmic loss function)或对数似然损失函数(log-likelihood loss function)

$$L(Y, P(Y \mid X)) = -\log P(Y \mid X) \tag{1.8}$$

损失函数值越小，模型就越好．由于模型的输入、输出 (X, Y) 是随机变量，遵循联合分布 $P(X, Y)$，所以损失函数的期望是

$$R_{\exp}(f) = E_P[L(Y, f(X))] = \int_{\mathcal{X} \times \mathcal{Y}} L(y, f(x)) P(x, y) \mathrm{d}x\mathrm{d}y \tag{1.9}$$

这是理论上模型 $f(X)$ 关于联合分布 $P(X, Y)$ 的平均意义下的损失，称为风险函数（risk function）或期望损失（expected loss）．

学习的目标就是选择期望风险最小的模型．由于联合分布 $P(X, Y)$ 是未知的，$R_{\exp}(f)$ 不能直接计算．实际上，如果知道联合分布 $P(X, Y)$，可以从联合分布直接求出条件概率分布 $P(Y \mid X)$，也就不需要学习了．正因为不知道联合概率分布，所以才需要进行学习．这样一来，一方面根据期望风险最小学习模型要用到联合分布，另一方面联合分布又是未知的，所以监督学习就成为一个病态问题（ill-formed problem）．

给定一个训练数据集

$$T = \{(x_1, y_1), (x_2, y_2), \cdots, (x_N, y_N)\}$$

模型 $f(X)$ 关于训练数据集的平均损失称为经验风险（empirical risk）或经验损失（empirical loss），记作 R_{emp}：

$$R_{\mathrm{emp}}(f) = \frac{1}{N} \sum_{i=1}^{N} L(y_i, f(x_i)) \tag{1.10}$$

期望风险 $R_{\exp}(f)$ 是模型关于联合分布的期望损失，经验风险 $R_{\mathrm{emp}}(f)$ 是模型关于训练样本集的平均损失．根据大数定律，当样本容量 N 趋于无穷时，经验风险 $R_{\mathrm{emp}}(f)$ 趋于期望风险 $R_{\exp}(f)$．所以一个很自然的想法是用经验风险估计期望风险．但是，由于现实中训练样本数目有限，甚至很小，所以用经验风险估计期望风险常常并不理想，要对经验风险进行一定的矫正．这就关系到监督学习的两个基本策略：经验风险最小化和结构风险最小化．

2. 经验风险最小化与结构风险最小化

在假设空间、损失函数以及训练数据集确定的情况下，经验风险函数式(1.10)就可以确定．经验风险最小化（empirical risk minimization，ERM）的策略认为，经验风险最小的模型是最优的模型．根据这一策略，按照经验风险最小化求最优模型就是求解最优化问题：

$$\min_{f \in \mathcal{F}} \frac{1}{N} \sum_{i=1}^{N} L(y_i, f(x_i)) \tag{1.11}$$

其中，$\mathcal{F}$ 是假设空间．

当样本容量足够大时，经验风险最小化能保证有很好的学习效果，在现实中

被广泛采用. 比如, 极大似然估计 (maximum likelihood estimation) 就是经验风险最小化的一个例子. 当模型是条件概率分布, 损失函数是对数损失函数时, 经验风险最小化就等价于极大似然估计.

但是, 当样本容量很小时, 经验风险最小化学习的效果就未必很好, 会产生后面将要叙述的 "过拟合(over-fitting)" 现象.

结构风险最小化 (structural risk minimization, SRM) 是为了防止过拟合而提出来的策略. 结构风险最小化等价于正则化 (regularization). 结构风险在经验风险上加上表示模型复杂度的正则化项 (regularizer) 或罚项 (penalty term). 在假设空间、损失函数以及训练数据集确定的情况下, 结构风险的定义是

$$R_{\text{srm}}(f) = \frac{1}{N} \sum_{i=1}^{N} L(y_i, f(x_i)) + \lambda J(f) \tag{1.12}$$

其中 $J(f)$ 为模型的复杂度, 是定义在假设空间 $\mathcal{F}$ 上的泛函. 模型 f 越复杂, 复杂度 $J(f)$ 就越大; 反之, 模型 f 越简单, 复杂度 $J(f)$ 就越小. 也就是说, 复杂度表示了对复杂模型的惩罚. $\lambda \geqslant 0$ 是系数, 用以权衡经验风险和模型复杂度. 结构风险小需要经验风险与模型复杂度同时小. 结构风险小的模型往往对训练数据以及未知的测试数据都有较好的预测.

比如, 贝叶斯估计中的最大后验概率估计 (maximum posterior probability estimation, MAP) 就是结构风险最小化的一个例子. 当模型是条件概率分布、损失函数是对数损失函数、模型复杂度由模型的先验概率表示时, 结构风险最小化就等价于最大后验概率估计.

结构风险最小化的策略认为结构风险最小的模型是最优的模型. 所以求最优模型, 就是求解最优化问题:

$$\min_{f \in \mathcal{F}} \quad \frac{1}{N} \sum_{i=1}^{N} L(y_i, f(x_i)) + \lambda J(f) \tag{1.13}$$

这样, 监督学习问题就变成了经验风险或结构风险函数的最优化问题(1.11)和(1.13). 这时经验或结构风险函数是最优化的目标函数.

1.3.3 算法

算法是指学习模型的具体计算方法. 统计学习基于训练数据集, 根据学习策略, 从假设空间中选择最优模型, 最后需要考虑用什么样的计算方法求解最优模型.

这时, 统计学习问题归结为最优化问题, 统计学习的算法成为求解最优化问题的算法. 如果最优化问题有显式的解析解, 这个最优化问题就比较简单. 但通常解析解不存在, 这就需要用数值计算的方法求解. 如何保证找到全局最优解, 并使求解的过程非常高效, 就成为一个重要问题. 统计学习可以利用已有的最优

化算法，有时也需要开发独自的最优化算法.

　　统计学习方法之间的不同，主要来自其模型、策略、算法的不同. 确定了模型、策略、算法，统计学习的方法也就确定了. 这也就是将其称为统计学习三要素的原因.

1.4　模型评估与模型选择

1.4.1　训练误差与测试误差

　　统计学习的目的是使学到的模型不仅对已知数据而且对未知数据都能有很好的预测能力. 不同的学习方法会给出不同的模型. 当损失函数给定时，基于损失函数的模型的训练误差（training error）和模型的测试误差（test error）就自然成为学习方法评估的标准. 注意，统计学习方法具体采用的损失函数未必是评估时使用的损失函数. 当然，让两者一致是比较理想的.

　　假设学习到的模型是 $Y = \hat{f}(X)$，训练误差是模型 $Y = \hat{f}(X)$ 关于训练数据集的平均损失：

$$R_{\text{emp}}(\hat{f}) = \frac{1}{N} \sum_{i=1}^{N} L(y_i, \hat{f}(x_i)) \tag{1.14}$$

其中 N 是训练样本容量.

　　测试误差是模型 $Y = \hat{f}(X)$ 关于测试数据集的平均损失：

$$e_{\text{test}} = \frac{1}{N'} \sum_{i=1}^{N'} L(y_i, \hat{f}(x_i)) \tag{1.15}$$

其中 N' 是测试样本容量.

　　例如，当损失函数是 0-1 损失时，测试误差就变成了常见的测试数据集上的误差率（error rate）

$$e_{\text{test}} = \frac{1}{N'} \sum_{i=1}^{N'} I(y_i \neq \hat{f}(x_i)) \tag{1.16}$$

这里 I 是指示函数（indicator function），即 $y \neq \hat{f}(x)$ 时为 1，否则为 0.

　　相应地，常见的测试数据集上的准确率（accuracy）为

$$r_{\text{test}} = \frac{1}{N'} \sum_{i=1}^{N'} I(y_i = \hat{f}(x_i)) \tag{1.17}$$

显然，

$$r_{\text{test}} + e_{\text{test}} = 1$$

　　训练误差的大小，对判断给定的问题是不是一个容易学习的问题是有意义的，但本质上不重要. 测试误差反映了学习方法对未知的测试数据集的预测能力，是学习中的重要概念. 显然，给定两种学习方法，测试误差小的方法具有更好的

预测能力,是更有效的方法. 通常将学习方法对未知数据的预测能力称为泛化能力(generalization ability),这个问题将在 1.6 节继续论述.

1.4.2 过拟合与模型选择

当假设空间含有不同复杂度(例如,不同的参数个数)的模型时,就要面临模型选择(model selection)的问题. 我们希望选择或学习一个合适的模型. 如果在假设空间中存在"真"模型,那么所选择的模型应该逼近真模型. 具体地,所选择的模型要与真模型的参数个数相同,所选择的模型的参数向量与真模型的参数向量相近.

如果一味追求提高对训练数据的预测能力,所选模型的复杂度则往往会比真模型更高. 这种现象称为过拟合(over-fitting). 过拟合是指学习时选择的模型所包含的参数过多,以致于出现这一模型对已知数据预测得很好,但对未知数据预测得很差的现象. 可以说模型选择旨在避免过拟合并提高模型的预测能力.

下面,以多项式函数拟合问题为例,说明过拟合与模型选择. 这是一个回归问题.

例 1.1 假设给定一个训练数据集[①]:

$$T = \{(x_1, y_1), (x_2, y_2), \cdots, (x_N, y_N)\}$$

其中,$x_i \in \mathbf{R}$ 是输入 x 的观测值,$y_i \in \mathbf{R}$ 是相应的输出 y 的观测值,$i = 1, 2, \cdots, N$. 多项式函数拟合的任务是假设给定数据由 M 次多项式函数生成,选择最有可能产生这些数据的 M 次多项式函数,即在 M 次多项式函数中选择一个对已知数据以及未知数据都有很好预测能力的函数.

假设给定如图 1.2 所示的 10 个数据点,用 0~9 次多项式函数对数据进行拟合. 图中画出了需要用多项式函数曲线拟合的数据.

设 M 次多项式为

$$f_M(x, w) = w_0 + w_1 x + w_2 x^2 + \cdots + w_M x^M = \sum_{j=0}^{M} w_j x^j$$

式中 x 是单变量输入,$w_0, w_1, \cdots, w_M$ 是 $M+1$ 个参数.

解决这一问题的方法可以是这样的. 首先确定模型的复杂度,即确定多项式的次数;然后在给定的模型复杂度下,按照经验风险最小化的策略,求解参数,即多项式的系数,具体地,求以下经验风险最小化:

$$L(w) = \frac{1}{2} \sum_{i=1}^{N} (f(x_i, w) - y_i)^2 \tag{1.18}$$

---

① 本例来自参考文献[3].

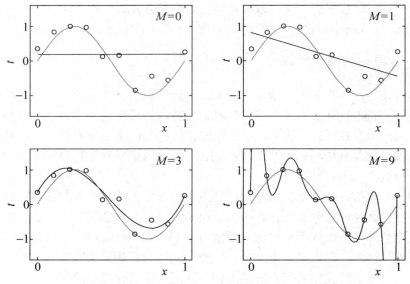

图 1.2　M 次多项式函数拟合问题的例子

这时，损失函数为平方损失，系数 $\frac{1}{2}$ 是为了计算方便．

这是一个简单的最优化问题．将模型与训练数据代入式(1.18)中，有

$$L(w) = \frac{1}{2}\sum_{i=1}^{N}\left(\sum_{j=0}^{M} w_j x_i^{\,j} - y_i\right)^2$$

这一问题可用最小二乘法求得拟合多项式系数的唯一解，记作 $w_0^*, w_1^*, \cdots, w_M^*$．求解过程这里不予叙述，读者可参阅有关材料．

图 1.2 给出了 $M=0$，$M=1$，$M=3$ 及 $M=9$ 时多项式函数拟合的情况．如果 $M=0$，多项式曲线是一个常数，数据拟合效果很差．如果 $M=1$，多项式曲线是一条直线，数据拟合效果也很差．相反，如果 $M=9$，多项式曲线通过每个数据点，训练误差为 0．从对给定训练数据拟合的角度来说，效果是最好的．但是，因为训练数据本身存在噪声，这种拟合曲线对未知数据的预测能力往往并不是最好的，在实际学习中并不可取．这时过拟合现象就会发生．这就是说，模型选择时，不仅要考虑对已知数据的预测能力，而且还要考虑对未知数据的预测能力．当 $M=3$ 时，多项式曲线对训练数据拟合效果足够好，模型也比较简单，是一个较好的选择．■

    在多项式函数拟合中可以看到,随着多项式次数(模型复杂度)的增加,训练误差会减小,直至趋向于 0,但是测试误差却不如此,它会随着多项式次数(模型复杂度)的增加先减小而后增大.而最终的目的是使测试误差达到最小.这样,在多项式函数拟合中,就要选择合适的多项式次数,以达到这一目的.这一结论对一般的模型选择也是成立的.

    图 1.3 描述了训练误差和测试误差与模型的复杂度之间的关系.当模型的复杂度增大时,训练误差会逐渐减小并趋向于 0;而测试误差会先减小,达到最小值后又增大.当选择的模型复杂度过大时,过拟合现象就会发生.这样,在学习时就要防止过拟合,进行最优的模型选择,即选择复杂度适当的模型,以达到使测试误差最小的学习目的.下面介绍两种常用的模型选择方法:正则化与交叉验证.

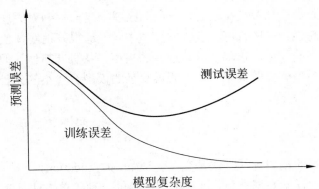

图 1.3   训练误差和测试误差与模型复杂度的关系

1.5   正则化与交叉验证

1.5.1   正则化

    模型选择的典型方法是正则化(regularization).正则化是结构风险最小化策略的实现,是在经验风险上加一个正则化项(regularizer)或罚项(penalty term).正则化项一般是模型复杂度的单调递增函数,模型越复杂,正则化值就越大.比如,正则化项可以是模型参数向量的范数.

    正则化一般具有如下形式:

$$\min_{f \in \mathcal{F}} \quad \frac{1}{N} \sum_{i=1}^{N} L(y_i, f(x_i)) + \lambda J(f) \tag{1.19}$$

其中,第 1 项是经验风险,第 2 项是正则化项,$\lambda \geqslant 0$ 为调整两者之间关系的系数.

正则化项可以取不同的形式. 例如，回归问题中，损失函数是平方损失，正则化项可以是参数向量的 L_2 范数：

$$L(w) = \frac{1}{N} \sum_{i=1}^{N} (f(x_i; w) - y_i)^2 + \frac{\lambda}{2} \| w \|^2$$

这里，$\| w \|$ 表示参数向量 w 的 L_2 范数.

正则化项也可以是参数向量的 L_1 范数：

$$L(w) = \frac{1}{N} \sum_{i=1}^{N} (f(x_i; w) - y_i)^2 + \lambda \| w \|_1$$

这里，$\| w \|_1$ 表示参数向量 w 的 L_1 范数.

第 1 项的经验风险较小的模型可能较复杂（有多个非零参数），这时第 2 项的模型复杂度会较大. 正则化的作用是选择经验风险与模型复杂度同时较小的模型.

正则化符合奥卡姆剃刀(Occam's razor)原理. 奥卡姆剃刀原理应用于模型选择时变为以下想法：在所有可能选择的模型中，能够很好地解释已知数据并且十分简单才是最好的模型，也就是应该选择的模型. 从贝叶斯估计的角度来看，正则化项对应于模型的先验概率. 可以假设复杂的模型有较小的先验概率，简单的模型有较大的先验概率.

1.5.2　交叉验证

另一种常用的模型选择方法是交叉验证(cross validation).

如果给定的样本数据充足，进行模型选择的一种简单方法是随机地将数据集切分成三部分，分别为训练集（training set）、验证集(validation set)和测试集(test set). 训练集用来训练模型，验证集用于模型的选择，而测试集用于最终对学习方法的评估. 在学习到的不同复杂度的模型中，选择对验证集有最小预测误差的模型. 由于验证集有足够多的数据，用它对模型进行选择也是有效的.

但是，在许多实际应用中数据是不充足的. 为了选择好的模型，可以采用交叉验证方法. 交叉验证的基本想法是重复地使用数据；把给定的数据进行切分，将切分的数据集组合为训练集与测试集，在此基础上反复地进行训练、测试以及模型选择.

1.　简单交叉验证

简单交叉验证方法是：首先随机地将已给数据分为两部分，一部分作为训练集，另一部分作为测试集（例如，70%的数据为训练集，30%的数据为测试集）；然后用训练集在各种条件下（例如，不同的参数个数）训练模型，从而得到不同的模型；在测试集上评价各个模型的测试误差，选出测试误差最小的模型.

2. S折交叉验证

应用最多的是 S 折交叉验证（S-fold cross validation），方法如下：首先随机地将已给数据切分为 S 个互不相交的大小相同的子集；然后利用 S−1 个子集的数据训练模型，利用余下的子集测试模型；将这一过程对可能的 S 种选择重复进行；最后选出 S 次评测中平均测试误差最小的模型.

3. 留一交叉验证

S 折交叉验证的特殊情形是 S = N，称为留一交叉验证（leave-one-out cross validation），往往在数据缺乏的情况下使用. 这里，N 是给定数据集的容量.

1.6 泛 化 能 力

1.6.1 泛化误差

学习方法的泛化能力（generalization ability）是指由该方法学习到的模型对未知数据的预测能力，是学习方法本质上重要的性质. 现实中采用最多的办法是通过测试误差来评价学习方法的泛化能力. 但这种评价是依赖于测试数据集的. 因为测试数据集是有限的，很有可能由此得到的评价结果是不可靠的. 统计学习理论试图从理论上对学习方法的泛化能力进行分析.

首先给出泛化误差的定义. 如果学到的模型是 $\hat{f}$，那么用这个模型对未知数据预测的误差即为泛化误差（generalization error）

$$R_{\exp}(\hat{f}) = E_P[L(Y, \hat{f}(X))] = \int_{\mathcal{X} \times \mathcal{Y}} L(y, \hat{f}(x))P(x, y)\mathrm{d}x\mathrm{d}y \tag{1.20}$$

泛化误差反映了学习方法的泛化能力，如果一种方法学习的模型比另一种方法学习的模型具有更小的泛化误差，那么这种方法就更有效. 事实上，泛化误差就是所学习到的模型的期望风险.

1.6.2 泛化误差上界

学习方法的泛化能力分析往往是通过研究泛化误差的概率上界进行的，简称为泛化误差上界（generalization error bound）. 具体来说，就是通过比较两种学习方法的泛化误差上界的大小来比较它们的优劣. 泛化误差上界通常具有以下性质：它是样本容量的函数，当样本容量增加时，泛化上界趋于 0；它是假设空间容量（capacity）的函数，假设空间容量越大，模型就越难学，泛化误差上界就越大.

下面给出一个简单的泛化误差上界的例子：二类分类问题的泛化误差上界.

考虑二类分类问题. 已知训练数据集 $T = \{(x_1, y_1), (x_2, y_2), \cdots, (x_N, y_N)\}$，它是

从联合概率分布 $P(X,Y)$ 独立同分布产生的，$X \in \mathbf{R}^n$，$Y \in \{-1,+1\}$．假设空间是函数的有限集合 $\mathcal{F} = \{f_1, f_2, \cdots, f_d\}$，$d$ 是函数个数．设 f 是从 $\mathcal{F}$ 中选取的函数．损失函数是 0-1 损失．关于 f 的期望风险和经验风险分别是

$$R(f) = E[L(Y, f(X))] \tag{1.21}$$

$$\hat{R}(f) = \frac{1}{N} \sum_{i=1}^{N} L(y_i, f(x_i)) \tag{1.22}$$

经验风险最小化函数是

$$f_N = \arg \min_{f \in \mathcal{F}} \hat{R}(f) \tag{1.23}$$

人们更关心的是 f_N 的泛化能力

$$R(f_N) = E[L(Y, f_N(X))] \tag{1.24}$$

下面讨论从有限集合 $\mathcal{F} = \{f_1, f_2, \cdots, f_d\}$ 中任意选出的函数 f 的泛化误差上界.

定理 1.1（泛化误差上界）   对二类分类问题，当假设空间是有限个函数的集合 $\mathcal{F} = \{f_1, f_2, \cdots, f_d\}$ 时，对任意一个函数 $f \in \mathcal{F}$，至少以概率 $1 - \delta$，以下不等式成立：

$$R(f) \leqslant \hat{R}(f) + \varepsilon(d, N, \delta) \tag{1.25}$$

其中，

$$\varepsilon(d, N, \delta) = \sqrt{\frac{1}{2N} \left(\log d + \log \frac{1}{\delta} \right)} \tag{1.26}$$

不等式(1.25)左端 $R(f)$ 是泛化误差，右端即为泛化误差上界．在泛化误差上界中，第 1 项是训练误差，训练误差越小，泛化误差也越小．第 2 项 $\varepsilon(d, N, \delta)$ 是 N 的单调递减函数，当 N 趋于无穷时趋于 0；同时它也是 $\sqrt{\log d}$ 阶的函数，假设空间 $\mathcal{F}$ 包含的函数越多，其值越大．

证明   在证明中要用到 Hoeffding 不等式，先叙述如下.

设 $S_n = \sum_{i=1}^{n} X_i$ 是独立随机变量 $X_1, X_2, \cdots, X_n$ 之和，$X_i \in [a_i, b_i]$，则对任意 $t > 0$，以下不等式成立：

$$P(S_n - ES_n \geqslant t) \leqslant \exp \left(\frac{-2t^2}{\sum_{i=1}^{n} (b_i - a_i)^2} \right) \tag{1.27}$$

$$P(ES_n - S_n \geqslant t) \leqslant \exp \left(\frac{-2t^2}{\sum_{i=1}^{n} (b_i - a_i)^2} \right) \tag{1.28}$$

对任意函数 $f \in \mathcal{F}$，$\hat{R}(f)$ 是 N 个独立的随机变量 $L(Y, f(X))$ 的样本均值，$R(f)$

是随机变量 $L(Y, f(X))$ 的期望值. 如果损失函数取值于区间 $[0,1]$, 即对所有 $i, [a_i, b_i] =$ $[0,1]$, 那么由 Hoeffding 不等式 (1.28) 不难得知, 对 $\varepsilon > 0$, 以下不等式成立:

$$P(R(f) - \hat{R}(f) \geqslant \varepsilon) \leqslant \exp(-2N\varepsilon^2)$$

由于 $\mathcal{F} = \{f_1, f_2, \cdots, f_d\}$ 是一个有限集合, 故

$$
\begin{aligned}
P(\exists f \in \mathcal{F}: R(f) - \hat{R}(f) \geqslant \varepsilon) &= P(\bigcup_{f \in \mathcal{F}} \{R(f) - \hat{R}(f) \geqslant \varepsilon\}) \\
&\leqslant \sum_{f \in \mathcal{F}} P(R(f) - \hat{R}(f) \geqslant \varepsilon) \\
&\leqslant d \exp(-2N\varepsilon^2)
\end{aligned}
$$

或者等价的, 对任意 $f \in \mathcal{F}$, 有

$$P(R(f) - \hat{R}(f) < \varepsilon) \geqslant 1 - d\exp(-2N\varepsilon^2)$$

令

$$\delta = d\exp(-2N\varepsilon^2) \qquad (1.29)$$

则

$$P(R(f) < \hat{R}(f) + \varepsilon) \geqslant 1 - \delta$$

即至少以概率 $1 - \delta$ 有 $R(f) < \hat{R}(f) + \varepsilon$, 其中 ε 由式 (1.29) 得到, 即为式 (1.26).

从泛化误差上界可知,

$$R(f_N) \leqslant \hat{R}(f_N) + \varepsilon(d, N, \delta)$$

其中, $\varepsilon(d, N, \delta)$ 由式 (1.26) 定义, f_N 由式 (1.23) 定义. 这就是说, 训练误差小的模型, 其泛化误差也会小.

以上讨论的只是假设空间包含有限个函数情况下的泛化误差上界, 对一般的假设空间要找到泛化误差界就没有这么简单, 这里不作介绍.

1.7 生成模型与判别模型

监督学习的任务就是学习一个模型, 应用这一模型, 对给定的输入预测相应的输出. 这个模型的一般形式为决策函数:

$$Y = f(X)$$

或者条件概率分布:

$$P(Y \mid X)$$

监督学习方法又可以分为生成方法（generative approach）和判别方法

(discriminative approach). 所学到的模型分别称为生成模型（generative model）和判别模型（discriminative model）.

生成方法由数据学习联合概率分布 $P(X,Y)$，然后求出条件概率分布 $P(Y|X)$ 作为预测的模型，即生成模型：

$$P(Y|X) = \frac{P(X,Y)}{P(X)}$$

这样的方法之所以称为生成方法，是因为模型表示了给定输入 X 产生输出 Y 的生成关系. 典型的生成模型有：朴素贝叶斯法和隐马尔可夫模型，将在后面章节进行相关讲述.

判别方法由数据直接学习决策函数 $f(X)$ 或者条件概率分布 $P(Y|X)$ 作为预测的模型，即判别模型. 判别方法关心的是对给定的输入 X，应该预测什么样的输出 Y. 典型的判别模型包括：k 近邻法、感知机、决策树、逻辑斯谛回归模型、最大熵模型、支持向量机、提升方法和条件随机场等，将在后面章节讲述.

在监督学习中，生成方法和判别方法各有优缺点，适合于不同条件下的学习问题.

生成方法的特点：生成方法可以还原出联合概率分布 $P(X,Y)$，而判别方法则不能；生成方法的学习收敛速度更快，即当样本容量增加的时候，学到的模型可以更快地收敛于真实模型；当存在隐变量时，仍可以用生成方法学习，此时判别方法就不能用.

判别方法的特点：判别方法直接学习的是条件概率 $P(Y|X)$ 或决策函数 $f(X)$，直接面对预测，往往学习的准确率更高；由于直接学习 $P(Y|X)$ 或 $f(X)$，可以对数据进行各种程度上的抽象、定义特征并使用特征，因此可以简化学习问题.

1.8 分 类 问 题

分类是监督学习的一个核心问题. 在监督学习中，当输出变量 Y 取有限个离散值时，预测问题便成为分类问题. 这时，输入变量 X 可以是离散的，也可以是连续的. 监督学习从数据中学习一个分类模型或分类决策函数，称为分类器（classifier）. 分类器对新的输入进行输出的预测（prediction），称为分类（classification）. 可能的输出称为类（class）. 分类的类别为多个时，称为多类分类问题. 本书主要讨论二类分类问题.

分类问题包括学习和分类两个过程. 在学习过程中，根据已知的训练数据集利用有效的学习方法学习一个分类器；在分类过程中，利用学习的分类器对新的输入实例进行分类. 分类问题可用图 1.4 描述. 图中 $(x_1, y_1), (x_2, y_2), \cdots, (x_N, y_N)$ 是训练数据集，学习系统由训练数据学习一个分类器 $P(Y|X)$ 或 $Y = f(X)$；分类系

统通过学到的分类器 $P(Y|X)$ 或 $Y = f(X)$ 对于新的输入实例 x_{N+1} 进行分类，即预测其输出的类标记 y_{N+1}.

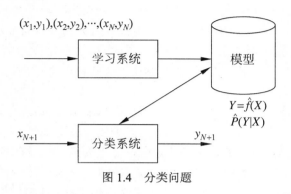

$$(x_1, y_1), (x_2, y_2), \cdots, (x_N, y_N)$$

学习系统

模型

$$Y = \hat{f}(X)$$
$$\hat{P}(Y|X)$$

x_{N+1}

分类系统

y_{N+1}

图 1.4   分类问题

评价分类器性能的指标一般是分类准确率（accuracy），其定义是：对于给定的测试数据集，分类器正确分类的样本数与总样本数之比. 也就是损失函数是 0-1 损失时测试数据集上的准确率（见公式 (1.17)）.

对于二类分类问题常用的评价指标是精确率（precision）与召回率（recall）. 通常以关注的类为正类，其他类为负类，分类器在测试数据集上的预测或正确或不正确，4 种情况出现的总数分别记作：

TP——将正类预测为正类数；

FN——将正类预测为负类数；

FP——将负类预测为正类数；

TN——将负类预测为负类数.

精确率定义为

$$P = \frac{TP}{TP + FP} \tag{1.30}$$

召回率定义为

$$R = \frac{TP}{TP + FN} \tag{1.31}$$

此外，还有 F_1 值，是精确率和召回率的调和均值，即

$$\frac{2}{F_1} = \frac{1}{P} + \frac{1}{R} \tag{1.32}$$

$$F_1 = \frac{2TP}{2TP + FP + FN} \tag{1.33}$$

精确率和召回率都高时，F_1 值也会高.

许多统计学习方法可以用于分类，包括 k 近邻法、感知机、朴素贝叶斯法、决策树、决策列表、逻辑斯谛回归模型、支持向量机、提升方法、贝叶斯网络、神

经网络、Winnow 等. 本书将讲述其中一些主要方法.

　　分类在于根据其特性将数据"分门别类"，所以在许多领域都有广泛的应用. 例如，在银行业务中，可以构建一个客户分类模型，对客户按照贷款风险的大小进行分类；在网络安全领域，可以利用日志数据的分类对非法入侵进行检测；在图像处理中，分类可以用来检测图像中是否有人脸出现；在手写识别中，分类可以用于识别手写的数字；在互联网搜索中，网页的分类可以帮助网页的抓取、索引与排序

　　一个分类应用的例子——文本分类(text classification). 这里的文本可以是新闻报道、网页、电子邮件、学术论文等. 类别往往是关于文本内容的，例如政治、经济、体育等；也有关于文本特点的，如正面意见、反面意见；还可以根据应用确定，如垃圾邮件、非垃圾邮件等. 文本分类是根据文本的特征将其划分到已有的类中. 输入是文本的特征向量，输出是文本的类别. 通常把文本中的单词定义为特征，每个单词对应一个特征. 单词的特征可以是二值的，如果单词在文本中出现则取值是 1，否则是 0；也可以是多值的，表示单词在文本中出现的频率. 直观地，如果"股票""银行""货币"这些词出现很多，这个文本可能属于经济类，如果"网球""比赛""运动员"这些词频繁出现，这个文本可能属于体育类.

1.9 标 注 问 题

　　标注（tagging）也是一个监督学习问题. 可以认为标注问题是分类问题的一个推广，标注问题又是更复杂的结构预测(structure prediction)问题的简单形式. 标注问题的输入是一个观测序列，输出是一个标记序列或状态序列. 标注问题的目标在于学习一个模型，使它能够对观测序列给出标记序列作为预测. 注意，可能的标记个数是有限的，但其组合所成的标记序列的个数是依序列长度呈指数级增长的.

　　标注问题分为学习和标注两个过程（如图 1.5 所示）. 首先给定一个训练数据集

$$T = \{(x_1, y_1), (x_2, y_2), \cdots, (x_N, y_N)\}$$

这里，$x_i = (x_i^{(1)}, x_i^{(2)}, \cdots, x_i^{(n)})^{\mathrm{T}}$，$i = 1, 2, \cdots, N$，是输入观测序列，$y_i = (y_i^{(1)}, y_i^{(2)}, \cdots, y_i^{(n)})^{\mathrm{T}}$ 是相应的输出标记序列，n 是序列的长度，对不同样本可以有不同的值. 学习系统基于训练数据集构建一个模型，表示为条件概率分布：

$$P(Y^{(1)}, Y^{(2)}, \cdots, Y^{(n)} \mid X^{(1)}, X^{(2)}, \cdots, X^{(n)})$$

这里，每一个 $X^{(i)}$（$i = 1, 2, \cdots, n$）取值为所有可能的观测，每一个 $Y^{(i)}$（$i = 1, 2, \cdots, n$）取值为所有可能的标记，一般 $n \ll N$. 标注系统按照学习得到的条件概率分布模

型，对新的输入观测序列找到相应的输出标记序列. 具体地，对一个观测序列 $x_{N+1} = (x_{N+1}^{(1)}, x_{N+1}^{(2)}, \cdots, x_{N+1}^{(n)})^{\mathrm{T}}$ 找到使条件概率 $P((y_{N+1}^{(1)}, y_{N+1}^{(2)}, \cdots, y_{N+1}^{(n)})^{\mathrm{T}} \mid (x_{N+1}^{(1)}, x_{N+1}^{(2)}, \cdots, x_{N+1}^{(n)})^{\mathrm{T}})$ 最大的标记序列 $y_{N+1} = (y_{N+1}^{(1)}, y_{N+1}^{(2)}, \cdots, y_{N+1}^{(n)})^{\mathrm{T}}$.

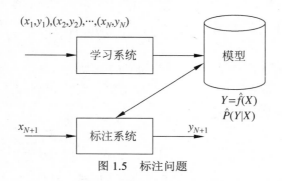

图 1.5　标注问题

评价标注模型的指标与评价分类模型的指标一样，常用的有标注准确率、精确率和召回率. 其定义与分类模型相同.

标注常用的统计学习方法有：隐马尔可夫模型、条件随机场.

标注问题在信息抽取、自然语言处理等领域被广泛应用，是这些领域的基本问题. 例如，自然语言处理中的词性标注(part of speech tagging)就是一个典型的标注问题：给定一个由单词组成的句子，对这个句子中的每一个单词进行词性标注，即对一个单词序列预测其对应的词性标记序列.

举一个信息抽取的例子. 从英文文章中抽取基本名词短语（base noun phrase）. 为此，要对文章进行标注. 英文单词是一个观测，英文句子是一个观测序列，标记表示名词短语的"开始"、"结束"或"其他"（分别以 B，E，O 表示），标记序列表示英文句子中基本名词短语的所在位置. 信息抽取时，将标记"开始"到标记"结束"的单词作为名词短语. 例如，给出以下的观测序列，即英文句子，标注系统产生相应的标记序列，即给出句子中的基本名词短语.

输入：At Microsoft Research, we have an insatiable curiosity and the desire to create new technology that will help define the computing experience.

输出：At/O Microsoft/B Research/E, we/O have/O an/O insatiable/B curiosity/E and/O the/O desire/BE to/O create/O new/B technology/E that/O will/O help/O define/O the/O computing/B experience/E.

1.10　回　归　问　题

回归（regression）是监督学习的另一个重要问题. 回归用于预测输入变量（自变量）和输出变量（因变量）之间的关系，特别是当输入变量的值发生变化时，输出变量的值随之发生的变化. 回归模型正是表示从输入变量到输出变量之间映射的函数. 回归问题的学习等价于函数拟合：选择一条函数曲线使其很好地拟合已知数据且很好地预测未知数据（参照 1.4.2 节）.

回归问题分为学习和预测两个过程（如图 1.6 所示）. 首先给定一个训练数据集：

$$T = \{(x_1, y_1), (x_2, y_2), \cdots, (x_N, y_N)\}$$

这里，$x_i \in \mathbf{R}^n$ 是输入，$y \in \mathbf{R}$ 是对应的输出，$i = 1, 2, \cdots, N$. 学习系统基于训练数据构建一个模型，即函数 $Y = f(X)$；对新的输入 x_{N+1}，预测系统根据学习的模型 $Y = f(X)$ 确定相应的输出 y_{N+1}.

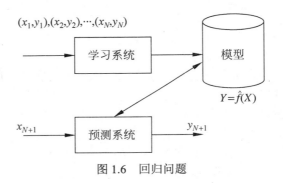

图 1.6   回归问题

回归问题按照输入变量的个数，分为一元回归和多元回归；按照输入变量和输出变量之间关系的类型即模型的类型，分为线性回归和非线性回归.

回归学习最常用的损失函数是平方损失函数，在此情况下，回归问题可以由著名的最小二乘法（least squares）求解.

许多领域的任务都可以形式化为回归问题，比如，回归可以用于商务领域，作为市场趋势预测、产品质量管理、客户满意度调查、投资风险分析的工具. 作为例子，简单介绍股价预测问题. 假设知道某一公司在过去不同时间点（比如，每天）的市场上的股票价格（比如，股票平均价格），以及在各个时间点之前可能影响该公司股价的信息（比如，该公司前一周的营业额、利润）. 目标是从过去的数据学习一个模型，使它可以基于当前的信息预测该公司下一个时间点的股票价格. 可以将这个问题作为回归问题解决. 具体地，将影响股价的信息视为自变量（输入的特征），而将股价视为因变量（输出的值）. 将过去的数据作为训练数据，就可以学习一个回归模型，并对未来的股价进行预测. 可以看出这是一个困难的预测问题，因为影响股价的因素非常多，我们未必能判断到哪些信息（输入的特征）有用并能得到这些信息.

本 章 概 要

1．统计学习是关于计算机基于数据构建概率统计模型并运用模型对数据进行分析与预测的一门学科．统计学习包括监督学习、非监督学习、半监督学习和强化学习．

2．统计学习方法三要素——模型、策略、算法，对理解统计学习方法起到提纲挈领的作用．

3．本书主要讨论监督学习，监督学习可以概括如下：从给定有限的训练数据出发，假设数据是独立同分布的，而且假设模型属于某个假设空间，应用某一评价准则，从假设空间中选取一个最优的模型，使它对已给训练数据及未知测试数据在给定评价标准意义下有最准确的预测．

4．统计学习中，进行模型选择或者说提高学习的泛化能力是一个重要问题．如果只考虑减少训练误差，就可能产生过拟合现象．模型选择的方法有正则化与交叉验证．学习方法泛化能力的分析是统计学习理论研究的重要课题．

5．分类问题、标注问题和回归问题都是监督学习的重要问题．本书中介绍的统计学习方法包括感知机、k 近邻法、朴素贝叶斯法、决策树、逻辑斯谛回归与最大熵模型、支持向量机、提升方法、EM 算法、隐马尔可夫模型和条件随机场．这些方法是主要的分类、标注以及回归方法．它们又可以归类为生成方法与判别方法．

继 续 阅 读

关于统计学习方法一般介绍的书籍可以参阅文献[1～4].

习 题

1.1 说明伯努利模型的极大似然估计以及贝叶斯估计中的统计学习方法三要素．伯努利模型是定义在取值为 0 与 1 的随机变量上的概率分布．假设观测到伯努利模型 n 次独立的数据生成结果，其中 k 次的结果为 1，这时可以用极大似然估计或贝叶斯估计来估计结果为 1 的概率．

1.2 通过经验风险最小化推导极大似然估计．证明模型是条件概率分布，当损失函数是对数损失函数时，经验风险最小化等价于极大似然估计．

参 考 文 献

[1] Hastie T, Tibshirani R, Friedman J. The Elements of Statistical Learning: Data Mining,
     Inference, and Prediction. Springer. 2001（中译本：统计学习基础——数据挖掘、推理与预
     测. 范明，柴玉梅，昝红英等译. 北京：电子工业出版社，2004)

[2] Tom M Michelle. Machine Learning. McGraw-Hill Companies, Inc. 1997（中译本：机器学
     习. 北京：机械工业出版社，2003）

[3] Bishop M. Pattern Recognition and Machine Learning. Springer, 2006

[4] Brian Ripley. Pattern Recognition and Neural Networks. Cambridge University Press, 1996

第2章 感知机

感知机（perceptron）是二类分类的线性分类模型，其输入为实例的特征向量，输出为实例的类别，取+1 和-1 二值．感知机对应于输入空间（特征空间）中将实例划分为正负两类的分离超平面，属于判别模型．感知机学习旨在求出将训练数据进行线性划分的分离超平面，为此，导入基于误分类的损失函数，利用梯度下降法对损失函数进行极小化，求得感知机模型．感知机学习算法具有简单而易于实现的优点，分为原始形式和对偶形式．感知机预测是用学习得到的感知机模型对新的输入实例进行分类．感知机 1957 年由 Rosenblatt 提出，是神经网络与支持向量机的基础．

本章首先介绍感知机模型；然后叙述感知机的学习策略，特别是损失函数；最后介绍感知机学习算法，包括原始形式和对偶形式，并证明算法的收敛性．

2.1 感知机模型

定义 2.1（感知机） 假设输入空间（特征空间）是 $\mathcal{X} \subseteq \mathbf{R}^n$，输出空间是 $\mathcal{Y} = \{+1, -1\}$．输入 $x \in \mathcal{X}$ 表示实例的特征向量，对应于输入空间（特征空间）的点；输出 $y \in \mathcal{Y}$ 表示实例的类别．由输入空间到输出空间的如下函数

$$f(x) = \text{sign}(w \cdot x + b) \tag{2.1}$$

称为感知机．其中，w 和 b 为感知机模型参数，$w \in \mathbf{R}^n$ 叫作权值（weight）或权值向量（weight vector），$b \in \mathbf{R}$ 叫作偏置（bias），$w \cdot x$ 表示 w 和 x 的内积．sign 是符号函数，即

$$\text{sign}(x) = \begin{cases} +1, & x \geqslant 0 \\ -1, & x < 0 \end{cases} \tag{2.2}$$

感知机是一种线性分类模型，属于判别模型．感知机模型的假设空间是定义在特征空间中的所有线性分类模型（linear classification model）或线性分类器 (linear classifier)，即函数集合 $\{f \mid f(x) = w \cdot x + b\}$．

感知机有如下几何解释：线性方程

$$w \cdot x + b = 0 \tag{2.3}$$

对应于特征空间 $\mathbf{R}^n$ 中的一个超平面 S，其中 w 是超平面的法向量，b 是超平面的截距．这个超平面将特征空间划分为两个部分．位于两部分的点（特征向量）分

别被分为正、负两类. 因此，超平面 S 称为分离超平面（separating hyperplane），如图 2.1 所示.

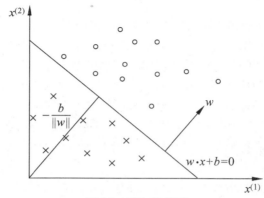

图 2.1　感知机模型

感知机学习，由训练数据集（实例的特征向量及类别）

$$T = \{(x_1, y_1), (x_2, y_2), \cdots, (x_N, y_N)\}$$

其中，$x_i \in \mathcal{X} = \mathbf{R}^n$，$y_i \in \mathcal{Y} = \{+1, -1\}$，$i = 1, 2, \cdots, N$，求得感知机模型（2.1），即求得模型参数 w, b. 感知机预测，通过学习得到的感知机模型，对于新的输入实例给出其对应的输出类别.

2.2　感知机学习策略

2.2.1　数据集的线性可分性

定义 2.2（数据集的线性可分性）　给定一个数据集

$$T = \{(x_1, y_1), (x_2, y_2), \cdots, (x_N, y_N)\},$$

其中，$x_i \in \mathcal{X} = \mathbf{R}^n$，$y_i \in \mathcal{Y} = \{+1, -1\}$，$i = 1, 2, \cdots, N$，如果存在某个超平面 S

$$w \cdot x + b = 0$$

能够将数据集的正实例点和负实例点完全正确地划分到超平面的两侧，即对所有 $y_i = +1$ 的实例 i，有 $w \cdot x_i + b > 0$，对所有 $y_i = -1$ 的实例 i，有 $w \cdot x_i + b < 0$，则称数据集 T 为线性可分数据集（linearly separable data set）；否则，称数据集 T 线性不可分.

2.2.2　感知机学习策略

假设训练数据集是线性可分的，感知机学习的目标是求得一个能够将训练集正实例点和负实例点完全正确分开的分离超平面. 为了找出这样的超平面, 即确定感知机模型参数 w, b, 需要确定一个学习策略, 即定义 (经验) 损失函数并将损失函数极小化.

损失函数的一个自然选择是误分类点的总数. 但是, 这样的损失函数不是参数 w, b 的连续可导函数, 不易优化. 损失函数的另一个选择是误分类点到超平面 S 的总距离, 这是感知机所采用的. 为此, 首先写出输入空间 $\mathbf{R}^n$ 中任一点 x_0 到超平面 S 的距离:

$$\frac{1}{\|w\|}|w \cdot x_0 + b|$$

这里, $\|w\|$ 是 w 的 L_2 范数.

其次, 对于误分类的数据 (x_i, y_i) 来说,

$$-y_i(w \cdot x_i + b) > 0$$

成立. 因为当 $w \cdot x_i + b > 0$ 时, $y_i = -1$, 而当 $w \cdot x_i + b < 0$ 时, $y_i = +1$. 因此, 误分类点 x_i 到超平面 S 的距离是

$$-\frac{1}{\|w\|}y_i(w \cdot x_i + b)$$

这样, 假设超平面 S 的误分类点集合为 M, 那么所有误分类点到超平面 S 的总距离为

$$-\frac{1}{\|w\|}\sum_{x_i \in M} y_i(w \cdot x_i + b)$$

不考虑 $\frac{1}{\|w\|}$, 就得到感知机学习的损失函数[①].

给定训练数据集

$$T = \{(x_1, y_1), (x_2, y_2), \cdots, (x_N, y_N)\}$$

其中, $x_i \in \mathcal{X} = \mathbf{R}^n$, $y_i \in \mathcal{Y} = \{+1, -1\}$, $i = 1, 2, \cdots, N$. 感知机 $\operatorname{sign}(w \cdot x + b)$ 学习的损失函数定义为

$$L(w, b) = -\sum_{x_i \in M} y_i(w \cdot x_i + b) \tag{2.4}$$

其中 M 为误分类点的集合. 这个损失函数就是感知机学习的经验风险函数.

显然, 损失函数 $L(w, b)$ 是非负的. 如果没有误分类点, 损失函数值是 0. 而且, 误分类点越少, 误分类点离超平面越近, 损失函数值就越小. 一个特定的样本点的损失函数: 在误分类时是参数 w, b 的线性函数, 在正确分类时是 0. 因此, 给定训练数据集 T, 损失函数 $L(w, b)$ 是 w, b 的连续可导函数.

[①] 第 7 章中会介绍 $y(w \cdot x + b)$ 称为样本点的函数间隔.

感知机学习的策略是在假设空间中选取使损失函数式（2.4）最小的模型参数 w, b, 即感知机模型.

2.3　感知机学习算法

感知机学习问题转化为求解损失函数式（2.4）的最优化问题, 最优化的方法是随机梯度下降法. 本节叙述感知机学习的具体算法, 包括原始形式和对偶形式, 并证明在训练数据线性可分条件下感知机学习算法的收敛性.

2.3.1　感知机学习算法的原始形式

感知机学习算法是对以下最优化问题的算法. 给定一个训练数据集

$$T = \{(x_1, y_1), (x_2, y_2), \cdots, (x_N, y_N)\}$$

其中, $x_i \in \mathcal{X} = \mathbf{R}^n$, $y_i \in \mathcal{Y} = \{-1, 1\}$, $i = 1, 2, \cdots, N$, 求参数 w, b, 使其为以下损失函数极小化问题的解

$$\min_{w, b} L(w, b) = -\sum_{x_i \in M} y_i (w \cdot x_i + b) \tag{2.5}$$

其中 M 为误分类点的集合.

感知机学习算法是误分类驱动的, 具体采用随机梯度下降法（stochastic gradient descent）. 首先, 任意选取一个超平面 w_0, b_0, 然后用梯度下降法不断地极小化目标函数（2.5）. 极小化过程中不是一次使 M 中所有误分类点的梯度下降, 而是一次随机选取一个误分类点使其梯度下降.

假设误分类点集合 M 是固定的, 那么损失函数 $L(w, b)$ 的梯度由

$$\nabla_w L(w, b) = -\sum_{x_i \in M} y_i x_i$$

$$\nabla_b L(w, b) = -\sum_{x_i \in M} y_i$$

给出.

随机选取一个误分类点 (x_i, y_i), 对 w, b 进行更新:

$$w \leftarrow w + \eta y_i x_i \tag{2.6}$$

$$b \leftarrow b + \eta y_i \tag{2.7}$$

式中 $\eta (0 < \eta \leqslant 1)$ 是步长, 在统计学习中又称为学习率（learning rate）. 这样, 通过迭代可以期待损失函数 $L(w, b)$ 不断减小, 直到为 0. 综上所述, 得到如下算法:

算法 2.1（感知机学习算法的原始形式）

输入：训练数据集 $T = \{(x_1, y_1), (x_2, y_2), \cdots, (x_N, y_N)\}$，其中 $x_i \in \mathcal{X} = \mathbf{R}^n$，$y_i \in \mathcal{Y} = \{-1, +1\}$，$i = 1, 2, \cdots, N$；学习率 η（$0 < \eta \leqslant 1$）；

输出：w, b；感知机模型 $f(x) = \text{sign}(w \cdot x + b)$.

（1）选取初值 w_0, b_0

（2）在训练集中选取数据 (x_i, y_i)

（3）如果 $y_i(w \cdot x_i + b) \leqslant 0$

$$w \leftarrow w + \eta y_i x_i$$
$$b \leftarrow b + \eta y_i$$

（4）转至（2），直至训练集中没有误分类点. ∎

这种学习算法直观上有如下解释：当一个实例点被误分类，即位于分离超平面的错误一侧时，则调整 w，b 的值，使分离超平面向该误分类点的一侧移动，以减少该误分类点与超平面间的距离，直至超平面越过该误分类点使其被正确分类.

算法 2.1 是感知机学习的基本算法，对应于后面的对偶形式，称为原始形式．感知机学习算法简单且易于实现.

例 2.1 如图 2.2 所示的训练数据集，其正实例点是 $x_1 = (3, 3)^\mathrm{T}$，$x_2 = (4, 3)^\mathrm{T}$，负实例点是 $x_3 = (1, 1)^\mathrm{T}$，试用感知机学习算法的原始形式求感知机模型 $f(x) = \text{sign}(w \cdot x + b)$．这里，$w = (w^{(1)}, w^{(2)})^\mathrm{T}$，$x = (x^{(1)}, x^{(2)})^\mathrm{T}$．

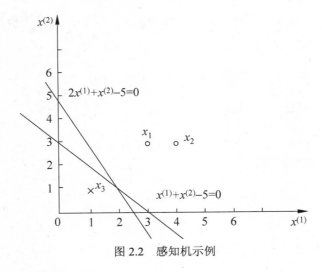

图 2.2 感知机示例

解 构建最优化问题：

$$\min_{w,b} L(w, b) = -\sum_{x_i \in M} y_i(w \cdot x + b)$$

按照算法 2.1 求解 w，b．$\eta = 1$．

（1）取初值 $w_0 = 0$，$b_0 = 0$

（2）对 $x_1 = (3,3)^{\mathrm{T}}$，$y_1(w_0 \cdot x_1 + b_0) = 0$，未能被正确分类，更新 w, b

$$w_1 = w_0 + y_1 x_1 = (3,3)^{\mathrm{T}}，\quad b_1 = b_0 + y_1 = 1$$

得到线性模型

$$w_1 \cdot x + b_1 = 3x^{(1)} + 3x^{(2)} + 1$$

（3）对 x_1, x_2，显然，$y_i(w_1 \cdot x_i + b_1) > 0$，被正确分类，不修改 w, b；对 $x_3 = (1,1)^{\mathrm{T}}$，$y_3(w_1 \cdot x_3 + b_1) < 0$，被误分类，更新 w, b.

$$w_2 = w_1 + y_3 x_3 = (2,2)^{\mathrm{T}}，\quad b_2 = b_1 + y_3 = 0$$

得到线性模型

$$w_2 \cdot x + b_2 = 2x^{(1)} + 2x^{(2)}$$

如此继续下去，直到

$$w_7 = (1,1)^{\mathrm{T}}，\quad b_7 = -3$$

$$w_7 \cdot x + b_7 = x^{(1)} + x^{(2)} - 3$$

对所有数据点 $y_i(w_7 \cdot x_i + b_7) > 0$，没有误分类点，损失函数达到极小.

分离超平面为 $\qquad\qquad x^{(1)} + x^{(2)} - 3 = 0$

感知机模型为 $\qquad\quad f(x) = \mathrm{sign}(x^{(1)} + x^{(2)} - 3)$

迭代过程见表 2.1.

表 2.1　例 2.1 求解的迭代过程

迭代次数	误分类点	w	b	$w \cdot x + b$
0		0	0	0
1	x_1	$(3,3)^{\mathrm{T}}$	1	$3x^{(1)} + 3x^{(2)} + 1$
2	x_3	$(2,2)^{\mathrm{T}}$	0	$2x^{(1)} + 2x^{(2)}$
3	x_3	$(1,1)^{\mathrm{T}}$	-1	$x^{(1)} + x^{(2)} - 1$
4	x_3	$(0,0)^{\mathrm{T}}$	-2	-2
5	x_1	$(3,3)^{\mathrm{T}}$	-1	$3x^{(1)} + 3x^{(2)} - 1$
6	x_3	$(2,2)^{\mathrm{T}}$	-2	$2x^{(1)} + 2x^{(2)} - 2$
7	x_3	$(1,1)^{\mathrm{T}}$	-3	$x^{(1)} + x^{(2)} - 3$
8	0	$(1,1)^{\mathrm{T}}$	-3	$x^{(1)} + x^{(2)} - 3$

这是在计算中误分类点先后取 $x_1, x_3, x_3, x_3, x_1, x_3, x_3$ 得到的分离超平面和感知机模型. 如果在计算中误分类点依次取 $x_1, x_3, x_3, x_3, x_2, x_3, x_3, x_3, x_1, x_3, x_3$, 那么得到的分离超平面是 $2x^{(1)} + x^{(2)} - 5 = 0$.

可见, 感知机学习算法由于采用不同的初值或选取不同的误分类点, 解可以不同.

2.3.2 算法的收敛性

现在证明, 对于线性可分数据集感知机学习算法原始形式收敛, 即经过有限次迭代可以得到一个将训练数据集完全正确划分的分离超平面及感知机模型.

为了便于叙述与推导, 将偏置 b 并入权重向量 w, 记作 $\hat{w} = (w^{\mathrm{T}}, b)^{\mathrm{T}}$, 同样也将输入向量加以扩充, 加进常数 1, 记作 $\hat{x} = (x^{\mathrm{T}}, 1)^{\mathrm{T}}$. 这样, $\hat{x} \in \mathbf{R}^{n+1}$, $\hat{w} \in \mathbf{R}^{n+1}$. 显然, $\hat{w} \cdot \hat{x} = w \cdot x + b$.

定理 2.1 (Novikoff) 设训练数据集 $T = \{(x_1, y_1), (x_2, y_2), \cdots, (x_N, y_N)\}$ 是线性可分的, 其中 $x_i \in \mathcal{X} = \mathbf{R}^n$, $y_i \in \mathcal{Y} = \{-1, +1\}$, $i = 1, 2, \cdots, N$, 则

(1) 存在满足条件 $\|\hat{w}_{\mathrm{opt}}\| = 1$ 的超平面 $\hat{w}_{\mathrm{opt}} \cdot \hat{x} = w_{\mathrm{opt}} \cdot x + b_{\mathrm{opt}} = 0$ 将训练数据集完全正确分开; 且存在 $\gamma > 0$, 对所有 $i = 1, 2, \cdots, N$

$$y_i(\hat{w}_{\mathrm{opt}} \cdot \hat{x}_i) = y_i(w_{\mathrm{opt}} \cdot x_i + b_{\mathrm{opt}}) \geq \gamma \qquad (2.8)$$

(2) 令 $R = \max_{1 \leq i \leq N} \|\hat{x}_i\|$, 则感知机算法 2.1 在训练数据集上的误分类次数 k 满足不等式

$$k \leq \left(\frac{R}{\gamma}\right)^2 \qquad (2.9)$$

证明 (1) 由于训练数据集是线性可分的, 按照定义 2.2, 存在超平面可将训练数据集完全正确分开, 取此超平面为 $\hat{w}_{\mathrm{opt}} \cdot \hat{x} = w_{\mathrm{opt}} \cdot x + b_{\mathrm{opt}} = 0$, 使 $\|\hat{w}_{\mathrm{opt}}\| = 1$. 由于对有限的 $i = 1, 2, \cdots, N$, 均有

$$y_i(\hat{w}_{\mathrm{opt}} \cdot \hat{x}_i) = y_i(w_{\mathrm{opt}} \cdot x_i + b_{\mathrm{opt}}) > 0$$

所以存在

$$\gamma = \min_i \{y_i(w_{\mathrm{opt}} \cdot x_i + b_{\mathrm{opt}})\}$$

使

$$y_i(\hat{w}_{\mathrm{opt}} \cdot \hat{x}_i) = y_i(w_{\mathrm{opt}} \cdot x_i + b_{\mathrm{opt}}) \geq \gamma$$

(2) 感知机算法从 $\hat{w}_0 = 0$ 开始, 如果实例被误分类, 则更新权重. 令 $\hat{w}_{k-1}$ 是

第 k 个误分类实例之前的扩充权重向量，即

$$\hat{w}_{k-1} = (w_{k-1}^{\mathrm{T}}, b_{k-1})^{\mathrm{T}}$$

则第 k 个误分类实例的条件是

$$y_i(\hat{w}_{k-1} \cdot \hat{x}_i) = y_i(w_{k-1} \cdot x_i + b_{k-1}) \leqslant 0 \qquad (2.10)$$

若 (x_i, y_i) 是被 $\hat{w}_{k-1} = (w_{k-1}^{\mathrm{T}}, b_{k-1})^{\mathrm{T}}$ 误分类的数据，则 w 和 b 的更新是

$$w_k \leftarrow w_{k-1} + \eta y_i x_i$$
$$b_k \leftarrow b_{k-1} + \eta y_i$$

即

$$\hat{w}_k = \hat{w}_{k-1} + \eta y_i \hat{x}_i \qquad (2.11)$$

下面推导两个不等式：

（1）

$$\hat{w}_k \cdot \hat{w}_{\mathrm{opt}} \geqslant k \eta \gamma \qquad (2.12)$$

由式 (2.11) 及式 (2.8) 得

$$\hat{w}_k \cdot \hat{w}_{\mathrm{opt}} = \hat{w}_{k-1} \cdot \hat{w}_{\mathrm{opt}} + \eta y_i \hat{w}_{\mathrm{opt}} \cdot \hat{x}_i$$
$$\geqslant \hat{w}_{k-1} \cdot \hat{w}_{\mathrm{opt}} + \eta \gamma$$

由此递推即得不等式 (2.12)

$$\hat{w}_k \cdot \hat{w}_{\mathrm{opt}} \geqslant \hat{w}_{k-1} \cdot \hat{w}_{\mathrm{opt}} + \eta \gamma \geqslant \hat{w}_{k-2} \cdot \hat{w}_{\mathrm{opt}} + 2\eta \gamma \geqslant \cdots \geqslant k \eta \gamma$$

（2）

$$\left\| \hat{w}_k \right\|^2 \leqslant k \eta^2 R^2 \qquad (2.13)$$

由式 (2.11) 及式 (2.10) 得

$$\left\| \hat{w}_k \right\|^2 = \left\| \hat{w}_{k-1} \right\|^2 + 2\eta y_i \hat{w}_{k-1} \cdot \hat{x}_i + \eta^2 \left\| \hat{x}_i \right\|^2$$
$$\leqslant \left\| \hat{w}_{k-1} \right\|^2 + \eta^2 \left\| \hat{x}_i \right\|^2$$
$$\leqslant \left\| \hat{w}_{k-1} \right\|^2 + \eta^2 R^2$$
$$\leqslant \left\| \hat{w}_{k-2} \right\|^2 + 2\eta^2 R^2 \leqslant \cdots$$
$$\leqslant k \eta^2 R^2$$

结合不等式 (2.12) 及式 (2.13) 即得

$$k\eta\gamma \leqslant \hat{w}_k \cdot \hat{w}_{\text{opt}} \leqslant \left\| \hat{w}_k \right\| \left\| \hat{w}_{\text{opt}} \right\| \leqslant \sqrt{k}\eta R$$

$$k^2\gamma^2 \leqslant kR^2$$

于是

$$k \leqslant \left(\frac{R}{\gamma} \right)^2$$ ∎

定理表明, 误分类的次数 k 是有上界的, 经过有限次搜索可以找到将训练数据完全正确分开的分离超平面. 也就是说, 当训练数据集线性可分时, 感知机学习算法原始形式迭代是收敛的. 但是例 2.1 说明, 感知机学习算法存在许多解, 这些解既依赖于初值的选择, 也依赖于迭代过程中误分类点的选择顺序. 为了得到唯一的超平面, 需要对分离超平面增加约束条件. 这就是第 7 章将要讲述的线性支持向量机的想法. 当训练集线性不可分时, 感知机学习算法不收敛, 迭代结果会发生震荡.

2.3.3 感知机学习算法的对偶形式

现在考虑感知机学习算法的对偶形式. 感知机学习算法的原始形式和对偶形式与第 7 章中支持向量机学习算法的原始形式和对偶形式相对应.

对偶形式的基本想法是, 将 w 和 b 表示为实例 x_i 和标记 y_i 的线性组合的形式, 通过求解其系数而求得 w 和 b. 不失一般性, 在算法 2.1 中可假设初始值 w_0, b_0 均为 0. 对误分类点 (x_i, y_i) 通过

$$w \leftarrow w + \eta y_i x_i$$
$$b \leftarrow b + \eta y_i$$

逐步修改 w, b, 设修改 n 次, 则 w, b 关于 (x_i, y_i) 的增量分别是 $\alpha_i y_i x_i$ 和 $\alpha_i y_i$, 这里 $\alpha_i = n_i \eta$. 这样, 从学习过程不难看出, 最后学习到的 w, b 可以分别表示为

$$w = \sum_{i=1}^{N} \alpha_i y_i x_i \tag{2.14}$$

$$b = \sum_{i=1}^{N} \alpha_i y_i \tag{2.15}$$

这里, $\alpha_i \geqslant 0$, $i = 1, 2, \cdots, N$, 当 $\eta = 1$ 时, 表示第 i 个实例点由于误分而进行更新的次数. 实例点更新次数越多, 意味着它距离分离超平面越近, 也就越难正确分类. 换句话说, 这样的实例对学习结果影响最大.

下面对照原始形式来叙述感知机学习算法的对偶形式.

算法 2.2(感知机学习算法的对偶形式)

输入: 线性可分的数据集 $T = \{(x_1, y_1), (x_2, y_2), \cdots, (x_N, y_N)\}$, 其中 $x_i \in \mathbf{R}^n$, $y_i \in \{-1, +1\}$, $i = 1, 2, \cdots, N$; 学习率 η ($0 < \eta \leqslant 1$);

输出：α, b；感知机模型 $f(x) = \text{sign}\left(\sum_{j=1}^{N} \alpha_j y_j x_j \cdot x + b\right)$.

其中 $\alpha = (\alpha_1, \alpha_2, \cdots, \alpha_N)^T$.

（1）$\alpha \leftarrow 0$，$b \leftarrow 0$

（2）在训练集中选取数据 (x_i, y_i)

（3）如果 $y_i\left(\sum_{j=1}^{N} \alpha_j y_j x_j \cdot x_i + b\right) \leqslant 0$

$$\alpha_i \leftarrow \alpha_i + \eta$$
$$b \leftarrow b + \eta y_i$$

（4）转至（2）直到没有误分类数据.

对偶形式中训练实例仅以内积的形式出现. 为了方便，可以预先将训练集中实例间的内积计算出来并以矩阵的形式存储，这个矩阵就是所谓的 Gram 矩阵（Gram matrix）

$$G = [x_i \cdot x_j]_{N \times N}$$

例 2.2　数据同例 2.1，正样本点是 $x_1 = (3,3)^T$，$x_2 = (4,3)^T$，负样本点是 $x_3 = (1,1)^T$，试用感知机学习算法对偶形式求感知机模型.

解　按照算法 2.2，

（1）取 $\alpha_i = 0$，$i = 1, 2, 3$，$b = 0$，$\eta = 1$

（2）计算 Gram 矩阵

$$\boldsymbol{G} = \begin{bmatrix} 18 & 21 & 6 \\ 21 & 25 & 7 \\ 6 & 7 & 2 \end{bmatrix}$$

（3）误分条件

$$y_i\left(\sum_{j=1}^{N} \alpha_j y_j x_j \cdot x_i + b\right) \leqslant 0$$

参数更新

$$\alpha_i \leftarrow \alpha_i + 1, \quad b \leftarrow b + y_i$$

（4）迭代. 过程从略，结果列于表 2.2.

（5）

$$w = 2x_1 + 0x_2 - 5x_3 = (1,1)^T$$
$$b = -3$$

分离超平面

$$x^{(1)} + x^{(2)} - 3 = 0$$

感知机模型

$$f(x) = \text{sign}(x^{(1)} + x^{(2)} - 3)$$

∎

表 2.2　例 2.2 求解的迭代过程

k	0	1	2	3	4	5	6	7
		x_1	x_3	x_3	x_3	x_1	x_3	x_3
α_1	0	1	1	1	1	2	2	2
α_2	0	0	0	0	0	0	0	0
α_3	0	0	1	2	3	3	4	5
b	0	1	0	-1	-2	-1	-2	-3

对照例 2.1，结果一致，迭代步骤也是互相对应的．

与原始形式一样，感知机学习算法的对偶形式迭代是收敛的，存在多个解．

本 章 概 要

1．感知机是根据输入实例的特征向量 x 对其进行二类分类的线性分类模型：

$$f(x) = \text{sign}(w \cdot x + b)$$

感知机模型对应于输入空间（特征空间）中的分离超平面 $w \cdot x + b = 0$．

2．感知机学习的策略是极小化损失函数：

$$\min_{w,b} L(w,b) = -\sum_{x_i \in M} y_i (w \cdot x_i + b)$$

损失函数对应于误分类点到分离超平面的总距离．

3．感知机学习算法是基于随机梯度下降法的对损失函数的最优化算法，有原始形式和对偶形式．算法简单且易于实现．原始形式中，首先任意选取一个超平面，然后用梯度下降法不断极小化目标函数．在这个过程中一次随机选取一个误分类点使其梯度下降．

4．当训练数据集线性可分时，感知机学习算法是收敛的．感知机算法在训练数据集上的误分类次数 k 满足不等式：

$$k \leqslant \left(\frac{R}{\gamma} \right)^2$$

当训练数据集线性可分时，感知机学习算法存在无穷多个解，其解由于不同的初值或不同的迭代顺序而可能有所不同．

继 续 阅 读

感知机最早在 1957 年由 Rosenblatt 提出[1]. Novikoff[2]，Minsky 与 Papert [3]
等人对感知机进行了一系列理论研究. 感知机的扩展学习方法包括口袋算法
（pocket algorithm）[4]、表决感知机（voted perceptron）[5]、带边缘感知机（perceptron
with margin）[6]. 关于感知机的介绍可进一步参考文献[7, 8].

习 　 题

2.1 Minsky 与 Papert 指出：感知机因为是线性模型，所以不能表示复杂的函数，
    如异或（XOR）. 验证感知机为什么不能表示异或.
2.2 模仿例题 2.1，构建从训练数据集求解感知机模型的例子.
2.3 证明以下定理：样本集线性可分的充分必要条件是正实例点集所构成的凸壳②
    与负实例点集所构成的凸壳互不相交.

参 考 文 献

[1] Rosenblatt F. The Perceptron: A probabilistic model for information storage and organization in
    the Brain. Cornell Aeronautical Laboratory. Psychological Review, 1958, 65 (6): 386–408
[2] Novikoff AB. On convergence proofs on perceptrons. Symposium on the Mathematical Theory
    of Automata, Polytechnic Institute of Brooklyn, 1962, 12, 615–622
[3] Minsky ML, Papert SA. *Perceptrons*. Cambridge, MA: MIT Press. 1969
[4] Gallant SI. Perceptron-based learning algorithms. IEEE Transactions on Neural Networks, 1990,
    1(2): 179–191
[5] Freund Y, Schapire RE. Large margin classification using the perceptron algorithm. In:
    Proceedings of the 11th Annual Conference on Computational Learning Theory (COLT' 98).
    ACM Press, 1998
[6] Li YY, Zaragoza H, Herbrich R, Shawe-Taylor J, Kandola J. The Perceptron algorithm with
    uneven margins. In: Proceedings of the 19th International Conference on Machine Learning.
    2002, 379–386
[7] Widrow B, Lehr MA. 30 years of adaptive neural networks: Perceptron, madaline, and
    backpropagation. *Proc. IEEE*, 1990, 78(9): 1415–1442
[8] Cristianini N, Shawe-Taylor J. An Introduction to Support Vector Machines and Other Kernel-
    based Learning Methods. Cambridge University Press, 2000

---

② 设集合 $S \subset \mathbf{R}^n$ 是由 $\mathbf{R}^n$ 中的 k 个点所组成的集合，即 $S = \{x_1, x_2, \cdots, x_k\}$. 定义 S 的凸壳 $\mathrm{conv}(S)$ 为

$$\mathrm{conv}(S) = \left\{ x = \sum_{i=1}^{k} \lambda_i x_i \,\middle|\, \sum_{i=1}^{k} \lambda_i = 1, \lambda_i \geqslant 0, i = 1, 2, \cdots, k \right\}.$$

第3章 k 近邻法

k 近邻法（k-nearest neighbor，k-NN）是一种基本分类与回归方法. 本书只讨论分类问题中的 k 近邻法. k 近邻法的输入为实例的特征向量，对应于特征空间的点；输出为实例的类别，可以取多类. k 近邻法假设给定一个训练数据集，其中的实例类别已定. 分类时，对新的实例，根据其 k 个最近邻的训练实例的类别，通过多数表决等方式进行预测. 因此，k 近邻法不具有显式的学习过程. k 近邻法实际上利用训练数据集对特征向量空间进行划分，并作为其分类的"模型". k 值的选择、距离度量及分类决策规则是 k 近邻法的三个基本要素. k 近邻法 1968 年由 Cover 和 Hart 提出.

本章首先叙述 k 近邻算法，然后讨论 k 近邻法的模型及三个基本要素，最后讲述 k 近邻法的一个实现方法——kd 树，介绍构造 kd 树和搜索 kd 树的算法.

3.1 k 近邻算法

k 近邻算法简单、直观：给定一个训练数据集，对新的输入实例，在训练数据集中找到与该实例最邻近的 k 个实例，这 k 个实例的多数属于某个类，就把该输入实例分为这个类. 下面先叙述 k 近邻算法，然后再讨论其细节.

算法 3.1（k 近邻法）
输入：训练数据集

$$T = \{(x_1, y_1), (x_2, y_2), \cdots, (x_N, y_N)\}$$

其中，$x_i \in \mathcal{X} \subseteq \mathbf{R}^n$ 为实例的特征向量，$y_i \in \mathcal{Y} = \{c_1, c_2, \cdots, c_K\}$ 为实例的类别，$i = 1, 2, \cdots, N$；实例特征向量 x；

输出：实例 x 所属的类 y.

（1）根据给定的距离度量，在训练集 T 中找出与 x 最邻近的 k 个点，涵盖这 k 个点的 x 的邻域记作 $N_k(x)$；

（2）在 $N_k(x)$ 中根据分类决策规则（如多数表决）决定 x 的类别 y：

$$y = \arg\max_{c_j} \sum_{x_i \in N_k(x)} I(y_i = c_j), \quad i = 1, 2, \cdots, N; \quad j = 1, 2, \cdots, K \tag{3.1}$$

式 (3.1) 中，I 为指示函数，即当 $y_i = c_j$ 时 I 为 1，否则 I 为 0. ∎

k 近邻法的特殊情况是 $k = 1$ 的情形，称为最近邻算法. 对于输入的实例点（特征向量）x，最近邻法将训练数据集中与 x 最邻近点的类作为 x 的类.

k 近邻法没有显式的学习过程.

3.2 k 近邻模型

k 近邻法使用的模型实际上对应于对特征空间的划分.模型由三个基本要素——
距离度量、k 值的选择和分类决策规则决定.

3.2.1   模型

k 近邻法中,当训练集、距离度量(如欧氏距离)、k 值及分类决策规则(如
多数表决)确定后,对于任何一个新的输入实例,它所属的类唯一地确定.这相
当于根据上述要素将特征空间划分为一些子空间,确定子空间里的每个点所属的
类.这一事实从最近邻算法中可以看得很清楚.

特征空间中,对每个训练实例点 x_i,距离该点比其他点更近的所有点组成一
个区域,叫作单元(cell).每个训练实例点拥有一个单元,所有训练实例点的单
元构成对特征空间的一个划分.最近邻法将实例 x_i 的类 y_i 作为其单元中所有点的
类标记(class label).这样,每个单元的实例点的类别是确定的.图 3.1 是二维
特征空间划分的一个例子.

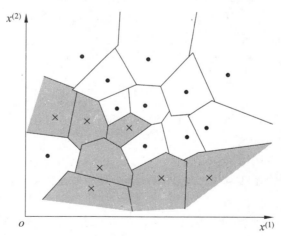

图 3.1 k 近邻法的模型对应特征空间的一个划分

3.2.2   距离度量

特征空间中两个实例点的距离是两个实例点相似程度的反映. k 近邻模型的特
征空间一般是 n 维实数向量空间 $\mathbf{R}^n$.使用的距离是欧氏距离,但也可以是其他距离,
如更一般的 L_p 距离(L_p distance)或 Minkowski 距离(Minkowski distance).

设特征空间 $\mathcal{X}$ 是 n 维实数向量空间 $\mathbf{R}^n$ ， $x_i, x_j \in \mathcal{X}$ ， $x_i = (x_i^{(1)}, x_i^{(2)}, \cdots, x_i^{(n)})^{\mathrm{T}}$ ， $x_j = (x_j^{(1)}, x_j^{(2)}, \cdots, x_j^{(n)})^{\mathrm{T}}$ ， x_i, x_j 的 L_p 距离定义为

$$L_p(x_i, x_j) = \left(\sum_{l=1}^{n} | x_i^{(l)} - x_j^{(l)} |^p \right)^{\frac{1}{p}} \tag{3.2}$$

这里 $p \geqslant 1$. 当 $p = 2$ 时，称为欧氏距离(Euclidean distance)，即

$$L_2(x_i, x_j) = \left(\sum_{l=1}^{n} | x_i^{(l)} - x_j^{(l)} |^2 \right)^{\frac{1}{2}} \tag{3.3}$$

当 $p = 1$ 时，称为曼哈顿距离（Manhattan distance），即

$$L_1(x_i, x_j) = \sum_{l=1}^{n} | x_i^{(l)} - x_j^{(l)} | \tag{3.4}$$

当 $p = \infty$ 时，它是各个坐标距离的最大值，即

$$L_\infty(x_i, x_j) = \max_l | x_i^{(l)} - x_j^{(l)} | \tag{3.5}$$

图 3.2 给出了二维空间中 p 取不同值时，与原点的 L_p 距离为 1 （ $L_p = 1$ ）的点的图形.

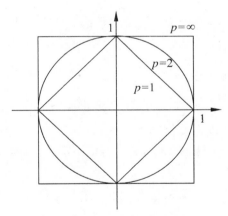

图 3.2　L_p 距离间的关系

下面的例子说明，由不同的距离度量所确定的最近邻点是不同的.

例 3.1 已知二维空间的 3 个点 $x_1 = (1,1)^{\mathrm{T}}$, $x_2 = (5,1)^{\mathrm{T}}$, $x_3 = (4,4)^{\mathrm{T}}$ ，试求在 p 取不同值时，L_p 距离下 x_1 的最近邻点.

解 因为 x_1 和 x_2 只有第二维上值不同，所以 p 为任何值时，$L_p(x_1, x_2) = 4$. 而

$$L_1(x_1, x_3) = 6 , \quad L_2(x_1, x_3) = 4.24 , \quad L_3(x_1, x_3) = 3.78 , \quad L_4(x_1, x_3) = 3.57$$

于是得到：p 等于 1 或 2 时，x_2 是 x_1 的最近邻点；p 大于等于 3 时，x_3 是 x_1 的最近邻点. ■

3.2.3　*k* 值的选择

k 值的选择会对 *k* 近邻法的结果产生重大影响.

如果选择较小的 *k* 值, 就相当于用较小的邻域中的训练实例进行预测, "学习" 的近似误差 (approximation error) 会减小, 只有与输入实例较近的 (相似的) 训练实例才会对预测结果起作用. 但缺点是 "学习" 的估计误差 (estimation error) 会增大, 预测结果会对近邻的实例点非常敏感[2]. 如果邻近的实例点恰巧是噪声, 预测就会出错. 换句话说, *k* 值的减小就意味着整体模型变得复杂, 容易发生过拟合.

如果选择较大的 *k* 值, 就相当于用较大邻域中的训练实例进行预测. 其优点是可以减少学习的估计误差. 但缺点是学习的近似误差会增大. 这时与输入实例较远的 (不相似的) 训练实例也会对预测起作用, 使预测发生错误. *k* 值的增大就意味着整体的模型变得简单.

如果 *k* = *N*, 那么无论输入实例是什么, 都将简单地预测它属于在训练实例中最多的类. 这时, 模型过于简单, 完全忽略训练实例中的大量有用信息, 是不可取的.

在应用中, *k* 值一般取一个比较小的数值. 通常采用交叉验证法来选取最优的 *k* 值.

3.2.4　分类决策规则

k 近邻法中的分类决策规则往往是多数表决, 即由输入实例的 *k* 个邻近的训练实例中的多数类决定输入实例的类.

多数表决规则 (majority voting rule) 有如下解释: 如果分类的损失函数为 0-1 损失函数, 分类函数为

$$f : \mathbf{R}^n \to \{c_1, c_2, \cdots, c_K\}$$

那么误分类的概率是

$$P(Y \neq f(X)) = 1 - P(Y = f(X))$$

对给定的实例 $x \in \mathcal{X}$, 其最近邻的 *k* 个训练实例点构成集合 $N_k(x)$. 如果涵盖 $N_k(x)$ 的区域的类别是 c_j, 那么误分类率是

$$\frac{1}{k} \sum_{x_i \in N_k(x)} I(y_i \neq c_j) = 1 - \frac{1}{k} \sum_{x_i \in N_k(x)} I(y_i = c_j)$$

要使误分类率最小即经验风险最小, 就要使 $\sum_{x_i \in N_k(x)} I(y_i = c_j)$ 最大, 所以多数表决规则等价于经验风险最小化.

3.3　k 近邻法的实现：kd 树

实现 k 近邻法时，主要考虑的问题是如何对训练数据进行快速 k 近邻搜索. 这点在特征空间的维数大及训练数据容量大时尤其必要.

k 近邻法最简单的实现方法是线性扫描（linear scan）. 这时要计算输入实例与每一个训练实例的距离. 当训练集很大时，计算非常耗时，这种方法是不可行的.

为了提高 k 近邻搜索的效率，可以考虑使用特殊的结构存储训练数据，以减少计算距离的次数. 具体方法很多，下面介绍其中的 kd 树（kd tree）方法[①].

3.3.1　构造 kd 树

kd 树是一种对 k 维空间中的实例点进行存储以便对其进行快速检索的树形数据结构. kd 树是二叉树，表示对 k 维空间的一个划分（partition）. 构造 kd 树相当于不断地用垂直于坐标轴的超平面将 k 维空间切分，构成一系列的 k 维超矩形区域. kd 树的每个结点对应于一个 k 维超矩形区域.

构造 kd 树的方法如下：构造根结点，使根结点对应于 k 维空间中包含所有实例点的超矩形区域；通过下面的递归方法，不断地对 k 维空间进行切分，生成子结点. 在超矩形区域（结点）上选择一个坐标轴和在此坐标轴上的一个切分点，确定一个超平面，这个超平面通过选定的切分点并垂直于选定的坐标轴，将当前超矩形区域切分为左右两个子区域（子结点）；这时，实例被分到两个子区域. 这个过程直到子区域内没有实例时终止（终止时的结点为叶结点）. 在此过程中，将实例保存在相应的结点上.

通常，依次选择坐标轴对空间切分，选择训练实例点在选定坐标轴上的中位数（median）[②]为切分点，这样得到的 kd 树是平衡的. 注意，平衡的 kd 树搜索时的效率未必是最优的.

下面给出构造 kd 树的算法.

算法 3.2（构造平衡 kd 树）

输入：　k 维空间数据集 $T = \{x_1, x_2, \cdots, x_N\}$，

其中 $x_i = (x_i^{(1)}, x_i^{(2)}, \cdots, x_i^{(k)})^{\mathrm{T}}$，$i = 1, 2, \cdots, N$；

输出：　kd 树.

（1）开始：构造根结点，根结点对应于包含 T 的 k 维空间的超矩形区域.

选择 $x^{(1)}$ 为坐标轴，以 T 中所有实例的 $x^{(1)}$ 坐标的中位数为切分点，将根结点对应的超矩形区域切分为两个子区域. 切分由通过切分点并与坐标轴 $x^{(1)}$ 垂直的超平面实现.

[①] kd 树是存储 k 维空间数据的树结构，这里的 k 与 k 近邻法的 k 意义不同，为了与习惯一致，本书仍用 kd 树的名称.
[②] 一组数据按大小顺序排列起来，处在中间位置的一个数或最中间两个数的平均值.

由根结点生成深度为 1 的左、右子结点：左子结点对应坐标 $x^{(l)}$ 小于切分点的子区域，右子结点对应于坐标 $x^{(l)}$ 大于切分点的子区域.

将落在切分超平面上的实例点保存在根结点.

（2）重复：对深度为 j 的结点，选择 $x^{(l)}$ 为切分的坐标轴，$l = j(\bmod k)+1$，以该结点的区域中所有实例的 $x^{(l)}$ 坐标的中位数为切分点，将该结点对应的超矩形区域切分为两个子区域. 切分由通过切分点并与坐标轴 $x^{(l)}$ 垂直的超平面实现.

由该结点生成深度为 $j+1$ 的左、右子结点：左子结点对应坐标 $x^{(l)}$ 小于切分点的子区域，右子结点对应坐标 $x^{(l)}$ 大于切分点的子区域.

将落在切分超平面上的实例点保存在该结点.

（3）直到两个子区域没有实例存在时停止. 从而形成 kd 树的区域划分. ■

例 3.2 给定一个二维空间的数据集：

$$T = \{(2,3)^\mathrm{T},(5,4)^\mathrm{T},(9,6)^\mathrm{T},(4,7)^\mathrm{T},(8,1)^\mathrm{T},(7,2)^\mathrm{T}\}$$

构造一个平衡 kd 树[③].

解 根结点对应包含数据集 T 的矩形，选择 $x^{(1)}$ 轴，6 个数据点的 $x^{(1)}$ 坐标的中位数是 7，以平面 $x^{(1)}=7$ 将空间分为左、右两个子矩形（子结点）；接着，左矩形以 $x^{(2)}=4$ 分为两个子矩形，右矩形以 $x^{(2)}=6$ 分为两个子矩形，如此递归，最后得到如图 3.3 所示的特征空间划分和如图 3.4 所示的 kd 树. ■

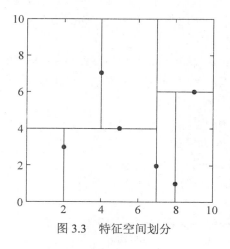

图 3.3 特征空间划分

3.3.2 搜索 kd 树

下面介绍如何利用 kd 树进行 k 近邻搜索. 可以看到，利用 kd 树可以省去对

③ 取自 Wikipedia.

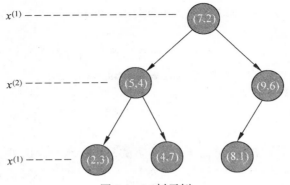

图 3.4   *kd* 树示例

大部分数据点的搜索，从而减少搜索的计算量．这里以最近邻为例加以叙述，同样的方法可以应用到 *k* 近邻．

给定一个目标点，搜索其最近邻．首先找到包含目标点的叶结点；然后从该叶结点出发，依次回退到父结点；不断查找与目标点最邻近的结点，当确定不可能存在更近的结点时终止．这样搜索就被限制在空间的局部区域上，效率大为提高．

包含目标点的叶结点对应包含目标点的最小超矩形区域．以此叶结点的实例点作为当前最近点．目标点的最近邻一定在以目标点为中心并通过当前最近点的超球体的内部（参阅图 3.5）．然后返回当前结点的父结点，如果父结点的另一子结点的超矩形区域与超球体相交，那么在相交的区域内寻找与目标点更近的实例点．如果存在这样的点，将此点作为新的当前最近点．算法转到更上一级的父结点，继续上述过程．如果父结点的另一子结点的超矩形区域与超球体不相交，或不存在比当前最近点更近的点，则停止搜索．

下面叙述用 *kd* 树的最近邻搜索算法．

算法 3.3（用 *kd* 树的最近邻搜索）

输入：已构造的 *kd* 树；目标点 *x*；

输出：*x* 的最近邻．

（1）在 *kd* 树中找出包含目标点 *x* 的叶结点：从根结点出发，递归地向下访问 *kd* 树．若目标点 *x* 当前维的坐标小于切分点的坐标，则移动到左子结点，否则移动到右子结点．直到子结点为叶结点为止．

（2）以此叶结点为"当前最近点"．

（3）递归地向上回退，在每个结点进行以下操作：

（a）如果该结点保存的实例点比当前最近点距离目标点更近，则以该实例点为"当前最近点"．

（b）当前最近点一定存在于该结点一个子结点对应的区域．检查该子结点的父结点的另一子结点对应的区域是否有更近的点．具体地，检查另一子结点对应的区域是否与以目标点为球心、以目标点与"当前最近点"间的距离为半径的超球体相交.

如果相交, 可能在另一个子结点对应的区域内存在距目标点更近的点, 移动到另一个子结点. 接着, 递归地进行最近邻搜索;

如果不相交, 向上回退.

（4）当回退到根结点时, 搜索结束. 最后的"当前最近点"即为 x 的最近邻点. ∎

如果实例点是随机分布的, kd 树搜索的平均计算复杂度是 $O(\log N)$, 这里 N 是训练实例数. kd 树更适用于训练实例数远大于空间维数时的 k 近邻搜索. 当空间维数接近训练实例数时, 它的效率会迅速下降, 几乎接近线性扫描.

下面通过一个例题来说明搜索方法.

例 3.3   给定一个如图 3.5 所示的 kd 树, 根结点为 A , 其子结点为 B , C 等. 树上共存储 7 个实例点; 另有一个输入目标实例点 S , 求 S 的最近邻.

解   首先在 kd 树中找到包含点 S 的叶结点 D （图中的右下区域）, 以点 D 作为近似最近邻. 真正最近邻一定在以点 S 为中心通过点 D 的圆的内部. 然后返回结点 D 的父结点 B , 在结点 B 的另一子结点 F 的区域内搜索最近邻. 结点 F 的区域与圆不相交, 不可能有最近邻点. 继续返回上一级父结点 A , 在结点 A 的另一子结点 C 的区域内搜索最近邻. 结点 C 的区域与圆相交; 该区域在圆内的实例点有点 E , 点 E 比点 D 更近, 成为新的最近邻近似. 最后得到点 E 是点 S 的最近邻. ∎

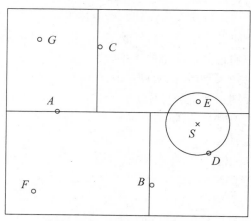

图 3.5   通过 kd 树搜索最近邻

本 章 概 要

1．k 近邻法是基本且简单的分类与回归方法. k 近邻法的基本做法是: 对给定的训练实例点和输入实例点, 首先确定输入实例点的 k 个最近邻训练实例点, 然

后利用这 k 个训练实例点的类的多数来预测输入实例点的类.

2. k 近邻模型对应于基于训练数据集对特征空间的一个划分. k 近邻法中,当训练集、距离度量、k 值及分类决策规则确定后,其结果唯一确定.

3. k 近邻法三要素:距离度量、k 值的选择和分类决策规则. 常用的距离度量是欧氏距离及更一般的 L_p 距离. k 值小时,k 近邻模型更复杂;k 值大时,k 近邻模型更简单. k 值的选择反映了对近似误差与估计误差之间的权衡,通常由交叉验证选择最优的 k. 常用的分类决策规则是多数表决,对应于经验风险最小化.

4. k 近邻法的实现需要考虑如何快速搜索 k 个最近邻点. kd 树是一种便于对 k 维空间中的数据进行快速检索的数据结构. kd 树是二叉树,表示对 k 维空间的一个划分,其每个结点对应于 k 维空间划分中的一个超矩形区域. 利用 kd 树可以省去对大部分数据点的搜索,从而减少搜索的计算量.

继 续 阅 读

k 近邻法由 Cover 与 Hart 提出[1]. k 近邻法相关的理论在文献[2, 3]中已有论述. k 近邻法的扩展可参考文献[4]. kd 树及其他快速搜索算法可参见文献[5]. 关于 k 近邻法的介绍可参考文献[2].

习 题

3.1 参照图 3.1,在二维空间中给出实例点,画出 k 为 1 和 2 时的 k 近邻法构成的空间划分,并对其进行比较,体会 k 值选择与模型复杂度及预测准确率的关系.

3.2 利用例题 3.2 构造的 kd 树求点 $x = (3, 4.5)^T$ 的最近邻点.

3.3 参照算法 3.3,写出输出为 x 的 k 近邻的算法.

参 考 文 献

[1]   Cover T, Hart P. Nearest neighbor pattern classification. IEEE Transactions on Information Theory, 1967

[2]   Hastie T, Tibshirani R, Friedman J. The Elements of Statistical Learning: Data Mining, Inference, and Prediction, 2001(中译本:统计学习基础——数据挖掘、推理与预测. 范明,柴玉梅,昝红英等译. 北京:电子工业出版社,2004)

[3]   Friedman J. Flexible metric nearest neighbor classification. Technical Report, 1994

[4]   Weinberger KQ, Blitzer J, Saul LK. Distance metric learning for large margin nearest neighbor classification. In: Proceedings of the NIPS. 2005

[5]   Samet H. The Design and Analysis of Spatial Data Structures. Reading, MA: Addison-Wesley, 1990

第4章 朴素贝叶斯法

朴素贝叶斯（naïve Bayes）法是基于贝叶斯定理与特征条件独立假设的分类方法[①]. 对于给定的训练数据集，首先基于特征条件独立假设学习输入/输出的联合概率分布；然后基于此模型，对给定的输入 x，利用贝叶斯定理求出后验概率最大的输出 y. 朴素贝叶斯法实现简单，学习与预测的效率都很高，是一种常用的方法.

本章叙述朴素贝叶斯法，包括朴素贝叶斯法的学习与分类、朴素贝叶斯法的参数估计算法.

4.1 朴素贝叶斯法的学习与分类

4.1.1 基本方法

设输入空间 $\mathcal{X} \subseteq \mathbf{R}^n$ 为 n 维向量的集合，输出空间为类标记集合 $\mathcal{Y} = \{c_1, c_2, \cdots, c_K\}$. 输入为特征向量 $x \in \mathcal{X}$，输出为类标记（class label）$y \in \mathcal{Y}$. X 是定义在输入空间 $\mathcal{X}$ 上的随机向量，Y 是定义在输出空间 $\mathcal{Y}$ 上的随机变量. $P(X,Y)$ 是 X 和 Y 的联合概率分布. 训练数据集

$$T = \{(x_1, y_1), (x_2, y_2), \cdots, (x_N, y_N)\}$$

由 $P(X,Y)$ 独立同分布产生.

朴素贝叶斯法通过训练数据集学习联合概率分布 $P(X,Y)$. 具体地，学习以下先验概率分布及条件概率分布. 先验概率分布

$$P(Y = c_k), \quad k = 1, 2, \cdots, K \tag{4.1}$$

条件概率分布

$$P(X = x \mid Y = c_k) = P(X^{(1)} = x^{(1)}, \cdots, X^{(n)} = x^{(n)} \mid Y = c_k), \quad k = 1, 2, \cdots, K \tag{4.2}$$

于是学习到联合概率分布 $P(X,Y)$.

条件概率分布 $P(X = x \mid Y = c_k)$ 有指数级数量的参数，其估计实际是不可行的. 事实上，假设 $x^{(j)}$ 可取值有 S_j 个，$j = 1, 2, \cdots, n$，Y 可取值有 K 个，那么参数个数为 $K \prod_{j=1}^{n} S_j$.

---

① 注意：朴素贝叶斯法与贝叶斯估计（Bayesian estimation）是不同的概念.

朴素贝叶斯法对条件概率分布作了条件独立性的假设. 由于这是一个较强的假设, 朴素贝叶斯法也由此得名. 具体地, 条件独立性假设是

$$P(X = x \mid Y = c_k) = P(X^{(1)} = x^{(1)}, \cdots, X^{(n)} = x^{(n)} \mid Y = c_k)$$

$$= \prod_{j=1}^{n} P(X^{(j)} = x^{(j)} \mid Y = c_k) \tag{4.3}$$

朴素贝叶斯法实际上学习到生成数据的机制, 所以属于生成模型. 条件独立假设等于是说用于分类的特征在类确定的条件下都是条件独立的. 这一假设使朴素贝叶斯法变得简单, 但有时会牺牲一定的分类准确率.

朴素贝叶斯法分类时, 对给定的输入 x, 通过学习到的模型计算后验概率分布 $P(Y = c_k \mid X = x)$, 将后验概率最大的类作为 x 的类输出. 后验概率计算根据贝叶斯定理进行:

$$P(Y = c_k \mid X = x) = \frac{P(X = x \mid Y = c_k)P(Y = c_k)}{\sum_k P(X = x \mid Y = c_k)P(Y = c_k)} \tag{4.4}$$

将式 (4.3) 代入式 (4.4) 有

$$P(Y = c_k \mid X = x) = \frac{P(Y = c_k)\prod_j P(X^{(j)} = x^{(j)} \mid Y = c_k)}{\sum_k P(Y = c_k)\prod_j P(X^{(j)} = x^{(j)} \mid Y = c_k)}, \quad k = 1, 2, \cdots, K \tag{4.5}$$

这是朴素贝叶斯法分类的基本公式. 于是, 朴素贝叶斯分类器可表示为

$$y = f(x) = \arg\max_{c_k} \frac{P(Y = c_k)\prod_j P(X^{(j)} = x^{(j)} \mid Y = c_k)}{\sum_k P(Y = c_k)\prod_j P(X^{(j)} = x^{(j)} \mid Y = c_k)} \tag{4.6}$$

注意到, 在式 (4.6) 中分母对所有 c_k 都是相同的, 所以,

$$y = \arg\max_{c_k} P(Y = c_k)\prod_j P(X^{(j)} = x^{(j)} \mid Y = c_k) \tag{4.7}$$

4.1.2 后验概率最大化的含义

朴素贝叶斯法将实例分到后验概率最大的类中. 这等价于期望风险最小化. 假设选择 0-1 损失函数:

$$L(Y, f(X)) = \begin{cases} 1, & Y \neq f(X) \\ 0, & Y = f(X) \end{cases}$$

式中 $f(X)$ 是分类决策函数. 这时, 期望风险函数为

$$R_{\exp}(f) = E[L(Y, f(X))]$$

期望是对联合分布 $P(X,Y)$ 取的. 由此取条件期望

$$R_{\exp}(f) = E_X \sum_{k=1}^{K} [L(c_k, f(X))] P(c_k \mid X)$$

为了使期望风险最小化，只需对 $X = x$ 逐个极小化，由此得到：

$$f(x) = \arg\min_{y \in \mathcal{Y}} \sum_{k=1}^{K} L(c_k, y) P(c_k \mid X = x)$$

$$= \arg\min_{y \in \mathcal{Y}} \sum_{k=1}^{K} P(y \neq c_k \mid X = x)$$

$$= \arg\min_{y \in \mathcal{Y}} (1 - P(y = c_k \mid X = x))$$

$$= \arg\max_{y \in \mathcal{Y}} P(y = c_k \mid X = x)$$

这样一来，根据期望风险最小化准则就得到了后验概率最大化准则：

$$f(x) = \arg\max_{c_k} P(c_k \mid X = x)$$

即朴素贝叶斯法所采用的原理.

4.2 朴素贝叶斯法的参数估计

4.2.1 极大似然估计

在朴素贝叶斯法中，学习意味着估计 $P(Y = c_k)$ 和 $P(X^{(j)} = x^{(j)} \mid Y = c_k)$. 可以应用极大似然估计法估计相应的概率. 先验概率 $P(Y = c_k)$ 的极大似然估计是

$$P(Y = c_k) = \frac{\sum_{i=1}^{N} I(y_i = c_k)}{N}, \quad k = 1, 2, \cdots, K \qquad (4.8)$$

设第 j 个特征 $x^{(j)}$ 可能取值的集合为 $\{a_{j1}, a_{j2}, \cdots, a_{jS_j}\}$，条件概率 $P(X^{(j)} = a_{jl} \mid Y = c_k)$ 的极大似然估计是

$$P(X^{(j)} = a_{jl} \mid Y = c_k) = \frac{\sum_{i=1}^{N} I(x_i^{(j)} = a_{jl}, y_i = c_k)}{\sum_{i=1}^{N} I(y_i = c_k)}$$

$$j = 1, 2, \cdots, n \,; \quad l = 1, 2, \cdots, S_j \,; \quad k = 1, 2, \cdots, K \qquad (4.9)$$

式中，$x_i^{(j)}$ 是第 i 个样本的第 j 个特征；a_{jl} 是第 j 个特征可能取的第 l 个值；I 为指示函数.

4.2.2　学习与分类算法

下面给出朴素贝叶斯法的学习与分类算法.

算法 4.1（朴素贝叶斯算法（naïve Bayes algorithm））

输入：训练数据 $T = \{(x_1, y_1), (x_2, y_2), \cdots, (x_N, y_N)\}$，其中 $x_i = (x_i^{(1)}, x_i^{(2)}, \cdots, x_i^{(n)})^{\mathrm{T}}$，$x_i^{(j)}$ 是第 i 个样本的第 j 个特征，$x_i^{(j)} \in \{a_{j1}, a_{j2}, \cdots, a_{jS_j}\}$，$a_{jl}$ 是第 j 个特征可能取的第 l 个值，$j = 1, 2, \cdots, n$，$l = 1, 2, \cdots, S_j$，$y_i \in \{c_1, c_2, \cdots, c_K\}$；实例 x；

输出：实例 x 的分类.

（1）计算先验概率及条件概率

$$P(Y = c_k) = \frac{\sum_{i=1}^{N} I(y_i = c_k)}{N}, \quad k = 1, 2, \cdots, K$$

$$P(X^{(j)} = a_{jl} \mid Y = c_k) = \frac{\sum_{i=1}^{N} I(x_i^{(j)} = a_{jl}, y_i = c_k)}{\sum_{i=1}^{N} I(y_i = c_k)}$$

$$j = 1, 2, \cdots, n; \quad l = 1, 2, \cdots, S_j; \quad k = 1, 2, \cdots, K$$

（2）对于给定的实例 $x = (x^{(1)}, x^{(2)}, \cdots, x^{(n)})^{\mathrm{T}}$，计算

$$P(Y = c_k) \prod_{j=1}^{n} P(X^{(j)} = x^{(j)} \mid Y = c_k), \quad k = 1, 2, \cdots, K$$

（3）确定实例 x 的类

$$y = \arg\max_{c_k} P(Y = c_k) \prod_{j=1}^{n} P(X^{(j)} = x^{(j)} \mid Y = c_k)$$

■

例 4.1　试由表 4.1 的训练数据学习一个朴素贝叶斯分类器并确定 $x = (2, S)^{\mathrm{T}}$ 的类标记 y. 表中 $X^{(1)}$，$X^{(2)}$ 为特征,取值的集合分别为 $A_1 = \{1, 2, 3\}$，$A_2 = \{S, M, L\}$，Y 为类标记,$Y \in C = \{1, -1\}$.

表 4.1　训练数据

	1	2	3	4	5	6	7	8	9	10	11	12	13	14	15
$X^{(1)}$	1	1	1	1	1	2	2	2	2	2	3	3	3	3	3
$X^{(2)}$	S	M	M	S	S	S	M	M	L	L	L	M	M	L	L
Y	-1	-1	1	1	-1	-1	-1	1	1	1	1	1	1	1	-1

解　根据算法 4.1,由表 4.1,容易计算下列概率：

$$P(Y=1)=\frac{9}{15}, \quad P(Y=-1)=\frac{6}{15}$$

$$P(X^{(1)}=1\mid Y=1)=\frac{2}{9}, \quad P(X^{(1)}=2\mid Y=1)=\frac{3}{9}, \quad P(X^{(1)}=3\mid Y=1)=\frac{4}{9}$$

$$P(X^{(2)}=S\mid Y=1)=\frac{1}{9}, \quad P(X^{(2)}=M\mid Y=1)=\frac{4}{9}, \quad P(X^{(2)}=L\mid Y=1)=\frac{4}{9}$$

$$P(X^{(1)}=1\mid Y=-1)=\frac{3}{6}, \quad P(X^{(1)}=2\mid Y=-1)=\frac{2}{6}, \quad P(X^{(1)}=3\mid Y=-1)=\frac{1}{6}$$

$$P(X^{(2)}=S\mid Y=-1)=\frac{3}{6}, \quad P(X^{(2)}=M\mid Y=-1)=\frac{2}{6}, \quad P(X^{(2)}=L\mid Y=-1)=\frac{1}{6}$$

对于给定的 $x=(2,S)^{\mathrm{T}}$ 计算:

$$P(Y=1)P(X^{(1)}=2\mid Y=1)P(X^{(2)}=S\mid Y=1)=\frac{9}{15}\cdot\frac{3}{9}\cdot\frac{1}{9}=\frac{1}{45}$$

$$P(Y=-1)P(X^{(1)}=2\mid Y=-1)P(X^{(2)}=S\mid Y=-1)=\frac{6}{15}\cdot\frac{2}{6}\cdot\frac{3}{6}=\frac{1}{15}$$

因为 $P(Y=-1)P(X^{(1)}=2\mid Y=-1)P(X^{(2)}=S\mid Y=-1)$ 最大, 所以 $y=-1$. ∎

4.2.3 贝叶斯估计

用极大似然估计可能会出现所要估计的概率值为 0 的情况. 这时会影响到后验概率的计算结果, 使分类产生偏差. 解决这一问题的方法是采用贝叶斯估计. 具体地, 条件概率的贝叶斯估计是

$$P_\lambda(X^{(j)}=a_{jl}\mid Y=c_k)=\frac{\sum_{i=1}^{N}I(x_i^{(j)}=a_{jl}, y_i=c_k)+\lambda}{\sum_{i=1}^{N}I(y_i=c_k)+S_j\lambda} \tag{4.10}$$

式中 $\lambda\geqslant0$. 等价于在随机变量各个取值的频数上赋予一个正数 $\lambda>0$. 当 $\lambda=0$ 时就是极大似然估计. 常取 $\lambda=1$, 这时称为拉普拉斯平滑 (Laplace smoothing). 显然, 对任何 $l=1,2,\cdots,S_j$, $k=1,2,\cdots,K$, 有

$$P_\lambda(X^{(j)}=a_{jl}\mid Y=c_k)>0$$

$$\sum_{l=1}^{S_j}P(X^{(j)}=a_{jl}\mid Y=c_k)=1$$

表明式 (4.10) 确为一种概率分布. 同样, 先验概率的贝叶斯估计是

$$P_\lambda(Y=c_k)=\frac{\sum_{i=1}^{N}I(y_i=c_k)+\lambda}{N+K\lambda} \tag{4.11}$$

例 4.2　问题同例 4.1，按照拉普拉斯平滑估计概率，即取 $\lambda = 1$.

解　$A_1 = \{1, 2, 3\}$，$A_2 = \{S, M, L\}$，$C = \{1, -1\}$. 按照式 (4.10) 和式 (4.11) 计算下列概率：

$$P(Y = 1) = \frac{10}{17}, \quad P(Y = -1) = \frac{7}{17}$$

$$P(X^{(1)} = 1 \mid Y = 1) = \frac{3}{12}, \quad P(X^{(1)} = 2 \mid Y = 1) = \frac{4}{12}, \quad P(X^{(1)} = 3 \mid Y = 1) = \frac{5}{12}$$

$$P(X^{(2)} = S \mid Y = 1) = \frac{2}{12}, \quad P(X^{(2)} = M \mid Y = 1) = \frac{5}{12}, \quad P(X^{(2)} = L \mid Y = 1) = \frac{5}{12}$$

$$P(X^{(1)} = 1 \mid Y = -1) = \frac{4}{9}, \quad P(X^{(1)} = 2 \mid Y = -1) = \frac{3}{9}, \quad P(X^{(1)} = 3 \mid Y = -1) = \frac{2}{9}$$

$$P(X^{(2)} = S \mid Y = -1) = \frac{4}{9}, \quad P(X^{(2)} = M \mid Y = -1) = \frac{3}{9}, \quad P(X^{(2)} = L \mid Y = -1) = \frac{2}{9}$$

对于给定的 $x = (2, S)^{\mathrm{T}}$ 计算：

$$P(Y = 1)P(X^{(1)} = 2 \mid Y = 1)P(X^{(2)} = S \mid Y = 1) = \frac{10}{17} \cdot \frac{4}{12} \cdot \frac{2}{12} = \frac{5}{153} = 0.0327$$

$$P(Y = -1)P(X^{(1)} = 2 \mid Y = -1)P(X^{(2)} = S \mid Y = -1) = \frac{7}{17} \cdot \frac{3}{9} \cdot \frac{4}{9} = \frac{28}{459} = 0.0610$$

由于 $P(Y = -1)P(X^{(1)} = 2 \mid Y = -1)P(X^{(2)} = S \mid Y = -1)$ 最大，所以 $y = -1$.　∎

本　章　概　要

1. 朴素贝叶斯法是典型的生成学习方法. 生成方法由训练数据学习联合概率分布 $P(X, Y)$，然后求得后验概率分布 $P(Y \mid X)$. 具体来说，利用训练数据学习 $P(X \mid Y)$ 和 $P(Y)$ 的估计，得到联合概率分布：

$$P(X, Y) = P(Y)P(X \mid Y)$$

概率估计方法可以是极大似然估计或贝叶斯估计：

2. 朴素贝叶斯法的基本假设是条件独立性，

$$P(X = x \mid Y = c_k) = P(X^{(1)} = x^{(1)}, \cdots, X^{(n)} = x^{(n)} \mid Y = c_k)$$

$$= \prod_{j=1}^{n} P(X^{(j)} = x^{(j)} \mid Y = c_k)$$

这是一个较强的假设. 由于这一假设，模型包含的条件概率的数量大为减少，朴素贝叶斯法的学习与预测大为简化. 因而朴素贝叶斯法高效，且易于实现. 其缺点是分类的性能不一定很高.

3. 朴素贝叶斯法利用贝叶斯定理与学到的联合概率模型进行分类预测.

$$P(Y \mid X) = \frac{P(X,Y)}{P(X)} = \frac{P(Y)P(X \mid Y)}{\sum_{Y} P(Y)P(X \mid Y)}$$

将输入 x 分到后验概率最大的类 y.

$$y = \arg\max_{c_k} P(Y = c_k) \prod_{j=1}^{n} P(X_j = x^{(j)} \mid Y = c_k)$$

后验概率最大等价于 0-1 损失函数时的期望风险最小化.

继 续 阅 读

朴素贝叶斯法的介绍可见文献[1, 2]. 朴素贝叶斯法中假设输入变量都是条件独立的, 如果假设它们之间存在概率依存关系, 模型就变成了贝叶斯网络, 参见文献[3].

习　题

4.1　用极大似然估计法推出朴素贝叶斯法中的概率估计公式 (4.8) 及公式 (4.9).
4.2　用贝叶斯估计法推出朴素贝叶斯法中的概率估计公式 (4.10) 及公式 (4.11).

参 考 文 献

[1]　Mitchell TM. Chapter 1: Generative and discriminative classifiers: Naïve Bayes and logistic regression. In: Machine Learning. Draft, 2005. http://www.cs.cmu.edu/~tom/mlbook/NBayeslogReg.pdf

[2]　Hastie T, Tibshirani R, Friedman J. The Elements of Statistical Learning. Data Mining, Inference, and Prediction. Springer-Verlag, 2001(中译本: 统计学习基础——数据挖掘、推理与预测. 范明, 柴玉梅, 昝红英等译. 北京: 电子工业出版社, 2004)

[3]　Bishop C. Pattern Recognition and Machine Learning, Springer, 2006

第 5 章　决　策　树

决策树（decision tree）是一种基本的分类与回归方法. 本章主要讨论用于分类的决策树. 决策树模型呈树形结构, 在分类问题中, 表示基于特征对实例进行分类的过程. 它可以认为是 if-then 规则的集合, 也可以认为是定义在特征空间与类空间上的条件概率分布. 其主要优点是模型具有可读性, 分类速度快. 学习时, 利用训练数据, 根据损失函数最小化的原则建立决策树模型. 预测时, 对新的数据, 利用决策树模型进行分类. 决策树学习通常包括 3 个步骤: 特征选择、决策树的生成和决策树的修剪. 这些决策树学习的思想主要来源于由 Quinlan 在 1986 年提出的 ID3 算法和 1993 年提出的 C4.5 算法, 以及由 Breiman 等人在 1984 年提出的 CART 算法.

本章首先介绍决策树的基本概念, 然后通过 ID3 和 C4.5 介绍特征的选择、决策树的生成以及决策树的修剪, 最后介绍 CART 算法.

5.1　决策树模型与学习

5.1.1　决策树模型

定义 5.1（决策树）　分类决策树模型是一种描述对实例进行分类的树形结构. 决策树由结点（node）和有向边（directed edge）组成. 结点有两种类型: 内部结点（internal node）和叶结点（leaf node）. 内部结点表示一个特征或属性, 叶结点表示一个类.

用决策树分类, 从根结点开始, 对实例的某一特征进行测试, 根据测试结果, 将实例分配到其子结点; 这时, 每一个子结点对应着该特征的一个取值. 如此递归地对实例进行测试并分配, 直至达到叶结点. 最后将实例分到叶结点的类中.

图 5.1 是一个决策树的示意图. 图中圆和方框分别表示内部结点和叶结点.

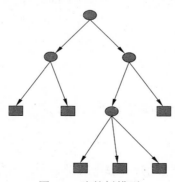

图 5.1　决策树模型

5.1.2　决策树与 if-then 规则

可以将决策树看成一个 if-then 规则的集合. 将决策树转换成 if-then 规则的过程是这样的: 由决策树的根结点到叶结点的每一条路径构建一条规则; 路径上内部结点的特征对应着规则的条件, 而叶结点的类对应着规则的结论. 决策树的路径或其对应的 if-then 规则集合具有一个重要的性质: 互斥并且完备. 这就是说, 每一个实例都被一条路径或一条规则所覆盖, 而且只被一条路径或一条规则所覆盖. 这里所谓覆盖是指实例的特征与路径上的特征一致或实例满足规则的条件.

5.1.3　决策树与条件概率分布

决策树还表示给定特征条件下类的条件概率分布. 这一条件概率分布定义在特征空间的一个划分 (partition) 上. 将特征空间划分为互不相交的单元 (cell) 或区域 (region), 并在每个单元定义一个类的概率分布就构成了一个条件概率分布. 决策树的一条路径对应于划分中的一个单元. 决策树所表示的条件概率分布由各个单元给定条件下类的条件概率分布组成. 假设 X 为表示特征的随机变量, Y 为表示类的随机变量, 那么这个条件概率分布可以表示为 $P(Y\,|\,X)$. X 取值于给定划分下单元的集合, Y 取值于类的集合. 各叶结点 (单元) 上的条件概率往往偏向某一个类, 即属于某一类的概率较大. 决策树分类时将该结点的实例强行分到条件概率大的那一类去.

图 5.2 (a) 示意地表示了特征空间的一个划分. 图中的大正方形表示特征空间. 这个大正方形被若干个小矩形分割, 每个小矩形表示一个单元. 特征空间划分上的单元构成了一个集合, X 取值为单元的集合. 为简单起见, 假设只有两类: 正类和负类, 即 Y 取值为+1 和−1. 小矩形中的数字表示单元的类. 图 5.2 (b) 示意地表示特征空间划分确定时, 特征 (单元) 给定条件下类的条件概率分布. 图 5.2 (b) 中条件概率分布对应于图 5.2 (a) 的划分. 当某个单元 c 的条件概率满足 $P(Y=+1\,|\,X=c)>0.5$ 时, 则认为这个单元属于正类, 即落在这个单元的实例都被视为正例. 图 5.2 (c) 为对应于图 5.2 (b) 中条件概率分布的决策树.

5.1.4　决策树学习

决策树学习, 假设给定训练数据集

$$D = \{(x_1, y_1), (x_2, y_2), \cdots, (x_N, y_N)\}$$

其中, $x_i = (x_i^{(1)}, x_i^{(2)}, \cdots, x_i^{(n)})^{\mathrm{T}}$ 为输入实例 (特征向量), n 为特征个数, $y_i \in \{1, 2, \cdots, K\}$ 为类标记, $i = 1, 2, \cdots, N$, N 为样本容量. 学习的目标是根据给定的训练数据集构建一个决策树模型, 使它能够对实例进行正确的分类.

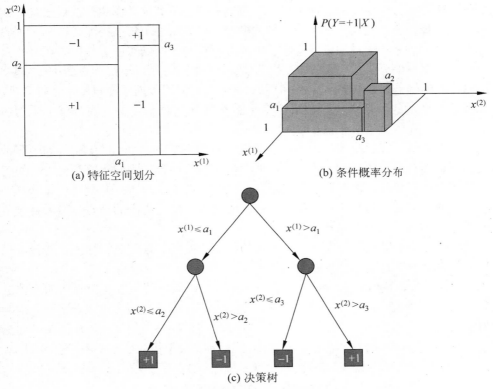

图 5.2   决策树对应于条件概率分布

决策树学习本质上是从训练数据集中归纳出一组分类规则. 与训练数据集不相矛盾的决策树（即能对训练数据进行正确分类的决策树）可能有多个, 也可能一个也没有. 我们需要的是一个与训练数据矛盾较小的决策树, 同时具有很好的泛化能力. 从另一个角度看, 决策树学习是由训练数据集估计条件概率模型. 基于特征空间划分的类的条件概率模型有无穷多个. 我们选择的条件概率模型应该不仅对训练数据有很好的拟合, 而且对未知数据有很好的预测.

决策树学习用损失函数表示这一目标. 如下所述, 决策树学习的损失函数通常是正则化的极大似然函数. 决策树学习的策略是以损失函数为目标函数的最小化.

当损失函数确定以后, 学习问题就变为在损失函数意义下选择最优决策树的问题. 因为从所有可能的决策树中选取最优决策树是 NP 完全问题, 所以现实中决策树学习算法通常采用启发式方法, 近似求解这一最优化问题. 这样得到的决策树是次最优（sub-optimal）的.

决策树学习的算法通常是一个递归地选择最优特征, 并根据该特征对训练数据进行分割, 使得对各个子数据集有一个最好的分类的过程. 这一过程对应着对特征空间的划分, 也对应着决策树的构建. 开始, 构建根结点, 将所有训练数据都放在根结点. 选择一个最优特征, 按照这一特征将训练数据集分割成子集, 使得各个子集有一个在当前条件下最好的分类. 如果这些子集已经能够被基本正确分类, 那么构建叶结点, 并将这些子集分到所对应的叶结点中去; 如果还有子集不能被基本正确分类, 那么就对这些子集选择新的最优特征, 继续对其进行分割, 构建相应的结点. 如此递归地进行下去, 直至所有训练数据子集被基本正确分类, 或者没有合适的特征为止. 最后每个子集都被分到叶结点上, 即都有了明确的类. 这就生成了一棵决策树.

以上方法生成的决策树可能对训练数据有很好的分类能力, 但对未知的测试数据却未必有很好的分类能力, 即可能发生过拟合现象. 我们需要对已生成的树自下而上进行剪枝, 将树变得更简单, 从而使它具有更好的泛化能力. 具体地, 就是去掉过于细分的叶结点, 使其回退到父结点, 甚至更高的结点, 然后将父结点或更高的结点改为新的叶结点.

如果特征数量很多, 也可以在决策树学习开始的时候, 对特征进行选择, 只留下对训练数据有足够分类能力的特征.

可以看出, 决策树学习算法包含特征选择、决策树的生成与决策树的剪枝过程. 由于决策树表示一个条件概率分布, 所以深浅不同的决策树对应着不同复杂度的概率模型. 决策树的生成对应于模型的局部选择, 决策树的剪枝对应于模型的全局选择. 决策树的生成只考虑局部最优, 相对地, 决策树的剪枝则考虑全局最优.

决策树学习常用的算法有 ID3、C4.5 与 CART, 下面结合这些算法分别叙述决策树学习的特征选择、决策树的生成和剪枝过程.

5.2   特 征 选 择

5.2.1   特征选择问题

特征选择在于选取对训练数据具有分类能力的特征. 这样可以提高决策树学习的效率. 如果利用一个特征进行分类的结果与随机分类的结果没有很大差别, 则称这个特征是没有分类能力的. 经验上扔掉这样的特征对决策树学习的精度影响不大. 通常特征选择的准则是信息增益或信息增益比.

首先通过一个例子来说明特征选择问题.

例 5.1[①]   表 5.1 是一个由 15 个样本组成的贷款申请训练数据. 数据包括贷款申请人的 4 个特征 (属性): 第 1 个特征是年龄, 有 3 个可能值: 青年, 中年, 老年; 第 2 个特征是有工作, 有 2 个可能值: 是, 否; 第 3 个特征是有自己的房子, 有 2 个可能值: 是, 否; 第 4 个特征是信贷情况, 有 3 个可能值: 非常好, 好, 一般. 表的最后一列是类别, 是否同意贷款, 取 2 个值: 是, 否.

---

① 此例取自参考文献[5].

表 5.1 贷款申请样本数据表

ID	年龄	有工作	有自己的房子	信贷情况	类别
1	青年	否	否	一般	否
2	青年	否	否	好	否
3	青年	是	否	好	是
4	青年	是	是	一般	是
5	青年	否	否	一般	否
6	中年	否	否	一般	否
7	中年	否	否	好	否
8	中年	是	是	好	是
9	中年	否	是	非常好	是
10	中年	否	是	非常好	是
11	老年	否	是	非常好	是
12	老年	否	是	好	是
13	老年	是	否	好	是
14	老年	是	否	非常好	是
15	老年	否	否	一般	否

希望通过所给的训练数据学习一个贷款申请的决策树,用以对未来的贷款申请进行分类,即当新的客户提出贷款申请时,根据申请人的特征利用决策树决定是否批准贷款申请.

特征选择是决定用哪个特征来划分特征空间.

图 5.3 表示从表 5.1 数据学习到的两个可能的决策树,分别由两个不同特征的根结点构成. 图 5.3(a)所示的根结点的特征是年龄,有 3 个取值,对应于不同的取值有不同的子结点. 图 5.3(b)所示的根结点的特征是有工作,有 2 个取值,对应于不同的取值有不同的子结点. 两个决策树都可以从此延续下去. 问题是:究竟选择哪个特征更好些? 这就要求确定选择特征的准则. 直观上,如果一个特征具有更好的分类能力,或者说,按照这一特征将训练数据集分割成子集,使得各个子集在当前条件下有最好的分类,那么就更应该选择这个特征. 信息增益(information gain)就能够很好地表示这一直观的准则.

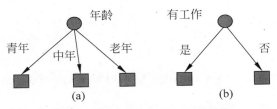

图 5.3 不同特征决定的不同决策树

5.2.2　信息增益

为了便于说明，先给出熵与条件熵的定义.

在信息论与概率统计中，熵（entropy）是表示随机变量不确定性的度量. 设 X 是一个取有限个值的离散随机变量，其概率分布为

$$P(X = x_i) = p_i, \quad i = 1, 2, \cdots, n$$

则随机变量 X 的熵定义为

$$H(X) = -\sum_{i=1}^{n} p_i \log p_i \tag{5.1}$$

在式 (5.1) 中，若 $p_i = 0$，则定义 $0\log 0 = 0$. 通常，式 (5.1) 中的对数以 2 为底或以 e 为底（自然对数），这时熵的单位分别称作比特（bit）或纳特（nat）. 由定义可知，熵只依赖于 X 的分布，而与 X 的取值无关，所以也可将 X 的熵记作 $H(p)$，即

$$H(p) = -\sum_{i=1}^{n} p_i \log p_i \tag{5.2}$$

熵越大，随机变量的不确定性就越大. 从定义可验证

$$0 \leqslant H(p) \leqslant \log n \tag{5.3}$$

当随机变量只取两个值，例如 1，0 时，即 X 的分布为

$$P(X = 1) = p, \quad P(X = 0) = 1 - p, \quad 0 \leqslant p \leqslant 1$$

熵为

$$H(p) = -p \log_2 p - (1 - p) \log_2 (1 - p) \tag{5.4}$$

这时，熵 $H(p)$ 随概率 p 变化的曲线如图 5.4 所示（单位为比特）.

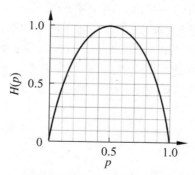

图 5.4　分布为贝努利分布时熵与概率的关系

当 $p = 0$ 或 $p = 1$ 时 $H(p) = 0$，随机变量完全没有不确定性. 当 $p = 0.5$ 时，$H(p) = 1$，熵取值最大，随机变量不确定性最大.

设有随机变量 (X, Y)，其联合概率分布为

$$P(X = x_i, Y = y_j) = p_{ij}, \quad i = 1, 2, \cdots, n; \quad j = 1, 2, \cdots, m$$

条件熵 $H(Y \mid X)$ 表示在已知随机变量 X 的条件下随机变量 Y 的不确定性. 随机变量 X 给定的条件下随机变量 Y 的条件熵（conditional entropy）$H(Y \mid X)$，定义为 X 给定条件下 Y 的条件概率分布的熵对 X 的数学期望

$$H(Y \mid X) = \sum_{i=1}^{n} p_i H(Y \mid X = x_i) \tag{5.5}$$

这里，$p_i = P(X = x_i)$，$i = 1, 2, \cdots, n$.

当熵和条件熵中的概率由数据估计（特别是极大似然估计）得到时，所对应的熵与条件熵分别称为经验熵（empirical entropy）和经验条件熵（empirical conditional entropy）. 此时，如果有 0 概率，令 $0 \log 0 = 0$.

信息增益（information gain）表示得知特征 X 的信息而使得类 Y 的信息的不确定性减少的程度.

定义 5.2（信息增益） 特征 A 对训练数据集 D 的信息增益 $g(D, A)$，定义为集合 D 的经验熵 $H(D)$ 与特征 A 给定条件下 D 的经验条件熵 $H(D \mid A)$ 之差，即

$$g(D, A) = H(D) - H(D \mid A) \tag{5.6}$$

一般地，熵 $H(Y)$ 与条件熵 $H(Y \mid X)$ 之差称为互信息（mutual information）. 决策树学习中的信息增益等价于训练数据集中类与特征的互信息.

决策树学习应用信息增益准则选择特征. 给定训练数据集 D 和特征 A，经验熵 $H(D)$ 表示对数据集 D 进行分类的不确定性. 而经验条件熵 $H(D \mid A)$ 表示在特征 A 给定的条件下对数据集 D 进行分类的不确定性. 那么它们的差，即信息增益，就表示由于特征 A 而使得对数据集 D 的分类的不确定性减少的程度. 显然，对于数据集 D 而言，信息增益依赖于特征，不同的特征往往具有不同的信息增益. 信息增益大的特征具有更强的分类能力.

根据信息增益准则的特征选择方法是：对训练数据集（或子集）D，计算其每个特征的信息增益，并比较它们的大小，选择信息增益最大的特征.

设训练数据集为 D，$|D|$ 表示其样本容量，即样本个数. 设有 K 个类 C_k，$k = 1, 2, \cdots, K$，$|C_k|$ 为属于类 C_k 的样本个数，$\sum_{k=1}^{K} |C_k| = |D|$. 设特征 A 有 n 个不同的取值 $\{a_1, a_2, \cdots, a_n\}$，根据特征 A 的取值将 D 划分为 n 个子集 $D_1, D_2, \cdots, D_n$，$|D_i|$ 为 D_i 的样本个数，$\sum_{i=1}^{n} |D_i| = |D|$. 记子集 D_i 中属于类 C_k 的样本的集合为 D_{ik}，即 $D_{ik} = D_i \bigcap C_k$，$|D_{ik}|$ 为 D_{ik} 的样本个数. 于是信息增益的算法如下：

算法 5.1（信息增益的算法）

输入：训练数据集 D 和特征 A；

输出：特征 A 对训练数据集 D 的信息增益 $g(D, A)$.

（1）. 计算数据集 D 的经验熵 $H(D)$

$$H(D) = -\sum_{k=1}^{K} \frac{|C_k|}{|D|} \log_2 \frac{|C_k|}{|D|} \tag{5.7}$$

（2）计算特征 A 对数据集 D 的经验条件熵 $H(D \mid A)$

$$H(D \mid A) = \sum_{i=1}^{n} \frac{|D_i|}{|D|} H(D_i) = -\sum_{i=1}^{n} \frac{|D_i|}{|D|} \sum_{k=1}^{K} \frac{|D_{ik}|}{|D_i|} \log_2 \frac{|D_{ik}|}{|D_i|} \tag{5.8}$$

（3）计算信息增益

$$g(D, A) = H(D) - H(D \mid A) \tag{5.9} \quad \blacksquare$$

例 5.2　对表 5.1 所给的训练数据集 D，根据信息增益准则选择最优特征.

解　首先计算经验熵 $H(D)$.

$$H(D) = -\frac{9}{15} \log_2 \frac{9}{15} - \frac{6}{15} \log_2 \frac{6}{15} = 0.971$$

然后计算各特征对数据集 D 的信息增益. 分别以 A_1，A_2，A_3，A_4 表示年龄、有工作、有自己的房子和信贷情况 4 个特征，则

（1）

$$g(D, A_1) = H(D) - \left[\frac{5}{15} H(D_1) + \frac{5}{15} H(D_2) + \frac{5}{15} H(D_3) \right]$$

$$= 0.971 - \left[\frac{5}{15} \left(-\frac{2}{5} \log_2 \frac{2}{5} - \frac{3}{5} \log_2 \frac{3}{5} \right) \right.$$

$$\left. + \frac{5}{15} \left(-\frac{3}{5} \log_2 \frac{3}{5} - \frac{2}{5} \log_2 \frac{2}{5} \right) + \frac{5}{15} \left(-\frac{4}{5} \log_2 \frac{4}{5} - \frac{1}{5} \log_2 \frac{1}{5} \right) \right]$$

$$= 0.971 - 0.888 = 0.083$$

这里 D_1，D_2，D_3 分别是 D 中 A_1（年龄）取值为青年、中年和老年的样本子集. 类似地，

（2）

$$g(D, A_2) = H(D) - \left[\frac{5}{15} H(D_1) + \frac{10}{15} H(D_2) \right]$$

$$= 0.971 - \left[\frac{5}{15} \times 0 + \frac{10}{15} \left(-\frac{4}{10} \log_2 \frac{4}{10} - \frac{6}{10} \log_2 \frac{6}{10} \right) \right] = 0.324$$

（3）

$$g(D, A_3) = 0.971 - \left[\frac{6}{15} \times 0 + \frac{9}{15} \left(-\frac{3}{9} \log_2 \frac{3}{9} - \frac{6}{9} \log_2 \frac{6}{9} \right) \right]$$

$$= 0.971 - 0.551 = 0.420$$

（4）

$$g(D,A_4)=0.971-0.608=0.363$$

最后，比较各特征的信息增益值. 由于特征 A_3（有自己的房子）的信息增益值最大，所以选择特征 A_3 作为最优特征. ■

5.2.3 信息增益比

以信息增益作为划分训练数据集的特征，存在偏向于选择取值较多的特征的问题. 使用信息增益比（information gain ratio）可以对这一问题进行校正. 这是特征选择的另一准则.

定义 5.3（信息增益比） 特征 A 对训练数据集 D 的信息增益比 $g_R(D,A)$ 定义为其信息增益 $g(D,A)$ 与训练数据集 D 关于特征 A 的值的熵 $H_A(D)$ 之比，即

$$g_R(D,A)=\frac{g(D,A)}{H_A(D)} \tag{5.10}$$

其中，$H_A(D)=-\sum_{i=1}^{n}\frac{|D_i|}{|D|}\log_2\frac{|D_i|}{|D|}$，$n$ 是特征 A 取值的个数.

5.3 决策树的生成

本节将介绍决策树学习的生成算法. 首先介绍 ID3 的生成算法，然后再介绍 C4.5 中的生成算法. 这些都是决策树学习的经典算法.

5.3.1 ID3 算法

ID3 算法的核心是在决策树各个结点上应用信息增益准则选择特征，递归地构建决策树. 具体方法是：从根结点（root node）开始，对结点计算所有可能的特征的信息增益，选择信息增益最大的特征作为结点的特征，由该特征的不同取值建立子结点；再对子结点递归地调用以上方法，构建决策树；直到所有特征的信息增益均很小或没有特征可以选择为止. 最后得到一个决策树. ID3 相当于用极大似然法进行概率模型的选择.

算法 5.2（ID3 算法）

输入：训练数据集 D，特征集 A，阈值 ε；

输出：决策树 T.

（1）若 D 中所有实例属于同一类 C_k，则 T 为单结点树，并将类 C_k 作为该结点的类标记，返回 T；

（2）若 $A=\varnothing$，则 T 为单结点树，并将 D 中实例数最大的类 C_k 作为该结点的类标记，返回 T；

（3）否则，按算法 5.1 计算 A 中各特征对 D 的信息增益，选择信息增益最大的特征 A_g；

（4）如果 A_g 的信息增益小于阈值 ε，则置 T 为单结点树，并将 D 中实例数最大的类 C_k 作为该结点的类标记，返回 T；

（5）否则，对 A_g 的每一可能值 a_i，依 $A_g = a_i$ 将 D 分割为若干非空子集 D_i，将 D_i 中实例数最大的类作为标记，构建子结点，由结点及其子结点构成树 T，返回 T；

（6）对第 i 个子结点，以 D_i 为训练集，以 $A-\{A_g\}$ 为特征集，递归地调用步 (1) ～步 (5)，得到子树 T_i，返回 T_i. ∎

例 5.3 对表 5.1 的训练数据集，利用 ID3 算法建立决策树.

解 利用例 5.2 的结果，由于特征 A_3（有自己的房子）的信息增益值最大，所以选择特征 A_3 作为根结点的特征. 它将训练数据集 D 划分为两个子集 D_1（A_3 取值为"是"）和 D_2（A_3 取值为"否"）. 由于 D_1 只有同一类的样本点，所以它成为一个叶结点，结点的类标记为"是".

对 D_2 则需从特征 A_1（年龄），A_2（有工作）和 A_4（信贷情况）中选择新的特征. 计算各个特征的信息增益：

$$g(D_2, A_1) = H(D_2) - H(D_2 \mid A_1) = 0.918 - 0.667 = 0.251$$
$$g(D_2, A_2) = H(D_2) - H(D_2 \mid A_2) = 0.918$$
$$g(D_2, A_4) = H(D_2) - H(D_2 \mid A_4) = 0.474$$

选择信息增益最大的特征 A_2（有工作）作为结点的特征. 由于 A_2 有两个可能取值，从这一结点引出两个子结点：一个对应"是"（有工作）的子结点，包含 3 个样本，它们属于同一类，所以这是一个叶结点，类标记为"是"；另一个是对应"否"（无工作）的子结点，包含 6 个样本，它们也属于同一类，所以这也是一个叶结点，类标记为"否".

这样生成一个如图 5.5 所示的决策树. 该决策树只用了两个特征（有两个内部结点）. ∎

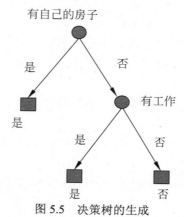

图 5.5   决策树的生成

ID3 算法只有树的生成，所以该算法生成的树容易产生过拟合.

5.3.2 C4.5 的生成算法

C4.5 算法与 ID3 算法相似，C4.5 算法对 ID3 算法进行了改进. C4.5 在生成的过程中，用信息增益比来选择特征.

算法 5.3（C4.5 的生成算法）

输入：训练数据集 D，特征集 A，阈值 ε；

输出：决策树 T.

（1）如果 D 中所有实例属于同一类 C_k，则置 T 为单结点树，并将 C_k 作为该结点的类，返回 T；

（2）如果 $A = \varnothing$，则置 T 为单结点树，并将 D 中实例数最大的类 C_k 作为该结点的类，返回 T；

（3）否则，按式(5.10)计算 A 中各特征对 D 的信息增益比，选择信息增益比最大的特征 A_g；

（4）如果 A_g 的信息增益比小于阈值 ε，则置 T 为单结点树，并将 D 中实例数最大的类 C_k 作为该结点的类，返回 T；

（5）否则，对 A_g 的每一可能值 a_i，依 $A_g = a_i$ 将 D 分割为子集若干非空 D_i，将 D_i 中实例数最大的类作为标记，构建子结点，由结点及其子结点构成树 T，返回 T；

（6）对结点 i，以 D_i 为训练集，以 $A - \{A_g\}$ 为特征集，递归地调用步(1)～步(5)，得到子树 T_i，返回 T_i. ∎

5.4 决策树的剪枝

决策树生成算法递归地产生决策树，直到不能继续下去为止. 这样产生的树往往对训练数据的分类很准确，但对未知的测试数据的分类却没有那么准确，即出现过拟合现象. 过拟合的原因在于学习时过多地考虑如何提高对训练数据的正确分类，从而构建出过于复杂的决策树. 解决这个问题的办法是考虑决策树的复杂度，对已生成的决策树进行简化.

在决策树学习中将已生成的树进行简化的过程称为剪枝（pruning）. 具体地，剪枝从已生成的树上裁掉一些子树或叶结点，并将其根结点或父结点作为新的叶结点，从而简化分类树模型.

本节介绍一种简单的决策树学习的剪枝算法.

决策树的剪枝往往通过极小化决策树整体的损失函数（loss function）或代价函数（cost function）来实现. 设树 T 的叶结点个数为 $|T|$，t 是树 T 的叶结点，该

叶结点有 N_t 个样本点，其中 k 类的样本点有 N_{tk} 个，$k=1,2,\cdots,K$，$H_t(T)$ 为叶结点 t 上的经验熵，$\alpha \geqslant 0$ 为参数，则决策树学习的损失函数可以定义为

$$C_\alpha(T) = \sum_{t=1}^{|T|} N_t H_t(T) + \alpha |T| \tag{5.11}$$

其中经验熵为

$$H_t(T) = -\sum_k \frac{N_{tk}}{N_t} \log \frac{N_{tk}}{N_t} \tag{5.12}$$

在损失函数中，将式 (5.11) 右端的第 1 项记作

$$C(T) = \sum_{t=1}^{|T|} N_t H_t(T) = -\sum_{t=1}^{|T|} \sum_{k=1}^{K} N_{tk} \log \frac{N_{tk}}{N_t} \tag{5.13}$$

这时有

$$C_\alpha(T) = C(T) + \alpha |T| \tag{5.14}$$

式 (5.14) 中，$C(T)$ 表示模型对训练数据的预测误差，即模型与训练数据的拟合程度，$|T|$ 表示模型复杂度，参数 $\alpha \geqslant 0$ 控制两者之间的影响。较大的 α 促使选择较简单的模型（树），较小的 α 促使选择较复杂的模型（树）。$\alpha=0$ 意味着只考虑模型与训练数据的拟合程度，不考虑模型的复杂度。

剪枝，就是当 α 确定时，选择损失函数最小的模型，即损失函数最小的子树。当 α 值确定时，子树越大，往往与训练数据的拟合越好，但是模型的复杂度就越高；相反，子树越小，模型的复杂度就越低，但是往往与训练数据的拟合不好。损失函数正好表示了对两者的平衡。

可以看出，决策树生成只考虑了通过提高信息增益（或信息增益比）对训练数据进行更好的拟合。而决策树剪枝通过优化损失函数还考虑了减小模型复杂度。决策树生成学习局部的模型，而决策树剪枝学习整体的模型。

式 (5.11) 或式 (5.14) 定义的损失函数的极小化等价于正则化的极大似然估计。所以，利用损失函数最小原则进行剪枝就是用正则化的极大似然估计进行模型选择。

图 5.6 是决策树剪枝过程的示意图。下面介绍剪枝算法。

算法 5.4（树的剪枝算法）

输入：生成算法产生的整个树 T，参数 α；

输出：修剪后的子树 T_α。

（1）计算每个结点的经验熵。

（2）递归地从树的叶结点向上回缩。

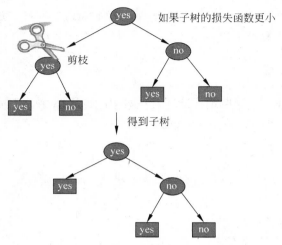

图 5.6　决策树的剪枝

设一组叶结点回缩到其父结点之前与之后的整体树分别为 T_B 与 T_A，其对应的损失函数值分别是 $C_\alpha(T_B)$ 与 $C_\alpha(T_A)$，如果

$$C_\alpha(T_A) \leqslant C_\alpha(T_B) \tag{5.15}$$

则进行剪枝，即将父结点变为新的叶结点.

（3）返回 (2)，直至不能继续为止，得到损失函数最小的子树 T_α.　　■

注意，式 (5.15) 只需考虑两个树的损失函数的差，其计算可以在局部进行. 所以，决策树的剪枝算法可以由一种动态规划的算法实现. 类似的动态规划算法可参见文献[10].

5.5　CART 算法

分类与回归树（classification and regression tree，CART）模型由 Breiman 等人在 1984 年提出，是应用广泛的决策树学习方法. CART 同样由特征选择、树的生成及剪枝组成，既可以用于分类也可以用于回归. 以下将用于分类与回归的树统称为决策树.

CART 是在给定输入随机变量 X 条件下输出随机变量 Y 的条件概率分布的学习方法. CART 假设决策树是二叉树，内部结点特征的取值为"是"和"否"，左分支是取值为"是"的分支，右分支是取值为"否"的分支. 这样的决策树等价于递归地二分每个特征，将输入空间即特征空间划分为有限个单元，并在这些单元上确定预测的概率分布，也就是在输入给定的条件下输出的条件概率分布.

CART 算法由以下两步组成：

（1）决策树生成：基于训练数据集生成决策树，生成的决策树要尽量大；

（2）决策树剪枝：用验证数据集对已生成的树进行剪枝并选择最优子树，这时用损失函数最小作为剪枝的标准.

5.5.1 CART 生成

决策树的生成就是递归地构建二叉决策树的过程.对回归树用平方误差最小化准则，对分类树用基尼指数（Gini index）最小化准则，进行特征选择，生成二叉树.

1. 回归树的生成

假设 X 与 Y 分别为输入和输出变量，并且 Y 是连续变量，给定训练数据集

$$D = \{(x_1, y_1), (x_2, y_2), \cdots, (x_N, y_N)\}$$

考虑如何生成回归树.

一个回归树对应着输入空间（即特征空间）的一个划分以及在划分的单元上的输出值.假设已将输入空间划分为 M 个单元 $R_1, R_2, \cdots, R_M$，并且在每个单元 R_m 上有一个固定的输出值 c_m，于是回归树模型可表示为

$$f(x) = \sum_{m=1}^{M} c_m I(x \in R_m) \tag{5.16}$$

当输入空间的划分确定时，可以用平方误差 $\sum_{x_i \in R_m} (y_i - f(x_i))^2$ 来表示回归树对于训练数据的预测误差，用平方误差最小的准则求解每个单元上的最优输出值.易知，单元 R_m 上的 c_m 的最优值 $\hat{c}_m$ 是 R_m 上的所有输入实例 x_i 对应的输出 y_i 的均值，即

$$\hat{c}_m = \text{ave}(y_i \mid x_i \in R_m) \tag{5.17}$$

问题是怎样对输入空间进行划分.这里采用启发式的方法，选择第 j 个变量 $x^{(j)}$ 和它取的值 s，作为切分变量（splitting variable）和切分点（splitting point），并定义两个区域：

$$R_1(j,s) = \{x \mid x^{(j)} \leqslant s\} \quad 和 \quad R_2(j,s) = \{x \mid x^{(j)} > s\} \tag{5.18}$$

然后寻找最优切分变量 j 和最优切分点 s.具体地，求解

$$\min_{j,s} \left[\min_{c_1} \sum_{x_i \in R_1(j,s)} (y_i - c_1)^2 + \min_{c_2} \sum_{x_i \in R_2(j,s)} (y_i - c_2)^2 \right] \tag{5.19}$$

对固定输入变量 j 可以找到最优切分点 s.

$$\hat{c}_1 = \text{ave}(y_i \mid x_i \in R_1(j,s)) \quad 和 \quad \hat{c}_2 = \text{ave}(y_i \mid x_i \in R_2(j,s)) \tag{5.20}$$

遍历所有输入变量，找到最优的切分变量 j，构成一个对 (j,s).依此将输入空间

划分为两个区域. 接着，对每个区域重复上述划分过程，直到满足停止条件为止. 这样就生成一棵回归树. 这样的回归树通常称为最小二乘回归树（least squares regression tree），现将算法叙述如下：

算法 5.5（最小二乘回归树生成算法）

输入：训练数据集 D；

输出：回归树 $f(x)$.

在训练数据集所在的输入空间中，递归地将每个区域划分为两个子区域并决定每个子区域上的输出值，构建二叉决策树：

（1）选择最优切分变量 j 与切分点 s，求解

$$\min_{j,s}\left[\min_{c_1}\sum_{x_i\in R_1(j,s)}(y_i-c_1)^2+\min_{c_2}\sum_{x_i\in R_2(j,s)}(y_i-c_2)^2\right] \tag{5.21}$$

遍历变量 j，对固定的切分变量 j 扫描切分点 s，选择使式 (5.21) 达到最小值的对 (j,s).

（2）用选定的对 (j,s) 划分区域并决定相应的输出值：

$$R_1(j,s)=\{x\,|\,x^{(j)}\leqslant s\}，\quad R_2(j,s)=\{x\,|\,x^{(j)}>s\}$$

$$\hat{c}_m=\frac{1}{N_m}\sum_{x_i\in R_m(j,s)}y_i，\quad x\in R_m，\quad m=1,2$$

（3）继续对两个子区域调用步骤 (1)，(2)，直至满足停止条件.

（4）将输入空间划分为 M 个区域 $R_1,R_2,\cdots,R_M$，生成决策树：

$$f(x)=\sum_{m=1}^{M}\hat{c}_m I(x\in R_m)$$

2. 分类树的生成

分类树用基尼指数选择最优特征，同时决定该特征的最优二值切分点.

定义 5.4（基尼指数）　分类问题中，假设有 K 个类，样本点属于第 k 类的概率为 p_k，则概率分布的基尼指数定义为

$$\mathrm{Gini}(p)=\sum_{k=1}^{K}p_k(1-p_k)=1-\sum_{k=1}^{K}p_k^2 \tag{5.22}$$

对于二类分类问题，若样本点属于第 1 个类的概率是 p，则概率分布的基尼指数为

$$\mathrm{Gini}(p)=2p(1-p) \tag{5.23}$$

对于给定的样本集合 D，其基尼指数为

$$\mathrm{Gini}(D)=1-\sum_{k=1}^{K}\left(\frac{|C_k|}{|D|}\right)^2 \tag{5.24}$$

这里，C_k 是 D 中属于第 k 类的样本子集，K 是类的个数.

如果样本集合 D 根据特征 A 是否取某一可能值 a 被分割成 D_1 和 D_2 两部分，即

$$D_1 = \{(x, y) \in D \mid A(x) = a\}, \quad D_2 = D - D_1$$

则在特征 A 的条件下，集合 D 的基尼指数定义为

$$\text{Gini}(D, A) = \frac{|D_1|}{|D|}\text{Gini}(D_1) + \frac{|D_2|}{|D|}\text{Gini}(D_2) \tag{5.25}$$

基尼指数 $\text{Gini}(D)$ 表示集合 D 的不确定性，基尼指数 $\text{Gini}(D, A)$ 表示经 $A = a$ 分割后集合 D 的不确定性．基尼指数值越大，样本集合的不确定性也就越大，这一点与熵相似．

图 5.7 显示二类分类问题中基尼指数 $\text{Gini}(p)$、熵（单位比特）之半 $\frac{1}{2}H(p)$ 和分类误差率的关系．横坐标表示概率 p，纵坐标表示损失．可以看出基尼指数和熵之半的曲线很接近，都可以近似地代表分类误差率．

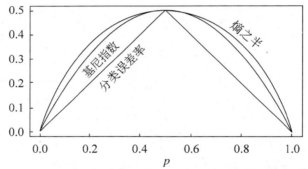

图 5.7　二类分类中基尼指数、熵之半和分类误差率的关系

算法 5.6（CART 生成算法）

输入：训练数据集 D，停止计算的条件；

输出：CART 决策树．

根据训练数据集，从根结点开始，递归地对每个结点进行以下操作，构建二叉决策树：

（1）设结点的训练数据集为 D，计算现有特征对该数据集的基尼指数．此时，对每一个特征 A，对其可能取的每个值 a，根据样本点对 $A = a$ 的测试为"是"或"否"将 D 分割成 D_1 和 D_2 两部分，利用式（5.25）计算 $A = a$ 时的基尼指数．

（2）在所有可能的特征 A 以及它们所有可能的切分点 a 中，选择基尼指数最小的特征及其对应的切分点作为最优特征与最优切分点．依最优特征与最优切分点，从现结点生成两个子结点，将训练数据集依特征分配到两个子结点中去．

（3）对两个子结点递归地调用（1），（2），直至满足停止条件.

（4）生成 CART 决策树. ∎

算法停止计算的条件是结点中的样本个数小于预定阈值，或样本集的基尼指数小于预定阈值（样本基本属于同一类），或者没有更多特征.

例 5.4 根据表 5.1 所给训练数据集，应用 CART 算法生成决策树.

解 首先计算各特征的基尼指数，选择最优特征以及其最优切分点.仍采用例 5.2 的记号，分别以 A_1，A_2，A_3，A_4 表示年龄、有工作、有自己的房子和信贷情况 4 个特征，并以 1，2，3 表示年龄的值为青年、中年和老年，以 1，2 表示有工作和有自己的房子的值为是和否，以 1，2，3 表示信贷情况的值为非常好、好和一般.

求特征 A_1 的基尼指数：

$$\mathrm{Gini}(D, A_1 = 1) = \frac{5}{15}\left(2 \times \frac{2}{5} \times \left(1 - \frac{2}{5}\right)\right) + \frac{10}{15}\left(2 \times \frac{7}{10} \times \left(1 - \frac{7}{10}\right)\right) = 0.44$$

$$\mathrm{Gini}(D, A_1 = 2) = 0.48$$

$$\mathrm{Gini}(D, A_1 = 3) = 0.44$$

由于 $\mathrm{Gini}(D, A_1 = 1)$ 和 $\mathrm{Gini}(D, A_1 = 3)$ 相等，且最小，所以 $A_1 = 1$ 和 $A_1 = 3$ 都可以选作 A_1 的最优切分点.

求特征 A_2 和 A_3 的基尼指数：

$$\mathrm{Gini}(D, A_2 = 1) = 0.32$$

$$\mathrm{Gini}(D, A_3 = 1) = 0.27$$

由于 A_2 和 A_3 只有一个切分点，所以它们就是最优切分点.

求特征 A_4 的基尼指数：

$$\mathrm{Gini}(D, A_4 = 1) = 0.36$$

$$\mathrm{Gini}(D, A_4 = 2) = 0.47$$

$$\mathrm{Gini}(D, A_4 = 3) = 0.32$$

$\mathrm{Gini}(D, A_4 = 3)$ 最小，所以 $A_4 = 3$ 为 A_4 的最优切分点.

在 A_1，A_2，A_3，A_4 几个特征中，$\mathrm{Gini}(D, A_3 = 1) = 0.27$ 最小，所以选择特征 A_3 为最优特征，$A_3 = 1$ 为其最优切分点.于是根结点生成两个子结点，一个是叶结点.对另一个结点继续使用以上方法在 A_1，A_2，A_4 中选择最优特征及其最优切分点，结果是 $A_2 = 1$.依此计算得知，所得结点都是叶结点. ∎

对于本问题，按照 CART 算法所生成的决策树与按照 ID3 算法所生成的决策树完全一致.

5.5.2 CART 剪枝

CART 剪枝算法从"完全生长"的决策树的底端剪去一些子树,使决策树变小(模型变简单),从而能够对未知数据有更准确的预测. CART 剪枝算法由两步组成:首先从生成算法产生的决策树 T_0 底端开始不断剪枝,直到 T_0 的根结点,形成一个子树序列 $\{T_0, T_1, \cdots, T_n\}$;然后通过交叉验证法在独立的验证数据集上对子树序列进行测试,从中选择最优子树.

1. 剪枝,形成一个子树序列

在剪枝过程中,计算子树的损失函数:

$$C_\alpha(T) = C(T) + \alpha \mid T \mid \tag{5.26}$$

其中, T 为任意子树, $C(T)$ 为对训练数据的预测误差(如基尼指数), $\mid T \mid$ 为子树的叶结点个数, $\alpha \geqslant 0$ 为参数, $C_\alpha(T)$ 为参数是 α 时的子树 T 的整体损失. 参数 α 权衡训练数据的拟合程度与模型的复杂度.

对固定的 α,一定存在使损失函数 $C_\alpha(T)$ 最小的子树,将其表示为 T_α. T_α 在损失函数 $C_\alpha(T)$ 最小的意义下是最优的. 容易验证这样的最优子树是唯一的. 当 α 大的时候,最优子树 T_α 偏小;当 α 小的时候,最优子树 T_α 偏大. 极端情况,当 $\alpha = 0$ 时,整体树是最优的. 当 $\alpha \to \infty$ 时,根结点组成的单结点树是最优的.

Breiman 等人证明:可以用递归的方法对树进行剪枝. 将 α 从小增大,$0 = \alpha_0 < \alpha_1 < \cdots < \alpha_n < +\infty$,产生一系列的区间 $[\alpha_i, \alpha_{i+1}), i = 0, 1, \cdots, n$;剪枝得到的子树序列对应着区间 $\alpha \in [\alpha_i, \alpha_{i+1})$, $i = 0, 1, \cdots, n$ 的最优子树序列 $\{T_0, T_1, \cdots, T_n\}$,序列中的子树是嵌套的.

具体地,从整体树 T_0 开始剪枝. 对 T_0 的任意内部结点 t,以 t 为单结点树的损失函数是

$$C_\alpha(t) = C(t) + \alpha \tag{5.27}$$

以 t 为根结点的子树 T_t 的损失函数是

$$C_\alpha(T_t) = C(T_t) + \alpha \mid T_t \mid \tag{5.28}$$

当 $\alpha = 0$ 及 α 充分小时,有不等式

$$C_\alpha(T_t) < C_\alpha(t) \tag{5.29}$$

当 α 增大时,在某一 α 有

$$C_\alpha(T_t) = C_\alpha(t) \tag{5.30}$$

当 α 再增大时,不等式 (5.29) 反向. 只要 $\alpha = \dfrac{C(t) - C(T_t)}{\mid T_t \mid - 1}$, T_t 与 t 有相同的损失函数值,而 t 的结点少,因此 t 比 T_t 更可取,对 T_t 进行剪枝.

为此，对 T_0 中每一内部结点 t，计算

$$g(t) = \frac{C(t) - C(T_t)}{|T_t| - 1} \tag{5.31}$$

它表示剪枝后整体损失函数减少的程度．在 T_0 中剪去 $g(t)$ 最小的 T_t，将得到的子树作为 T_1，同时将最小的 $g(t)$ 设为 α_1．T_1 为区间 $[\alpha_1, \alpha_2)$ 的最优子树．

如此剪枝下去，直至得到根结点．在这一过程中，不断地增加 α 的值，产生新的区间．

2. 在剪枝得到的子树序列 $T_0, T_1, \cdots, T_n$ 中通过交叉验证选取最优子树 T_α

具体地，利用独立的验证数据集，测试子树序列 $T_0, T_1, \cdots, T_n$ 中各棵子树的平方误差或基尼指数．平方误差或基尼指数最小的决策树被认为是最优的决策树．在子树序列中，每棵子树 $T_1, T_2, \cdots, T_n$ 都对应于一个参数 $\alpha_1, \alpha_2, \cdots, \alpha_n$．所以，当最优子树 T_k 确定时，对应的 α_k 也确定了，即得到最优决策树 T_α．

现在写出 CART 剪枝算法．

算法 5.7（**CART 剪枝算法**）

输入：CART 算法生成的决策树 T_0；

输出：最优决策树 T_α．

（1）设 $k = 0$，$T = T_0$．

（2）设 $\alpha = +\infty$．

（3）自下而上地对各内部结点 t 计算 $C(T_t)$，$|T_t|$ 以及

$$g(t) = \frac{C(t) - C(T_t)}{|T_t| - 1}$$

$$\alpha = \min(\alpha, g(t))$$

这里，T_t 表示以 t 为根结点的子树，$C(T_t)$ 是对训练数据的预测误差，$|T_t|$ 是 T_t 的叶结点个数．

（4）对 $g(t) = \alpha$ 的内部结点 t 进行剪枝，并对叶结点 t 以多数表决法决定其类，得到树 T．

（5）设 $k = k + 1$，$\alpha_k = \alpha$，$T_k = T$．

（6）如果 T_k 不是由根结点及两个叶结点构成的树，则回到步骤 (3)；否则令 $T_k = T_n$．

（7）采用交叉验证法在子树序列 $T_0, T_1, \cdots, T_n$ 中选取最优子树 T_α．　■

本 章 概 要

1. 分类决策树模型是表示基于特征对实例进行分类的树形结构．决策树可以转换成一个 if-then 规则的集合，也可以看作是定义在特征空间划分上的类的条

件概率分布.

2．决策树学习旨在构建一个与训练数据拟合很好，并且复杂度小的决策树．因为从可能的决策树中直接选取最优决策树是 NP 完全问题．现实中采用启发式方法学习次优的决策树.

决策树学习算法包括 3 部分：特征选择、树的生成和树的剪枝．常用的算法有 ID3、C4.5 和 CART.

3．特征选择的目的在于选取对训练数据能够分类的特征．特征选择的关键是其准则．常用的准则如下：

（1）样本集合 D 对特征 A 的信息增益（ID3）

$$g(D, A) = H(D) - H(D \mid A)$$

$$H(D) = -\sum_{k=1}^{K} \frac{|C_k|}{|D|} \log_2 \frac{|C_k|}{|D|}$$

$$H(D \mid A) = \sum_{i=1}^{n} \frac{|D_i|}{|D|} H(D_i)$$

其中，$H(D)$ 是数据集 D 的熵，$H(D_i)$ 是数据集 D_i 的熵，$H(D \mid A)$ 是数据集 D 对特征 A 的条件熵．D_i 是 D 中特征 A 取第 i 个值的样本子集，C_k 是 D 中属于第 k 类的样本子集．n 是特征 A 取值的个数，K 是类的个数.

（2）样本集合 D 对特征 A 的信息增益比（C4.5）

$$g_R(D, A) = \frac{g(D, A)}{H(D)}$$

其中，$g(D, A)$ 是信息增益，$H(D)$ 是数据集 D 的熵.

（3）样本集合 D 的基尼指数（CART）

$$\text{Gini}(D) = 1 - \sum_{k=1}^{K} \left(\frac{|C_k|}{|D|} \right)^2$$

特征 A 条件下集合 D 的基尼指数：

$$\text{Gini}(D, A) = \frac{|D_1|}{|D|} \text{Gini}(D_1) + \frac{|D_2|}{|D|} \text{Gini}(D_2)$$

4．决策树的生成．通常使用信息增益最大、信息增益比最大或基尼指数最小作为特征选择的准则．决策树的生成往往通过计算信息增益或其他指标，从根结点开始，递归地产生决策树．这相当于用信息增益或其他准则不断地选取局部最优的特征，或将训练集分割为能够基本正确分类的子集.

5．决策树的剪枝．由于生成的决策树存在过拟合问题，需要对它进行剪枝，以简化学到的决策树．决策树的剪枝，往往从已生成的树上剪掉一些叶结点或叶结点以上的子树，并将其父结点或根结点作为新的叶结点，从而简化生成的决策树.

继 续 阅 读

　　介绍决策树学习方法的文献很多，关于 ID3 可见文献[1]，C4.5 可见文献[2]，CART 可见文献[3, 4]. 决策树学习一般性介绍可见文献[5～7]. 与决策树类似的分类方法还有决策列表（decision list）. 决策列表与决策树可以相互转换[8]，决策列表的学习方法可参见文献[9].

习　　题

5.1　根据表 5.1 所给的训练数据集，利用信息增益比（C4.5 算法）生成决策树.

5.2　已知如表 5.2 所示的训练数据，试用平方误差损失准则生成一个二叉回归树.

表 5.2　训练数据表

x_i	1	2	3	4	5	6	7	8	9	10
y_i	4.50	4.75	4.91	5.34	5.80	7.05	7.90	8.23	8.70	9.00

5.3　证明 CART 剪枝算法中，当 α 确定时，存在唯一的最小子树 T_α 使损失函数 $C_\alpha(T)$ 最小.

5.4　证明 CART 剪枝算法中求出的子树序列 $\{T_0, T_1, \cdots, T_n\}$ 分别是区间 $\alpha \in [\alpha_i, \alpha_{i+1})$ 的最优子树 T_α，这里 $i = 0, 1, \cdots, n$，$0 = \alpha_0 < \alpha_1 < \cdots < \alpha_n < +\infty$.

参 考 文 献

[1]　Quinlan JR. Induction of decision trees. Machine Learning, 1986, 1(1): 81–106

[2]　Quinlan JR. C4. 5: Programs for Machine Learning. Morgan Kaufmann, 1992

[3]　Breiman L, Friedman J, Stone C. Classification and Regression Trees. Wadsworth, 1984

[4]　Ripley B. Pattern Recognition and Neural Networks. Cambridge University Press, 1996

[5]　Liu B. Web Data Mining: Exploring Hyperlinks, Contents and Usage Data. Springer-Verlag, 2006

[6]　Hyafil L, Rivest RL. Constructing Optimal Binary Decision Trees is NP-complete. Information Processing Letters, 1976, 5(1): 15–17

[7]　Hastie T, Tibshirani R, Friedman JH. The Elements of Statistical Learning: Data Mining, Inference, and Prediction. New York: Springer-Verlag, 2001

[8]　Yamanishi K. A learning criterion for stochastic rules. Machine Learning, 1992

[9]　Li H, Yamanishi K. Text classification using ESC-based stochastic decision lists. Information Processing & Management, 2002, 38(3): 343–361

[10]　Li H, Abe N. Generalizing case frames using a thesaurus and the MDL principle. Computational Linguistics, 1998, 24(2): 217–244

第6章　逻辑斯谛回归与最大熵模型

逻辑斯谛回归（logistic regression）是统计学习中的经典分类方法. 最大熵是概率模型学习的一个准则, 将其推广到分类问题得到最大熵模型（maximum entropy model）. 逻辑斯谛回归模型与最大熵模型都属于对数线性模型. 本章首先介绍逻辑斯谛回归模型, 然后介绍最大熵模型, 最后讲述逻辑斯谛回归与最大熵模型的学习算法, 包括改进的迭代尺度算法和拟牛顿法.

6.1　逻辑斯谛回归模型

6.1.1　逻辑斯谛分布

首先介绍逻辑斯谛分布（logistic distribution）.

定义 6.1（逻辑斯谛分布）　设 X 是连续随机变量, X 服从逻辑斯谛分布是指 X 具有下列分布函数和密度函数：

$$F(x) = P(X \leqslant x) = \frac{1}{1 + e^{-(x-\mu)/\gamma}} \tag{6.1}$$

$$f(x) = F'(x) = \frac{e^{-(x-\mu)/\gamma}}{\gamma(1 + e^{-(x-\mu)/\gamma})^2} \tag{6.2}$$

式中, μ 为位置参数, $\gamma > 0$ 为形状参数.

逻辑斯谛分布的密度函数 $f(x)$ 和分布函数 $F(x)$ 的图形如图 6.1 所示. 分布函数属于逻辑斯谛函数, 其图形是一条 S 形曲线（sigmoid curve）. 该曲线以点 $\left(\mu, \dfrac{1}{2}\right)$ 为中心对称, 即满足

$$F(-x + \mu) - \frac{1}{2} = -F(x + \mu) + \frac{1}{2}$$

曲线在中心附近增长速度较快, 在两端增长速度较慢. 形状参数 γ 的值越小, 曲线在中心附近增长得越快.

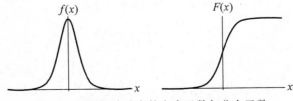

图 6.1　逻辑斯谛分布的密度函数与分布函数

6.1.2   二项逻辑斯谛回归模型

二项逻辑斯谛回归模型（binomial logistic regression model）是一种分类模型，由条件概率分布 $P(Y|X)$ 表示，形式为参数化的逻辑斯谛分布. 这里，随机变量 X 取值为实数，随机变量 Y 取值为 1 或 0. 我们通过监督学习的方法来估计模型参数.

定义 6.2（逻辑斯谛回归模型）   二项逻辑斯谛回归模型是如下的条件概率分布：

$$P(Y=1\,|\,x) = \frac{\exp(w\cdot x+b)}{1+\exp(w\cdot x+b)} \tag{6.3}$$

$$P(Y=0\,|\,x) = \frac{1}{1+\exp(w\cdot x+b)} \tag{6.4}$$

这里，$x\in \mathbf{R}^n$ 是输入，$Y\in\{0,1\}$ 是输出，$w\in \mathbf{R}^n$ 和 $b\in \mathbf{R}$ 是参数，w 称为权值向量，b 称为偏置，$w\cdot x$ 为 w 和 x 的内积.

对于给定的输入实例 x，按照式 (6.3) 和式 (6.4) 可以求得 $P(Y=1|x)$ 和 $P(Y=0|x)$. 逻辑斯谛回归比较两个条件概率值的大小，将实例 x 分到概率值较大的那一类.

有时为了方便，将权值向量和输入向量加以扩充，仍记作 w，x，即 $w=(w^{(1)}, w^{(2)},\cdots,w^{(n)},b)^{\mathrm{T}}$，$x=(x^{(1)},x^{(2)},\cdots,x^{(n)},1)^{\mathrm{T}}$. 这时，逻辑斯谛回归模型如下：

$$P(Y=1\,|\,x) = \frac{\exp(w\cdot x)}{1+\exp(w\cdot x)} \tag{6.5}$$

$$P(Y=0\,|\,x) = \frac{1}{1+\exp(w\cdot x)} \tag{6.6}$$

现在考查逻辑斯谛回归模型的特点. 一个事件的几率（odds）是指该事件发生的概率与该事件不发生的概率的比值. 如果事件发生的概率是 p，那么该事件的几率是 $\dfrac{p}{1-p}$，该事件的对数几率（log odds）或 logit 函数是

$$\mathrm{logit}(p) = \log \frac{p}{1-p}$$

对逻辑斯谛回归而言，由式 (6.5) 与式 (6.6) 得

$$\log \frac{P(Y=1\,|\,x)}{1-P(Y=1\,|\,x)} = w\cdot x$$

这就是说，在逻辑斯谛回归模型中，输出 $Y=1$ 的对数几率是输入 x 的线性函数. 或者说，输出 $Y=1$ 的对数几率是由输入 x 的线性函数表示的模型，即逻辑斯谛回归模型.

换一个角度看，考虑对输入 x 进行分类的线性函数 $w\cdot x$，其值域为实数域.

注意，这里 $x \in \mathbf{R}^{n+1}$，$w \in \mathbf{R}^{n+1}$．通过逻辑斯谛回归模型定义式 (6.5) 可以将线性函数 $w \cdot x$ 转换为概率：

$$P(Y = 1 \mid x) = \frac{\exp(w \cdot x)}{1 + \exp(w \cdot x)}$$

这时，线性函数的值越接近正无穷，概率值就越接近 1；线性函数的值越接近负无穷，概率值就越接近 0（如图 6.1 所示）．这样的模型就是逻辑斯谛回归模型．

6.1.3   模型参数估计

逻辑斯谛回归模型学习时，对于给定的训练数据集 $T = \{(x_1, y_1), (x_2, y_2), \cdots, (x_N, y_N)\}$，其中，$x_i \in \mathbf{R}^n$，$y_i \in \{0, 1\}$，可以应用极大似然估计法估计模型参数，从而得到逻辑斯谛回归模型．

设：
$$P(Y = 1 \mid x) = \pi(x)，\quad P(Y = 0 \mid x) = 1 - \pi(x)$$

似然函数为

$$\prod_{i=1}^{N} [\pi(x_i)]^{y_i} [1 - \pi(x_i)]^{1-y_i}$$

对数似然函数为

$$
\begin{aligned}
L(w) &= \sum_{i=1}^{N} [y_i \log \pi(x_i) + (1 - y_i) \log(1 - \pi(x_i))] \\
&= \sum_{i=1}^{N} \left[y_i \log \frac{\pi(x_i)}{1 - \pi(x_i)} + \log(1 - \pi(x_i)) \right] \\
&= \sum_{i=1}^{N} [y_i (w \cdot x_i) - \log(1 + \exp(w \cdot x_i))]
\end{aligned}
$$

对 $L(w)$ 求极大值，得到 w 的估计值．

这样，问题就变成了以对数似然函数为目标函数的最优化问题．逻辑斯谛回归学习中通常采用的方法是梯度下降法及拟牛顿法．

假设 w 的极大似然估计值是 $\hat{w}$，那么学到的逻辑斯谛回归模型为

$$P(Y = 1 \mid x) = \frac{\exp(\hat{w} \cdot x)}{1 + \exp(\hat{w} \cdot x)}$$

$$P(Y = 0 \mid x) = \frac{1}{1 + \exp(\hat{w} \cdot x)}$$

6.1.4   多项逻辑斯谛回归

上面介绍的逻辑斯谛回归模型是二项分类模型，用于二类分类．可以将其推广为多项逻辑斯谛回归模型（multi-nominal logistic regression model），用于多类

分类. 假设离散型随机变量 Y 的取值集合是 $\{1,2,\cdots,K\}$，那么多项逻辑斯谛回归模型是

$$P(Y=k\mid x) = \frac{\exp(w_k \cdot x)}{1+\sum\limits_{k=1}^{K-1}\exp(w_k \cdot x)}, \quad k=1,2,\cdots,K-1 \tag{6.7}$$

$$P(Y=K\mid x) = \frac{1}{1+\sum\limits_{k=1}^{K-1}\exp(w_k \cdot x)} \tag{6.8}$$

这里，$x \in \mathbf{R}^{n+1}, w_k \in \mathbf{R}^{n+1}$.

二项逻辑斯谛回归的参数估计法也可以推广到多项逻辑斯谛回归.

6.2　最大熵模型

最大熵模型（maximum entropy model）由最大熵原理推导实现. 这里首先叙述一般的最大熵原理，然后讲解最大熵模型的推导，最后给出最大熵模型学习的形式.

6.2.1　最大熵原理

最大熵原理是概率模型学习的一个准则. 最大熵原理认为，学习概率模型时，在所有可能的概率模型（分布）中，熵最大的模型是最好的模型. 通常用约束条件来确定概率模型的集合，所以，最大熵原理也可以表述为在满足约束条件的模型集合中选取熵最大的模型.

假设离散随机变量 X 的概率分布是 $P(X)$，则其熵（参照 5.2.2 节）是

$$H(P) = -\sum_x P(x)\log P(x) \tag{6.9}$$

熵满足下列不等式：

$$0 \leqslant H(P) \leqslant \log|X|$$

式中，$|X|$ 是 X 的取值个数，当且仅当 X 的分布是均匀分布时右边的等号成立. 这就是说，当 X 服从均匀分布时，熵最大.

直观地，最大熵原理认为要选择的概率模型首先必须满足已有的事实，即约束条件. 在没有更多信息的情况下，那些不确定的部分都是"等可能的". 最大熵原理通过熵的最大化来表示等可能性. "等可能"不容易操作，而熵则是一个可优化的数值指标.

首先，通过一个简单的例子来介绍一下最大熵原理[①].

---

① 此例来自参考文献[1].

例 6.1 假设随机变量 X 有 5 个取值 $\{A, B, C, D, E\}$，要估计取各个值的概率 $P(A), P(B), P(C), P(D), P(E)$.

解 这些概率值满足以下约束条件：

$$P(A) + P(B) + P(C) + P(D) + P(E) = 1$$

满足这个约束条件的概率分布有无穷多个. 如果没有任何其他信息，仍要对概率分布进行估计，一个办法就是认为这个分布中取各个值的概率是相等的：

$$P(A) = P(B) = P(C) = P(D) = P(E) = \frac{1}{5}$$

等概率表示了对事实的无知. 因为没有更多的信息，这种判断是合理的.

有时，能从一些先验知识中得到一些对概率值的约束条件，例如：

$$P(A) + P(B) = \frac{3}{10}$$
$$P(A) + P(B) + P(C) + P(D) + P(E) = 1$$

满足这两个约束条件的概率分布仍然有无穷多个. 在缺少其他信息的情况下，可以认为 A 与 B 是等概率的，C，D 与 E 是等概率的，于是，

$$P(A) = P(B) = \frac{3}{20}$$

$$P(C) = P(D) = P(E) = \frac{7}{30}$$

如果还有第 3 个约束条件：

$$P(A) + P(C) = \frac{1}{2}$$

$$P(A) + P(B) = \frac{3}{10}$$

$$P(A) + P(B) + P(C) + P(D) + P(E) = 1$$

可以继续按照满足约束条件下求等概率的方法估计概率分布. 这里不再继续讨论. 以上概率模型学习的方法正是遵循了最大熵原理. ∎

图 6.2 提供了用最大熵原理进行概率模型选择的几何解释. 概率模型集合 $\mathcal{P}$ 可由欧氏空间中的单纯形（simplex）[2]表示，如左图的三角形（2-单纯形）. 一个点代表一个模型，整个单纯形代表模型集合. 右图上的一条直线对应于一个约束条件，直线的交集对应于满足所有约束条件的模型集合. 一般地，这样的模型仍有无穷多个. 学习的目的是在可能的模型集合中选择最优模型，而最大熵原理则给出最优模型选择的一个准则.

---

[2] 单纯形是在 n 维欧氏空间中的 $n+1$ 个仿射无关的点的集合的凸包.

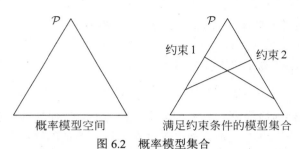

图 6.2　概率模型集合

6.2.2　最大熵模型的定义

最大熵原理是统计学习的一般原理，将它应用到分类得到最大熵模型.

假设分类模型是一个条件概率分布 $P(Y\,|\,X)$，$X \in \mathcal{X} \subseteq \mathbf{R}^n$ 表示输入，$Y \in \mathcal{Y}$ 表示输出，$\mathcal{X}$ 和 $\mathcal{Y}$ 分别是输入和输出的集合. 这个模型表示的是对于给定的输入 X，以条件概率 $P(Y\,|\,X)$ 输出 Y.

给定一个训练数据集

$$T = \{(x_1, y_1), (x_2, y_2), \cdots, (x_N, y_N)\}$$

学习的目标是用最大熵原理选择最好的分类模型.

首先考虑模型应该满足的条件. 给定训练数据集，可以确定联合分布 $P(X, Y)$ 的经验分布和边缘分布 $P(X)$ 的经验分布，分别以 $\tilde{P}(X, Y)$ 和 $\tilde{P}(X)$ 表示. 这里，

$$\tilde{P}(X = x, Y = y) = \frac{\nu(X = x, Y = y)}{N}$$

$$\tilde{P}(X = x) = \frac{\nu(X = x)}{N}$$

其中，$\nu(X = x, Y = y)$ 表示训练数据中样本 (x, y) 出现的频数，$\nu(X = x)$ 表示训练数据中输入 x 出现的频数，N 表示训练样本容量.

用特征函数（feature function）$f(x, y)$ 描述输入 x 和输出 y 之间的某一个事实. 其定义是

$$f(x, y) = \begin{cases} 1, & x\text{与}y\text{满足某一事实} \\ 0, & \text{否则} \end{cases}$$

它是一个二值函数[③]，当 x 和 y 满足这个事实时取值为 1，否则取值为 0.

特征函数 $f(x, y)$ 关于经验分布 $\tilde{P}(X, Y)$ 的期望值，用 $E_{\tilde{P}}(f)$ 表示.

$$E_{\tilde{P}}(f) = \sum_{x, y} \tilde{P}(x, y) f(x, y)$$

特征函数 $f(x, y)$ 关于模型 $P(Y\,|\,X)$ 与经验分布 $\tilde{P}(X)$ 的期望值，用 $E_P(f)$ 表示.

---

③ 一般地，特征函数可以是任意实值函数.

$$E_P(f) = \sum_{x,y} \tilde{P}(x)P(y\,|\,x)f(x,y)$$

如果模型能够获取训练数据中的信息，那么就可以假设这两个期望值相等，即

$$E_P(f) = E_{\tilde{P}}(f) \tag{6.10}$$

或

$$\sum_{x,y} \tilde{P}(x)P(y\,|\,x)f(x,y) = \sum_{x,y} \tilde{P}(x,y)f(x,y) \tag{6.11}$$

我们将式 (6.10) 或式 (6.11) 作为模型学习的约束条件. 假如有 n 个特征函数 $f_i(x,y)$，$i=1,2,\cdots,n$，那么就有 n 个约束条件.

定义 6.3（**最大熵模型**） 假设满足所有约束条件的模型集合为

$$\mathcal{C} \equiv \{P \in \mathcal{P}\,|\,E_P(f_i) = E_{\tilde{P}}(f_i),\quad i=1,2,\cdots,n\} \tag{6.12}$$

定义在条件概率分布 $P(Y\,|\,X)$ 上的条件熵为

$$H(P) = -\sum_{x,y} \tilde{P}(x)P(y\,|\,x)\log P(y\,|\,x) \tag{6.13}$$

则模型集合 $\mathcal{C}$ 中条件熵 $H(P)$ 最大的模型称为最大熵模型. 式中的对数为自然对数.

6.2.3 最大熵模型的学习

最大熵模型的学习过程就是求解最大熵模型的过程. 最大熵模型的学习可以形式化为约束最优化问题.

对于给定的训练数据集 $T = \{(x_1,y_1),(x_2,y_2),\cdots,(x_N,y_N)\}$ 以及特征函数 $f_i(x,y)$，$i=1,2,\cdots,n$，最大熵模型的学习等价于约束最优化问题：

$$\max_{P \in \mathbf{C}} \quad H(P) = -\sum_{x,y} \tilde{P}(x)P(y\,|\,x)\log P(y\,|\,x)$$

$$\text{s.t.} \quad E_P(f_i) = E_{\tilde{P}}(f_i),\quad i=1,2,\cdots,n$$

$$\sum_y P(y\,|\,x) = 1$$

按照最优化问题的习惯，将求最大值问题改写为等价的求最小值问题：

$$\min_{P \in \mathbf{C}} \quad -H(P) = \sum_{x,y} \tilde{P}(x)P(y\,|\,x)\log P(y\,|\,x) \tag{6.14}$$

$$\text{s.t.} \quad E_P(f_i) - E_{\tilde{P}}(f_i) = 0,\quad i=1,2,\cdots,n \tag{6.15}$$

$$\sum_y P(y\,|\,x) = 1 \tag{6.16}$$

求解约束最优化问题 (6.14) ～ (6.16)，所得出的解，就是最大熵模型学习的解.下面给出具体推导.

这里，将约束最优化的原始问题转换为无约束最优化的对偶问题[④].通过求解对偶问题求解原始问题.

首先，引进拉格朗日乘子 $w_0, w_1, w_2, \cdots, w_n$，定义拉格朗日函数 $L(P, w)$：

$$
\begin{aligned}
L(P, w) &\equiv -H(P) + w_0\left(1 - \sum_y P(y \mid x)\right) + \sum_{i=1}^n w_i(E_{\tilde{P}}(f_i) - E_P(f_i)) \\
&= \sum_{x,y} \tilde{P}(x)P(y \mid x)\log P(y \mid x) + w_0\left(1 - \sum_y P(y \mid x)\right) \\
&\quad + \sum_{i=1}^n w_i\left(\sum_{x,y} \tilde{P}(x,y)f_i(x,y) - \sum_{x,y} \tilde{P}(x)P(y \mid x)f_i(x,y)\right) \quad (6.17)
\end{aligned}
$$

最优化的原始问题是

$$
\min_{P \in \mathbf{C}} \max_w L(P, w) \quad (6.18)
$$

对偶问题是

$$
\max_w \min_{P \in \mathbf{C}} L(P, w) \quad (6.19)
$$

由于拉格朗日函数 $L(P, w)$ 是 P 的凸函数，原始问题 (6.18) 的解与对偶问题 (6.19) 的解是等价的.这样，可以通过求解对偶问题 (6.19) 来求解原始问题 (6.18).

首先，求解对偶问题 (6.19) 内部的极小化问题 $\min_{P \in \mathbf{C}} L(P, w)$. $\min_{P \in \mathbf{C}} L(P, w)$ 是 w 的函数，将其记作

$$
\Psi(w) = \min_{P \in \mathbf{C}} L(P, w) = L(P_w, w) \quad (6.20)
$$

$\Psi(w)$ 称为对偶函数.同时，将其解记作

$$
P_w = \arg\min_{P \in \mathbf{C}} L(P, w) = P_w(y \mid x) \quad (6.21)
$$

具体地，求 $L(P, w)$ 对 $P(y \mid x)$ 的偏导数

$$
\begin{aligned}
\frac{\partial L(P, w)}{\partial P(y \mid x)} &= \sum_{x,y} \tilde{P}(x)(\log P(y \mid x) + 1) - \sum_y w_0 - \sum_{x,y}\left(\tilde{P}(x)\sum_{i=1}^n w_i f_i(x, y)\right) \\
&= \sum_{x,y} \tilde{P}(x)\left(\log P(y \mid x) + 1 - w_0 - \sum_{i=1}^n w_i f_i(x, y)\right)
\end{aligned}
$$

令偏导数等于 0，在 $\tilde{P}(x) > 0$ 的情况下，解得

---

④ 参阅附录 C.

$$P(y \mid x) = \exp\left(\sum_{i=1}^{n} w_i f_i(x, y) + w_0 - 1\right) = \frac{\exp\left(\sum_{i=1}^{n} w_i f_i(x, y)\right)}{\exp(1 - w_0)}$$

由于 $\sum_{y} P(y \mid x) = 1$，得

$$P_w(y \mid x) = \frac{1}{Z_w(x)} \exp\left(\sum_{i=1}^{n} w_i f_i(x, y)\right) \tag{6.22}$$

其中，

$$Z_w(x) = \sum_{y} \exp\left(\sum_{i=1}^{n} w_i f_i(x, y)\right) \tag{6.23}$$

$Z_w(x)$ 称为规范化因子；$f_i(x, y)$ 是特征函数；w_i 是特征的权值. 由式 (6.22)、式 (6.23) 表示的模型 $P_w = P_w(y \mid x)$ 就是最大熵模型. 这里，w 是最大熵模型中的参数向量.

之后，求解对偶问题外部的极大化问题

$$\max_{w} \Psi(w) \tag{6.24}$$

将其解记为 w^*，即

$$w^* = \arg\max_{w} \Psi(w) \tag{6.25}$$

这就是说，可以应用最优化算法求对偶函数 $\Psi(w)$ 的极大化，得到 w^*，用来表示 $P^* \in \mathcal{C}$. 这里，$P^* = P_{w^*} = P_{w^*}(y \mid x)$ 是学习到的最优模型（最大熵模型）. 也就是说，最大熵模型的学习归结为对偶函数 $\Psi(w)$ 的极大化.

例 6.2 学习例 6.1 中的最大熵模型.

解 为了方便，分别以 y_1, y_2, y_3, y_4, y_5 表示 A，B，C，D 和 E，于是最大熵模型学习的最优化问题是

$$\min \quad -H(P) = \sum_{i=1}^{5} P(y_i) \log P(y_i)$$

$$\text{s.t.} \quad P(y_1) + P(y_2) = \tilde{P}(y_1) + \tilde{P}(y_2) = \frac{3}{10}$$

$$\sum_{i=1}^{5} P(y_i) = \sum_{i=1}^{5} \tilde{P}(y_i) = 1$$

引进拉格朗日乘子 w_0, w_1，定义拉格朗日函数

$$L(P, w) = \sum_{i=1}^{5} P(y_i) \log P(y_i) + w_1\left(P(y_1) + P(y_2) - \frac{3}{10}\right) + w_0\left(\sum_{i=1}^{5} P(y_i) - 1\right)$$

根据拉格朗日对偶性，可以通过求解对偶最优化问题得到原始最优化问题的解，所以求解

$$\max_{w} \min_{P} L(P, w)$$

首先求解 $L(P, w)$ 关于 P 的极小化问题. 为此，固定 w_0, w_1，求偏导数：

$$\frac{\partial L(P, w)}{\partial P(y_1)} = 1 + \log P(y_1) + w_1 + w_0$$

$$\frac{\partial L(P, w)}{\partial P(y_2)} = 1 + \log P(y_2) + w_1 + w_0$$

$$\frac{\partial L(P, w)}{\partial P(y_3)} = 1 + \log P(y_3) + w_0$$

$$\frac{\partial L(P, w)}{\partial P(y_4)} = 1 + \log P(y_4) + w_0$$

$$\frac{\partial L(P, w)}{\partial P(y_5)} = 1 + \log P(y_5) + w_0$$

令各偏导数等于 0，解得

$$P(y_1) = P(y_2) = e^{-w_1 - w_0 - 1}$$

$$P(y_3) = P(y_4) = P(y_5) = e^{-w_0 - 1}$$

于是，

$$\min_{P} L(P, w) = L(P_w, w) = -2e^{-w_1 - w_0 - 1} - 3e^{-w_0 - 1} - \frac{3}{10} w_1 - w_0$$

再求解 $L(P_w, w)$ 关于 w 的极大化问题：

$$\max_{w} \ L(P_w, w) = -2e^{-w_1 - w_0 - 1} - 3e^{-w_0 - 1} - \frac{3}{10} w_1 - w_0$$

分别求 $L(P_w, w)$ 对 w_0, w_1 的偏导数并令其为 0，得到

$$e^{-w_1 - w_0 - 1} = \frac{3}{20}$$

$$e^{-w_0 - 1} = \frac{7}{30}$$

于是得到所要求的概率分布为

$$P(y_1) = P(y_2) = \frac{3}{20}$$

$$P(y_3) = P(y_4) = P(y_5) = \frac{7}{30}$$

6.2.4 极大似然估计

从以上最大熵模型学习中可以看出,最大熵模型是由式 (6.22)、式 (6.23) 表示的条件概率分布. 下面证明对偶函数的极大化等价于最大熵模型的极大似然估计.

已知训练数据的经验概率分布 $\tilde{P}(X,Y)$,条件概率分布 $P(Y \mid X)$ 的对数似然函数表示为

$$L_{\tilde{P}}(P_w) = \log \prod_{x,y} P(y \mid x)^{\tilde{P}(x,y)} = \sum_{x,y} \tilde{P}(x,y) \log P(y \mid x)$$

当条件概率分布 $P(y \mid x)$ 是最大熵模型 (6.22) 和 (6.23) 时,对数似然函数 $L_{\tilde{P}}(P_w)$ 为

$$
\begin{aligned}
L_{\tilde{P}}(P_w) &= \sum_{x,y} \tilde{P}(x,y) \log P(y \mid x) \\
&= \sum_{x,y} \tilde{P}(x,y) \sum_{i=1}^{n} w_i f_i(x,y) - \sum_{x,y} \tilde{P}(x,y) \log Z_w(x) \\
&= \sum_{x,y} \tilde{P}(x,y) \sum_{i=1}^{n} w_i f_i(x,y) - \sum_{x} \tilde{P}(x) \log Z_w(x)
\end{aligned}
\tag{6.26}
$$

再看对偶函数 $\Psi(w)$. 由式 (6.17) 及式 (6.20) 可得

$$
\begin{aligned}
\Psi(w) &= \sum_{x,y} \tilde{P}(x) P_w(y \mid x) \log P_w(y \mid x) \\
&\quad + \sum_{i=1}^{n} w_i \left(\sum_{x,y} \tilde{P}(x,y) f_i(x,y) - \sum_{x,y} \tilde{P}(x) P_w(y \mid x) f_i(x,y) \right) \\
&= \sum_{x,y} \tilde{P}(x,y) \sum_{i=1}^{n} w_i f_i(x,y) + \sum_{x,y} \tilde{P}(x) P_w(y \mid x) \left(\log P_w(y \mid x) - \sum_{i=1}^{n} w_i f_i(x,y) \right) \\
&= \sum_{x,y} \tilde{P}(x,y) \sum_{i=1}^{n} w_i f_i(x,y) - \sum_{x,y} \tilde{P}(x) P_w(y \mid x) \log Z_w(x) \\
&= \sum_{x,y} \tilde{P}(x,y) \sum_{i=1}^{n} w_i f_i(x,y) - \sum_{x} \tilde{P}(x) \log Z_w(x)
\end{aligned}
\tag{6.27}
$$

最后一步用到 $\sum_{y} P(y \mid x) = 1$.

比较式 (6.26) 和式 (6.27),可得

$$\Psi(w) = L_{\tilde{P}}(P_w)$$

既然对偶函数 $\Psi(w)$ 等价于对数似然函数 $L_{\tilde{P}}(P_w)$,于是证明了最大熵模型学习中的对偶函数极大化等价于最大熵模型的极大似然估计这一事实.

这样,最大熵模型的学习问题就转换为具体求解对数似然函数极大化或对偶函数极大化的问题.

可以将最大熵模型写成更一般的形式.

$$P_w(y \mid x) = \frac{1}{Z_w(x)} \exp\left(\sum_{i=1}^{n} w_i f_i(x, y) \right) \qquad (6.28)$$

其中,

$$Z_w(x) = \sum_y \exp\left(\sum_{i=1}^{n} w_i f_i(x, y) \right) \qquad (6.29)$$

这里, $x \in \mathbf{R}^n$ 为输入, $y \in \{1, 2, \cdots, K\}$ 为输出, $w \in \mathbf{R}^n$ 为权值向量, $f_i(x, y)$, $i = 1, 2, \cdots, n$ 为任意实值特征函数.

最大熵模型与逻辑斯谛回归模型有类似的形式, 它们又称为对数线性模型 (log linear model). 模型学习就是在给定的训练数据条件下对模型进行极大似然估计或正则化的极大似然估计.

6.3 模型学习的最优化算法

逻辑斯谛回归模型、最大熵模型学习归结为以似然函数为目标函数的最优化问题, 通常通过迭代算法求解. 从最优化的观点看, 这时的目标函数具有很好的性质. 它是光滑的凸函数, 因此多种最优化的方法都适用, 保证能找到全局最优解. 常用的方法有改进的迭代尺度法、梯度下降法、牛顿法或拟牛顿法. 牛顿法或拟牛顿法一般收敛速度更快.

下面介绍基于改进的迭代尺度法与拟牛顿法的最大熵模型学习算法. 梯度下降法参阅附录 A.

6.3.1 改进的迭代尺度法

改进的迭代尺度法 (improved iterative scaling, IIS) 是一种最大熵模型学习的最优化算法.

已知最大熵模型为

$$P_w(y \mid x) = \frac{1}{Z_w(x)} \exp\left(\sum_{i=1}^{n} w_i f_i(x, y) \right)$$

其中,

$$Z_w(x) = \sum_y \exp\left(\sum_{i=1}^{n} w_i f_i(x, y) \right)$$

对数似然函数为

$$L(w) = \sum_{x,y} \tilde{P}(x,y) \sum_{i=1}^{n} w_i f_i(x,y) - \sum_x \tilde{P}(x) \log Z_w(x)$$

目标是通过极大似然估计学习模型参数,即求对数似然函数的极大值 $\hat{w}$.

IIS 的想法是:假设最大熵模型当前的参数向量是 $w = (w_1, w_2, \cdots, w_n)^{\mathrm{T}}$,我们希望找到一个新的参数向量 $w + \delta = (w_1 + \delta_1, w_2 + \delta_2, \cdots, w_n + \delta_n)^{\mathrm{T}}$,使得模型的对数似然函数值增大. 如果能有这样一种参数向量更新的方法 $\tau : w \to w + \delta$,那么就可以重复使用这一方法,直至找到对数似然函数的最大值.

对于给定的经验分布 $\tilde{P}(x,y)$,模型参数从 w 到 $w + \delta$,对数似然函数的改变量是

$$L(w+\delta) - L(w) = \sum_{x,y} \tilde{P}(x,y) \log P_{w+\delta}(y \mid x) - \sum_{x,y} \tilde{P}(x,y) \log P_w(y \mid x)$$

$$= \sum_{x,y} \tilde{P}(x,y) \sum_{i=1}^{n} \delta_i f_i(x,y) - \sum_x \tilde{P}(x) \log \frac{Z_{w+\delta}(x)}{Z_w(x)}$$

利用不等式

$$-\log \alpha \geqslant 1 - \alpha, \quad \alpha > 0$$

建立对数似然函数改变量的下界:

$$L(w+\delta) - L(w) \geqslant \sum_{x,y} \tilde{P}(x,y) \sum_{i=1}^{n} \delta_i f_i(x,y) + 1 - \sum_x \tilde{P}(x) \frac{Z_{w+\delta}(x)}{Z_w(x)}$$

$$= \sum_{x,y} \tilde{P}(x,y) \sum_{i=1}^{n} \delta_i f_i(x,y) + 1 - \sum_x \tilde{P}(x) \sum_y P_w(y \mid x) \exp \sum_{i=1}^{n} \delta_i f_i(x,y)$$

将右端记为

$$A(\delta \mid w) = \sum_{x,y} \tilde{P}(x,y) \sum_{i=1}^{n} \delta_i f_i(x,y) + 1 - \sum_x \tilde{P}(x) \sum_y P_w(y \mid x) \exp \sum_{i=1}^{n} \delta_i f_i(x,y)$$

于是有

$$L(w+\delta) - L(w) \geqslant A(\delta \mid w)$$

即 $A(\delta \mid w)$ 是对数似然函数改变量的一个下界.

如果能找到适当的 δ 使下界 $A(\delta \mid w)$ 提高,那么对数似然函数也会提高. 然而,函数 $A(\delta \mid w)$ 中的 δ 是一个向量,含有多个变量,不易同时优化. IIS 试图一次只优化其中一个变量 δ_i,而固定其他变量 δ_j,$i \neq j$.

为达到这一目的,IIS 进一步降低下界 $A(\delta \mid w)$. 具体地,IIS 引进一个量 $f^{\#}(x,y)$,

$$f^{\#}(x,y) = \sum_i f_i(x,y)$$

因为 f_i 是二值函数,故 $f^{\#}(x,y)$ 表示所有特征在 (x,y) 出现的次数. 这样,$A(\delta \mid w)$

可以改写为

$$A(\delta \mid w) = \sum_{x,y} \tilde{P}(x,y) \sum_{i=1}^{n} \delta_i f_i(x,y) + 1 - \sum_{x} \tilde{P}(x) \sum_{y} P_w(y \mid x) \exp\left(f^{\#}(x,y) \sum_{i=1}^{n} \frac{\delta_i f_i(x,y)}{f^{\#}(x,y)} \right)$$

(6.30)

利用指数函数的凸性以及对任意 i，有 $\dfrac{f_i(x,y)}{f^{\#}(x,y)} \geqslant 0$ 且 $\displaystyle\sum_{i=1}^{n} \dfrac{f_i(x,y)}{f^{\#}(x,y)} = 1$ 这一事实，根据 Jensen 不等式，得到

$$\exp\left(\sum_{i=1}^{n} \frac{f_i(x,y)}{f^{\#}(x,y)} \delta_i f^{\#}(x,y) \right) \leqslant \sum_{i=1}^{n} \frac{f_i(x,y)}{f^{\#}(x,y)} \exp(\delta_i f^{\#}(x,y))$$

于是式 (6.30) 可改写为

$$A(\delta \mid w) \geqslant \sum_{x,y} \tilde{P}(x,y) \sum_{i=1}^{n} \delta_i f_i(x,y) + 1 - \sum_{x} \tilde{P}(x) \sum_{y} P_w(y \mid x) \sum_{i=1}^{n} \left(\frac{f_i(x,y)}{f^{\#}(x,y)} \right) \exp(\delta_i f^{\#}(x,y))$$

(6.31)

记不等式 (6.31) 右端为

$$B(\delta \mid w) = \sum_{x,y} \tilde{P}(x,y) \sum_{i=1}^{n} \delta_i f_i(x,y) + 1 - \sum_{x} \tilde{P}(x) \sum_{y} P_w(y \mid x) \sum_{i=1}^{n} \left(\frac{f_i(x,y)}{f^{\#}(x,y)} \right) \exp(\delta_i f^{\#}(x,y))$$

于是得到

$$L(w + \delta) - L(w) \geqslant B(\delta \mid w)$$

这里，$B(\delta \mid w)$ 是对数似然函数改变量的一个新的 (相对不紧的) 下界.

求 $B(\delta \mid w)$ 对 δ_i 的偏导数：

$$\frac{\partial B(\delta \mid w)}{\partial \delta_i} = \sum_{x,y} \tilde{P}(x,y) f_i(x,y) - \sum_{x} \tilde{P}(x) \sum_{y} P_w(y \mid x) f_i(x,y) \exp(\delta_i f^{\#}(x,y))$$

(6.32)

在式 (6.32) 里，除 δ_i 外不含任何其他变量. 令偏导数为 0 得到

$$\sum_{x,y} \tilde{P}(x) P_w(y \mid x) f_i(x,y) \exp(\delta_i f^{\#}(x,y)) = E_{\tilde{P}}(f_i)$$

(6.33)

于是，依次对 δ_i 求解方程 (6.33) 可以求出 δ.

这就给出了一种求 w 的最优解的迭代算法，即改进的迭代尺度算法 IIS.

算法 6.1（改进的迭代尺度算法 IIS）

输入：特征函数 $f_1, f_2, \cdots, f_n$；经验分布 $\tilde{P}(X,Y)$，模型 $P_w(y \mid x)$

输出：最优参数值 w_i^*；最优模型 P_{w^*}.

（1）对所有 $i \in \{1,2,\cdots,n\}$，取初值 $w_i = 0$

（2）对每一 $i \in \{1,2,\cdots,n\}$：

（a）令 δ_i 是方程

$$\sum_{x,y} \tilde{P}(x)P(y \mid x)f_i(x,y)\exp(\delta_i f^{\#}(x,y)) = E_{\tilde{P}}(f_i)$$

的解，这里，

$$f^{\#}(x,y) = \sum_{i=1}^{n} f_i(x,y)$$

（b）更新 w_i 值：$w_i \leftarrow w_i + \delta_i$

（3）如果不是所有 w_i 都收敛，重复步 (2). ∎

这一算法关键的一步是 (a)，即求解方程 (6.33) 中的 δ_i. 如果 $f^{\#}(x,y)$ 是常数，即对任何 x,y，有 $f^{\#}(x,y) = M$，那么 δ_i 可以显式地表示成

$$\delta_i = \frac{1}{M}\log\frac{E_{\tilde{P}}(f_i)}{E_P(f_i)} \tag{6.34}$$

如果 $f^{\#}(x,y)$ 不是常数，那么必须通过数值计算求 δ_i. 简单有效的方法是牛顿法. 以 $g(\delta_i) = 0$ 表示方程 (6.33)，牛顿法通过迭代求得 δ_i^*，使得 $g(\delta_i^*) = 0$. 迭代公式是

$$\delta_i^{(k+1)} = \delta_i^{(k)} - \frac{g(\delta_i^{(k)})}{g'(\delta_i^{(k)})} \tag{6.35}$$

只要适当选取初始值 $\delta_i^{(0)}$，由于 δ_i 的方程 (6.33) 有单根，因此牛顿法恒收敛，而且收敛速度很快.

6.3.2　拟牛顿法

最大熵模型学习还可以应用牛顿法或拟牛顿法. 参阅附录 B.

对于最大熵模型而言，

$$P_w(y \mid x) = \frac{\exp\left(\displaystyle\sum_{i=1}^{n} w_i f_i(x,y)\right)}{\displaystyle\sum_y \exp\left(\displaystyle\sum_{i=1}^{n} w_i f_i(x,y)\right)}$$

目标函数：

$$\min_{w \in \mathbf{R}^n}\quad f(w) = \sum_x \tilde{P}(x)\log\sum_y \exp\left(\sum_{i=1}^{n} w_i f_i(x,y)\right) - \sum_{x,y} \tilde{P}(x,y)\sum_{i=1}^{n} w_i f_i(x,y)$$

梯度：

$$g(w) = \left(\frac{\partial f(w)}{\partial w_1}, \frac{\partial f(w)}{\partial w_2}, \cdots, \frac{\partial f(w)}{\partial w_n} \right)^{\mathrm{T}}$$

其中

$$\frac{\partial f(w)}{\partial w_i} = \sum_{x,y} \tilde{P}(x) P_w(y|x) f_i(x,y) - E_{\tilde{P}}(f_i), \quad i = 1, 2, \cdots, n$$

相应的拟牛顿法 BFGS 算法如下．

算法 6.2（最大熵模型学习的 BFGS 算法）

输入：特征函数 $f_1, f_2, \cdots, f_n$；经验分布 $\tilde{P}(x, y)$，目标函数 $f(w)$，梯度 $g(w) = \nabla f(w)$，精度要求 ε；

输出：最优参数值 w^*；最优模型 $P_{w^*}(y|x)$．

（1）选定初始点 $w^{(0)}$，取 B_0 为正定对称矩阵，置 $k = 0$

（2）计算 $g_k = g(w^{(k)})$．若 $\| g_k \| < \varepsilon$，则停止计算，得 $w^* = w^{(k)}$；否则转 (3)

（3）由 $B_k p_k = -g_k$ 求出 p_k

（4）一维搜索：求 λ_k 使得

$$f(w^{(k)} + \lambda_k p_k) = \min_{\lambda \geq 0} f(w^{(k)} + \lambda p_k)$$

（5）置 $w^{(k+1)} = w^{(k)} + \lambda_k p_k$

（6）计算 $g_{k+1} = g(w^{(k+1)})$，若 $\| g_{k+1} \| < \varepsilon$，则停止计算，得 $w^* = w^{(k+1)}$；否则，按下式求出 B_{k+1}：

$$B_{k+1} = B_k + \frac{y_k y_k^{\mathrm{T}}}{y_k^{\mathrm{T}} \delta_k} - \frac{B_k \delta_k \delta_k^{\mathrm{T}} B_k}{\delta_k^{\mathrm{T}} B_k \delta_k}$$

其中，

$$y_k = g_{k+1} - g_k, \qquad \delta_k = w^{(k+1)} - w^{(k)}$$

（7）置 $k = k + 1$，转 (3)． ∎

本 章 概 要

1．逻辑斯谛回归模型是由以下条件概率分布表示的分类模型．逻辑斯谛回归模型可以用于二类或多类分类．

$$P(Y = k | x) = \frac{\exp(w_k \cdot x)}{1 + \sum_{k=1}^{K-1} \exp(w_k \cdot x)}, \quad k = 1, 2, \cdots, K-1$$

$$P(Y = K \mid x) = \frac{1}{1 + \sum_{k=1}^{K-1} \exp(w_k \cdot x)}$$

这里，x 为输入特征，w 为特征的权值.

逻辑斯谛回归模型源自逻辑斯谛分布，其分布函数 $F(x)$ 是 S 形函数. 逻辑斯谛回归模型是由输入的线性函数表示的输出的对数几率模型.

2. 最大熵模型是由以下条件概率分布表示的分类模型. 最大熵模型也可以用于二类或多类分类.

$$P_w(y \mid x) = \frac{1}{Z_w(x)} \exp\left(\sum_{i=1}^{n} w_i f_i(x, y)\right)$$

$$Z_w(x) = \sum_y \exp\left(\sum_{i=1}^{n} w_i f_i(x, y)\right)$$

其中，$Z_w(x)$ 是规范化因子，f_i 为特征函数，w_i 为特征的权值.

3. 最大熵模型可以由最大熵原理推导得出. 最大熵原理是概率模型学习或估计的一个准则. 最大熵原理认为在所有可能的概率模型（分布）的集合中，熵最大的模型是最好的模型.

最大熵原理应用到分类模型的学习中，有以下约束最优化问题：

$$\min \ -H(P) = \sum_{x,y} \tilde{P}(x) P(y \mid x) \log P(y \mid x)$$

$$\text{s.t.} \quad P(f_i) - \tilde{P}(f_i) = 0, \quad i = 1, 2, \cdots, n$$

$$\sum_y P(y \mid x) = 1$$

求解此最优化问题的对偶问题得到最大熵模型.

4. 逻辑斯谛回归模型与最大熵模型都属于对数线性模型.

5. 逻辑斯谛回归模型及最大熵模型学习一般采用极大似然估计，或正则化的极大似然估计. 逻辑斯谛回归模型及最大熵模型学习可以形式化为无约束最优化问题. 求解该最优化问题的算法有改进的迭代尺度法、梯度下降法、拟牛顿法.

继 续 阅 读

逻辑斯谛回归的介绍参见文献[1]，最大熵模型的介绍参见文献[2, 3]. 逻辑斯谛回归模型与朴素贝叶斯模型的关系参见文献[4]，逻辑斯谛回归模型与 AdaBoost 的关系参见文献[5]，逻辑斯谛回归模型与核函数的关系参见文献[6].

习　　题

6.1　确认逻辑斯谛分布属于指数分布族.

6.2　写出逻辑斯谛回归模型学习的梯度下降算法.

6.3　写出最大熵模型学习的 DFP 算法.（关于一般的 DFP 算法参见附录 B）

参 考 文 献

[1]　Berger A, Della Pietra SD, Pietra VD. A maximum entropy approach to natural language processing. Computational Linguistics, 1996, 22(1), 39–71

[2]　Berger A. The Improved Iterative Scaling Algorithm: A Gentle Introduction. http://www.cs.cmu.edu/afs/cs/user/aberger/www/ps/scaling.ps

[3]　Hastie T, Tibshirani R，Friedman J. The Elements of Statistical Learning: Data Mining, Inference, and Prediction. Springer-Verlag. 2001（中译本：统计学习基础——数据挖掘、推理与预测. 范明，柴玉梅，昝红英等译. 北京：电子工业出版社，2004）

[4]　Mitchell TM. Machine Learning. McGraw-Hill Companies, Inc. 1997 (中译本：机器学习.北京：机械工业出版社, 2003)

[5]　Collins M, Schapire RE, Singer Y. Logistic Regression, AdaBoost and Bregman Distances. Machine Learning Journal, 2004

[6]　Canu S, Smola AJ. Kernel method and exponential family. Neurocomputing, 2005, 69: 714–720

第7章 支持向量机

支持向量机（support vector machines，SVM）是一种二类分类模型．它的基本模型是定义在特征空间上的间隔最大的线性分类器，间隔最大使它有别于感知机；支持向量机还包括核技巧，这使它成为实质上的非线性分类器．支持向量机的学习策略就是间隔最大化，可形式化为一个求解凸二次规划（convex quadratic programming）的问题，也等价于正则化的合页损失函数的最小化问题．支持向量机的学习算法是求解凸二次规划的最优化算法．

支持向量机学习方法包含构建由简至繁的模型：线性可分支持向量机（linear support vector machine in linearly separable case）、线性支持向量机（linear support vector machine）及非线性支持向量机（non-linear support vector machine）．简单模型是复杂模型的基础，也是复杂模型的特殊情况．当训练数据线性可分时，通过硬间隔最大化（hard margin maximization），学习一个线性的分类器，即线性可分支持向量机，又称为硬间隔支持向量机；当训练数据近似线性可分时，通过软间隔最大化（soft margin maximization），也学习一个线性的分类器，即线性支持向量机，又称为软间隔支持向量机；当训练数据线性不可分时，通过使用核技巧（kernel trick）及软间隔最大化，学习非线性支持向量机．

当输入空间为欧氏空间或离散集合、特征空间为希尔伯特空间时，核函数（kernel function）表示将输入从输入空间映射到特征空间得到的特征向量之间的内积．通过使用核函数可以学习非线性支持向量机，等价于隐式地在高维的特征空间中学习线性支持向量机．这样的方法称为核技巧．核方法（kernel method）是比支持向量机更为一般的机器学习方法．

Cortes 与 Vapnik 提出线性支持向量机，Boser、Guyon 与 Vapnik 又引入核技巧，提出非线性支持向量机．

本章按照上述思路介绍 3 类支持向量机、核函数及一种快速学习算法——序列最小最优化算法（SMO）．

7.1 线性可分支持向量机与硬间隔最大化

7.1.1 线性可分支持向量机

考虑一个二类分类问题．假设输入空间与特征空间为两个不同的空间．输入空间为欧氏空间或离散集合，特征空间为欧氏空间或希尔伯特空间．线性可分支持向量机、线性支持向量机假设这两个空间的元素一一对应，并将输入空间中的输入映射为特征空间中的特征向量. 非线性支持向量机利用一个从输入空间到特征空间的非线性映射将输入映射为特征向量. 所以，输入都由输入空间转换到特征空间，支持向量机的学习是在特征空间进行的.

假设给定一个特征空间上的训练数据集

$$T = \{(x_1, y_1), (x_2, y_2), \cdots, (x_N, y_N)\}$$

其中，$x_i \in \mathcal{X} = \mathbf{R}^n$，$y_i \in \mathcal{Y} = \{+1, -1\}$，$i = 1, 2, \cdots, N$，$x_i$ 为第 i 个特征向量，也称为实例，y_i 为 x_i 的类标记，当 $y_i = +1$ 时，称 x_i 为正例；当 $y_i = -1$ 时，称 x_i 为负例，(x_i, y_i) 称为样本点. 再假设训练数据集是线性可分的（见定义 2.2）.

学习的目标是在特征空间中找到一个分离超平面，能将实例分到不同的类. 分离超平面对应于方程 $w \cdot x + b = 0$，它由法向量 w 和截距 b 决定，可用 (w, b) 来表示. 分离超平面将特征空间划分为两部分，一部分是正类，一部分是负类. 法向量指向的一侧为正类，另一侧为负类.

一般地，当训练数据集线性可分时，存在无穷个分离超平面可将两类数据正确分开. 感知机利用误分类最小的策略，求得分离超平面，不过这时的解有无穷多个. 线性可分支持向量机利用间隔最大化求最优分离超平面，这时，解是唯一的.

定义 7.1（线性可分支持向量机） 给定线性可分训练数据集，通过间隔最大化或等价地求解相应的凸二次规划问题学习得到的分离超平面为

$$w^* \cdot x + b^* = 0 \tag{7.1}$$

以及相应的分类决策函数

$$f(x) = \text{sign}(w^* \cdot x + b^*) \tag{7.2}$$

称为线性可分支持向量机.

考虑如图 7.1 所示的二维特征空间中的分类问题. 图中"。"表示正例，"×"表示负例. 训练数据集线性可分，这时有许多直线能将两类数据正确划分. 线性可分支持向量机对应着将两类数据正确划分并且间隔最大的直线，如图 7.1 所示.

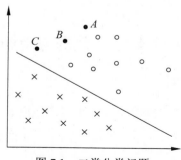

图 7.1 二类分类问题

间隔最大及相应的约束最优化问题将在下面叙述. 这里先介绍函数间隔和几何间隔的概念.

7.1.2 函数间隔和几何间隔

在图 7.1 中，有 A，B，C 三个点，表示 3 个实例，均在分离超平面的正类一侧，预测它们的类. 点 A 距分离超平面较远，若预测该点为正类，就比较确信预测是正确的；点 C 距分离超平面较近，若预测该点为正类就不那么确信；点 B 介于点 A 与 C 之间，预测其为正类的确信度也在 A 与 C 之间.

一般来说，一个点距离分离超平面的远近可以表示分类预测的确信程度. 在超平面 $w \cdot x + b = 0$ 确定的情况下，$|w \cdot x + b|$ 能够相对地表示点 x 距离超平面的远近. 而 $w \cdot x + b$ 的符号与类标记 y 的符号是否一致能够表示分类是否正确. 所以可用量 $y(w \cdot x + b)$ 来表示分类的正确性及确信度，这就是函数间隔（functional margin）的概念.

定义 7.2（函数间隔） 对于给定的训练数据集 T 和超平面 (w, b)，定义超平面 (w, b) 关于样本点 (x_i, y_i) 的函数间隔为

$$\hat{\gamma}_i = y_i(w \cdot x_i + b) \tag{7.3}$$

定义超平面 (w, b) 关于训练数据集 T 的函数间隔为超平面 (w, b) 关于 T 中所有样本点 (x_i, y_i) 的函数间隔之最小值，即

$$\hat{\gamma} = \min_{i=1,\cdots,N} \hat{\gamma}_i \tag{7.4}$$

函数间隔可以表示分类预测的正确性及确信度. 但是选择分离超平面时，只有函数间隔还不够. 因为只要成比例地改变 w 和 b，例如将它们改为 $2w$ 和 $2b$，超平面并没有改变，但函数间隔却成为原来的 2 倍. 这一事实启示我们，可以对分离超平面的法向量 w 加某些约束，如规范化，$\|w\|=1$，使得间隔是确定的. 这时函数间隔成为几何间隔（geometric margin）.

图 7.2 给出了超平面 (w, b) 及其法向量 w. 点 A 表示某一实例 x_i，其类标记为 $y_i = +1$. 点 A 与超平面 (w, b) 的距离由线段 AB 给出，记作 γ_i.

$$\gamma_i = \frac{w}{\|w\|} \cdot x_i + \frac{b}{\|w\|}$$

其中，$\|w\|$ 为 w 的 L_2 范数. 这是点 A 在超平面正的一侧的情形. 如果点 A 在超平面负的一侧，即 $y_i = -1$，那么点与超平面的距离为

$$\gamma_i = -\left(\frac{w}{\|w\|} \cdot x_i + \frac{b}{\|w\|} \right)$$

一般地,当样本点 (x_i, y_i) 被超平面 (w, b) 正确分类时,点 x_i 与超平面 (w, b) 的距离是

$$\gamma_i = y_i \left(\frac{w}{\|w\|} \cdot x_i + \frac{b}{\|w\|} \right)$$

由这一事实导出几何间隔的概念.

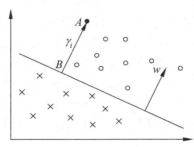

图 7.2   几何间隔

定义 7.3(几何间隔)   对于给定的训练数据集 T 和超平面 (w, b),定义超平面 (w, b) 关于样本点 (x_i, y_i) 的几何间隔为

$$\gamma_i = y_i \left(\frac{w}{\|w\|} \cdot x_i + \frac{b}{\|w\|} \right) \tag{7.5}$$

定义超平面 (w, b) 关于训练数据集 T 的几何间隔为超平面 (w, b) 关于 T 中所有样本点 (x_i, y_i) 的几何间隔之最小值,即

$$\gamma = \min_{i=1,\cdots,N} \gamma_i \tag{7.6}$$

超平面 (w, b) 关于样本点 (x_i, y_i) 的几何间隔一般是实例点到超平面的带符号的距离(signed distance),当样本点被超平面正确分类时就是实例点到超平面的距离.

从函数间隔和几何间隔的定义(式(7.3) ~ 式(7.6))可知,函数间隔和几何间隔有下面的关系:

$$\gamma_i = \frac{\hat{\gamma}_i}{\|w\|} \tag{7.7}$$

$$\gamma = \frac{\hat{\gamma}}{\|w\|} \tag{7.8}$$

如果 $\|w\|=1$,那么函数间隔和几何间隔相等. 如果超平面参数 w 和 b 成比例地改变(超平面没有改变),函数间隔也按此比例改变,而几何间隔不变.

7.1.3 间隔最大化

支持向量机学习的基本想法是求解能够正确划分训练数据集并且几何间隔最大的分离超平面. 对线性可分的训练数据集而言, 线性可分分离超平面有无穷多个 (等价于感知机), 但是几何间隔最大的分离超平面是唯一的. 这里的间隔最大化又称为硬间隔最大化 (与将要讨论的训练数据集近似线性可分时的软间隔最大化相对应).

间隔最大化的直观解释是: 对训练数据集找到几何间隔最大的超平面意味着以充分大的确信度对训练数据进行分类. 也就是说, 不仅将正负实例点分开, 而且对最难分的实例点 (离超平面最近的点) 也有足够大的确信度将它们分开. 这样的超平面应该对未知的新实例有很好的分类预测能力.

1. 最大间隔分离超平面

下面考虑如何求得一个几何间隔最大的分离超平面, 即最大间隔分离超平面. 具体地, 这个问题可以表示为下面的约束最优化问题:

$$\max_{w,b} \quad \gamma \tag{7.9}$$

$$\text{s.t.} \quad y_i\left(\frac{w}{\|w\|} \cdot x_i + \frac{b}{\|w\|}\right) \geqslant \gamma, \quad i=1,2,\cdots,N \tag{7.10}$$

即我们希望最大化超平面 (w,b) 关于训练数据集的几何间隔 γ, 约束条件表示的是超平面 (w,b) 关于每个训练样本点的几何间隔至少是 γ.

考虑几何间隔和函数间隔的关系式 (7.8), 可将这个问题改写为

$$\max_{w,b} \quad \frac{\hat{\gamma}}{\|w\|} \tag{7.11}$$

$$\text{s.t.} \quad y_i(w \cdot x_i + b) \geqslant \hat{\gamma}, \quad i=1,2,\cdots,N \tag{7.12}$$

函数间隔 $\hat{\gamma}$ 的取值并不影响最优化问题的解. 事实上, 假设将 w 和 b 按比例改变为 λw 和 λb, 这时函数间隔成为 $\lambda\hat{\gamma}$. 函数间隔的这一改变对上面最优化问题的不等式约束没有影响, 对目标函数的优化也没有影响, 也就是说, 它产生一个等价的最优化问题. 这样, 就可以取 $\hat{\gamma}=1$. 将 $\hat{\gamma}=1$ 代入上面的最优化问题, 注意到最大化 $\frac{1}{\|w\|}$ 和最小化 $\frac{1}{2}\|w\|^2$ 是等价的, 于是就得到下面的线性可分支持向量机学习的最优化问题

$$\min_{w,b} \quad \frac{1}{2}\|w\|^2 \tag{7.13}$$

$$\text{s.t.} \quad y_i(w \cdot x_i + b) - 1 \geqslant 0, \quad i=1,2,\cdots,N \tag{7.14}$$

这是一个凸二次规划（convex quadratic programming）问题.

凸优化问题是指约束最优化问题

$$\min_{w} \quad f(w) \tag{7.15}$$

$$\text{s.t.} \quad g_i(w) \leqslant 0, \quad i=1,2,\cdots,k \tag{7.16}$$

$$h_i(w) = 0, \quad i=1,2,\cdots,l \tag{7.17}$$

其中，目标函数 $f(w)$ 和约束函数 $g_i(w)$ 都是 $\mathbf{R}^n$ 上的连续可微的凸函数，约束函数 $h_i(w)$ 是 $\mathbf{R}^n$ 上的仿射函数[①].

当目标函数 $f(w)$ 是二次函数且约束函数 $g_i(w)$ 是仿射函数时，上述凸最优化问题成为凸二次规划问题.

如果求出了约束最优化问题 (7.13) ~ (7.14) 的解 w^*,b^*，那么就可以得到最大间隔分离超平面 $w^* \cdot x + b^* = 0$ 及分类决策函数 $f(x) = \text{sign}(w^* \cdot x + b^*)$，即线性可分支持向量机模型.

综上所述，就有下面的线性可分支持向量机的学习算法——最大间隔法（maximum margin method）.

算法 7.1（线性可分支持向量机学习算法——最大间隔法）

输入：线性可分训练数据集 $T = \{(x_1,y_1),(x_2,y_2),\cdots,(x_N,y_N)\}$，其中，$x_i \in \mathcal{X} = \mathbf{R}^n$，$y_i \in \mathcal{Y} = \{-1,+1\}$，$i=1,2,\cdots,N$；

输出：最大间隔分离超平面和分类决策函数.

（1）构造并求解约束最优化问题：

$$\min_{w,b} \quad \frac{1}{2} \| w \|^2$$

$$\text{s.t.} \quad y_i(w \cdot x_i + b) - 1 \geqslant 0, \quad i=1,2,\cdots,N$$

求得最优解 w^*,b^*.

（2）由此得到分离超平面：

$$w^* \cdot x + b^* = 0$$

分类决策函数

$$f(x) = \text{sign}(w^* \cdot x + b^*)$$

2. 最大间隔分离超平面的存在唯一性

线性可分训练数据集的最大间隔分离超平面是存在且唯一的.

定理 7.1（**最大间隔分离超平面的存在唯一性**）　若训练数据集 T 线性可分，则可将训练数据集中的样本点完全正确分开的最大间隔分离超平面存在且唯一.

[①] $f(x)$ 称为仿射函数，如果它满足 $f(x) = a \cdot x + b$，$a \in \mathbf{R}^n$，$b \in \mathbf{R}$，$x \in \mathbf{R}^n$.

证明 （1）存在性

由于训练数据集线性可分，所以算法 7.1 中的最优化问题 (7.13) ～ (7.14) 一定存在可行解．又由于目标函数有下界，所以最优化问题 (7.13) ～ (7.14) 必有解，记作 (w^*, b^*)．由于训练数据集中既有正类点又有负类点，所以 $(w, b) = (0, b)$ 不是最优化的可行解，因而最优解 (w^*, b^*) 必满足 $w^* \neq 0$．由此得知分离超平面的存在性．

（2）唯一性

首先证明最优化问题 (7.13) ～ (7.14) 解中 w^* 的唯一性．假设问题 (7.13) ～ (7.14) 存在两个最优解 (w_1^*, b_1^*) 和 (w_2^*, b_2^*)．显然 $\|w_1^*\| = \|w_2^*\| = c$，其中 c 是一个常数．令

$$w = \frac{w_1^* + w_2^*}{2}, \quad b = \frac{b_1^* + b_2^*}{2},$$ 易知 (w, b) 是问题 (7.13) ～ (7.14) 的可行解，从而有

$$c \leqslant \|w\| \leqslant \frac{1}{2}\|w_1^*\| + \frac{1}{2}\|w_2^*\| = c$$

上式表明，式中的不等号可变为等号，即 $\|w\| = \frac{1}{2}\|w_1^*\| + \frac{1}{2}\|w_2^*\|$，从而有 $w_1^* = \lambda w_2^*$，$|\lambda| = 1$．若 $\lambda = -1$，则 $w = 0$，(w, b) 不是问题 (7.13) ～ (7.14) 的可行解，矛盾．因此必有 $\lambda = 1$，即

$$w_1^* = w_2^*$$

由此可以把两个最优解 (w_1^*, b_1^*) 和 (w_2^*, b_2^*) 分别写成 (w^*, b_1^*) 和 (w^*, b_2^*)．再证 $b_1^* = b_2^*$．设 x_1' 和 x_2' 是集合 $\{x_i \,|\, y_i = +1\}$ 中分别对应于 (w^*, b_1^*) 和 (w^*, b_2^*) 使得问题的不等式等号成立的点，x_1'' 和 x_2'' 是集合 $\{x_i \,|\, y_i = -1\}$ 中分别对应于 (w^*, b_1^*) 和 (w^*, b_2^*) 使得问题的不等式等号成立的点，则由 $b_1^* = -\frac{1}{2}(w^* \cdot x_1' + w^* \cdot x_1'')$，$b_2^* = -\frac{1}{2}(w^* \cdot x_2' + w^* \cdot x_2'')$，得

$$b_1^* - b_2^* = -\frac{1}{2}[(w^* \cdot (x_1' - x_2')) + w^* \cdot (x_1'' - x_2'')]$$

又因为

$$w^* \cdot x_2' + b_1^* \geqslant 1 = w^* \cdot x_1' + b_1^*$$
$$w^* \cdot x_1' + b_2^* \geqslant 1 = w^* \cdot x_2' + b_2^*$$

所以，$w^* \cdot (x_1' - x_2') = 0$．同理有 $w^* \cdot (x_1'' - x_2'') = 0$．因此，

$$b_1^* - b_2^* = 0$$

由 $w_1^* = w_2^*$ 和 $b_1^* = b_2^*$ 可知，两个最优解 (w_1^*, b_1^*) 和 (w_2^*, b_2^*) 是相同的，解的唯一性得证．

由问题 (7.13) ～ (7.14) 解的唯一性即得分离超平面是唯一的.

（3）分离超平面能将训练数据集中的两类点完全正确地分开.

由解满足问题的约束条件即可得知.   ■

3. 支持向量和间隔边界

在线性可分情况下，训练数据集的样本点中与分离超平面距离最近的样本点的实例称为支持向量（support vector）. 支持向量是使约束条件式 (7.14) 等号成立的点，即

$$y_i(w \cdot x_i + b) - 1 = 0$$

对 $y_i = +1$ 的正例点，支持向量在超平面

$$H_1 : w \cdot x + b = 1$$

上，对 $y_i = -1$ 的负例点，支持向量在超平面

$$H_2 : w \cdot x + b = -1$$

上. 如图 7.3 所示，在 H_1 和 H_2 上的点就是支持向量.

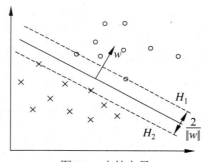

图 7.3　支持向量

注意到 H_1 和 H_2 平行，并且没有实例点落在它们中间. 在 H_1 与 H_2 之间形成一条长带，分离超平面与它们平行且位于它们中央. 长带的宽度，即 H_1 与 H_2 之间的距离称为间隔（margin）. 间隔依赖于分离超平面的法向量 w，等于 $\dfrac{2}{\|w\|}$.

H_1 和 H_2 称为间隔边界.

在决定分离超平面时只有支持向量起作用，而其他实例点并不起作用. 如果移动支持向量将改变所求的解；但是如果在间隔边界以外移动其他实例点，甚至去掉这些点，则解是不会改变的. 由于支持向量在确定分离超平面中起着决定性作用，所以将这种分类模型称为支持向量机. 支持向量的个数一般很少，所以支持向量机由很少的"重要的"训练样本确定.

例 7.1 数据与例 2.1 相同. 已知一个如图 7.4 所示的训练数据集，其正例点是 $x_1 = (3,3)^T$，$x_2 = (4,3)^T$，负例点是 $x_3 = (1,1)^T$，试求最大间隔分离超平面.

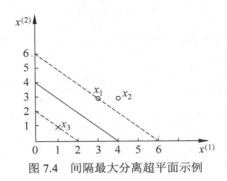

图 7.4 间隔最大分离超平面示例

解 按照算法 7.1，根据训练数据集构造约束最优化问题：

$$\min_{w,b} \quad \frac{1}{2}({w_1}^2 + {w_2}^2)$$

$$\text{s.t.} \quad 3w_1 + 3w_2 + b \geqslant 1$$

$$4w_1 + 3w_2 + b \geqslant 1$$

$$-w_1 - w_2 - b \geqslant 1$$

求得此最优化问题的解 $w_1 = w_2 = \dfrac{1}{2}$，$b = -2$. 于是最大间隔分离超平面为

$$\frac{1}{2}x^{(1)} + \frac{1}{2}x^{(2)} - 2 = 0$$

其中，$x_1 = (3,3)^T$ 与 $x_3 = (1,1)^T$ 为支持向量. ∎

7.1.4 学习的对偶算法

为了求解线性可分支持向量机的最优化问题 (7.13) ～ (7.14)，将它作为原始最优化问题，应用拉格朗日对偶性（参阅附录 C），通过求解对偶问题（dual problem）得到原始问题（primal problem）的最优解，这就是线性可分支持向量机的对偶算法（dual algorithm）. 这样做的优点，一是对偶问题往往更容易求解；二是自然引入核函数，进而推广到非线性分类问题.

首先构建拉格朗日函数（Lagrange function）. 为此，对每一个不等式约束 (7.14) 引进拉格朗日乘子（Lagrange multiplier）$\alpha_i \geqslant 0$，$i = 1, 2, \cdots, N$，定义拉格朗日函数：

$$L(w, b, \alpha) = \frac{1}{2} \| w \|^2 - \sum_{i=1}^{N} \alpha_i y_i (w \cdot x_i + b) + \sum_{i=1}^{N} \alpha_i \tag{7.18}$$

其中，$\alpha = (\alpha_1, \alpha_2, \cdots, \alpha_N)^{\mathrm{T}}$ 为拉格朗日乘子向量.

根据拉格朗日对偶性，原始问题的对偶问题是极大极小问题：

$$\max_{\alpha} \min_{w,b} L(w,b,\alpha)$$

所以，为了得到对偶问题的解，需要先求 $L(w,b,\alpha)$ 对 w,b 的极小，再求对 α 的极大.

（1）求 $\min_{w,b} L(w,b,\alpha)$

将拉格朗日函数 $L(w,b,\alpha)$ 分别对 w,b 求偏导数并令其等于 0.

$$\nabla_w L(w,b,\alpha) = w - \sum_{i=1}^{N} \alpha_i y_i x_i = 0$$

$$\nabla_b L(w,b,\alpha) = \sum_{i=1}^{N} \alpha_i y_i = 0$$

得

$$w = \sum_{i=1}^{N} \alpha_i y_i x_i \tag{7.19}$$

$$\sum_{i=1}^{N} \alpha_i y_i = 0 \tag{7.20}$$

将式 (7.19) 代入拉格朗日函数 (7.18)，并利用式 (7.20)，即得

$$L(w,b,\alpha) = \frac{1}{2} \sum_{i=1}^{N} \sum_{j=1}^{N} \alpha_i \alpha_j y_i y_j (x_i \cdot x_j) - \sum_{i=1}^{N} \alpha_i y_i \left(\left(\sum_{j=1}^{N} \alpha_j y_j x_j \right) \cdot x_i + b \right) + \sum_{i=1}^{N} \alpha_i$$

$$= -\frac{1}{2} \sum_{i=1}^{N} \sum_{j=1}^{N} \alpha_i \alpha_j y_i y_j (x_i \cdot x_j) + \sum_{i=1}^{N} \alpha_i$$

即

$$\min_{w,b} L(w,b,\alpha) = -\frac{1}{2} \sum_{i=1}^{N} \sum_{j=1}^{N} \alpha_i \alpha_j y_i y_j (x_i \cdot x_j) + \sum_{i=1}^{N} \alpha_i$$

（2）求 $\min_{w,b} L(w,b,\alpha)$ 对 α 的极大，即是对偶问题

$$\max_{\alpha} \; -\frac{1}{2} \sum_{i=1}^{N} \sum_{j=1}^{N} \alpha_i \alpha_j y_i y_j (x_i \cdot x_j) + \sum_{i=1}^{N} \alpha_i \tag{7.21}$$

$$\text{s.t.} \quad \sum_{i=1}^{N} \alpha_i y_i = 0$$

$$\alpha_i \geqslant 0 , \quad i = 1,2,\cdots,N$$

将式 (7.21) 的目标函数由求极大转换成求极小，就得到下面与之等价的对偶最优化问题：

$$\min_{\alpha} \quad \frac{1}{2}\sum_{i=1}^{N}\sum_{j=1}^{N}\alpha_i\alpha_j y_i y_j (x_i \cdot x_j) - \sum_{i=1}^{N}\alpha_i \tag{7.22}$$

$$\text{s.t.} \quad \sum_{i=1}^{N}\alpha_i y_i = 0 \tag{7.23}$$

$$\alpha_i \geqslant 0 , \quad i=1,2,\cdots,N \tag{7.24}$$

考虑原始最优化问题 (7.13) ~ (7.14) 和对偶最优化问题 (7.22) ~ (7.24)，原始问题满足定理 C.2 的条件，所以存在 w^*, α^*, β^*，使 w^* 是原始问题的解，α^*, β^* 是对偶问题的解. 这意味着求解原始问题 (7.13) ~ (7.14) 可以转换为求解对偶问题(7.22) ~ (7.24).

对线性可分训练数据集，假设对偶最优化问题 (7.22) ~ (7.24) 对 α 的解为 $\alpha^* = (\alpha_1^*, \alpha_2^*, \cdots, \alpha_N^*)^{\mathrm{T}}$，可以由 α^* 求得原始最优化问题 (7.13) ~ (7.14) 对 (w,b) 的解 w^*, b^*. 有下面的定理.

定理 7.2 设 $\alpha^* = (\alpha_1^*, \alpha_2^*, \cdots, \alpha_l^*)^{\mathrm{T}}$ 是对偶最优化问题 (7.22) ~ (7.24) 的解，则存在下标 j，使得 $\alpha_j^* > 0$，并可按下式求得原始最优化问题 (7.13) ~ (7.14) 的解 w^*, b^*：

$$w^* = \sum_{i=1}^{N}\alpha_i^* y_i x_i \tag{7.25}$$

$$b^* = y_j - \sum_{i=1}^{N}\alpha_i^* y_i (x_i \cdot x_j) \tag{7.26}$$

证明 根据定理 C.3，KKT 条件成立，即得

$$\nabla_w L(w^*,b^*,\alpha^*) = w^* - \sum_{i=1}^{N}\alpha_i^* y_i x_i = 0 \tag{7.27}$$

$$\nabla_b L(w^*,b^*,\alpha^*) = -\sum_{i=1}^{N}\alpha_i^* y_i = 0$$

$$\alpha_i^*(y_i(w^* \cdot x_i + b^*) - 1) = 0 , \quad i=1,2,\cdots,N$$

$$y_i(w^* \cdot x_i + b^*) - 1 \geqslant 0 , \quad i=1,2,\cdots,N$$

$$\alpha_i^* \geqslant 0 , \quad i=1,2,\cdots,N$$

由此得

$$w^* = \sum_{i}\alpha_i^* y_i x_i$$

其中至少有一个 $\alpha_j^* > 0$（用反证法，假设 $\alpha^* = 0$，由式 (7.27) 可知 $w^* = 0$，而 $w^* = 0$ 不是原始最优化问题 (7.13) ~ (7.14) 的解，产生矛盾），对此 j 有

$$y_j(w^* \cdot x_j + b^*) - 1 = 0 \tag{7.28}$$

将式 (7.25) 代入式 (7.28) 并注意到 $y_j{}^2 = 1$，即得

$$b^* = y_j - \sum_{i=1}^{N} \alpha_i^* y_i (x_i \cdot x_j)$$ ■

由此定理可知，分离超平面可以写成

$$\sum_{i=1}^{N} \alpha_i^* y_i (x \cdot x_i) + b^* = 0 \tag{7.29}$$

分类决策函数可以写成

$$f(x) = \text{sign}\left(\sum_{i=1}^{N} \alpha_i^* y_i (x \cdot x_i) + b^* \right) \tag{7.30}$$

这就是说，分类决策函数只依赖于输入 x 和训练样本输入的内积．式 (7.30) 称为线性可分支持向量机的对偶形式．

综上所述，对于给定的线性可分训练数据集，可以首先求对偶问题 (7.22) ~ (7.24) 的解 α^*；再利用式 (7.25) 和式 (7.26) 求得原始问题的解 w^*, b^*；从而得到分离超平面及分类决策函数．这种算法称为线性可分支持向量机的对偶学习算法，是线性可分支持向量机学习的基本算法．

算法 7.2（线性可分支持向量机学习算法）

输入：线性可分训练集 $T = \{(x_1, y_1), (x_2, y_2), \cdots, (x_N, y_N)\}$，其中 $x_i \in \mathcal{X} = \mathbf{R}^n$，$y_i \in \mathcal{Y} = \{-1, +1\}$，$i = 1, 2, \cdots, N$；

输出：分离超平面和分类决策函数．

（1）构造并求解约束最优化问题

$$\min_{\alpha} \quad \frac{1}{2} \sum_{i=1}^{N} \sum_{j=1}^{N} \alpha_i \alpha_j y_i y_j (x_i \cdot x_j) - \sum_{i=1}^{N} \alpha_i$$

$$\text{s.t.} \quad \sum_{i=1}^{N} \alpha_i y_i = 0$$

$$\alpha_i \geqslant 0, \quad i = 1, 2, \cdots, N$$

求得最优解 $\alpha^* = (\alpha_1^*, \alpha_2^*, \cdots, \alpha_N^*)^{\mathrm{T}}$．

（2）计算

$$w^* = \sum_{i=1}^{N} \alpha_i^* y_i x_i$$

并选择 α^* 的一个正分量 $\alpha_j^* > 0$，计算

$$b^* = y_j - \sum_{i=1}^{N} \alpha_i^* y_i (x_i \cdot x_j)$$

（3）求得分离超平面

$$w^* \cdot x + b^* = 0$$

分类决策函数：

$$f(x) = \text{sign}(w^* \cdot x + b^*) \qquad \blacksquare$$

在线性可分支持向量机中，由式 (7.25)、式 (7.26) 可知，w^* 和 b^* 只依赖于训练数据中对应于 $\alpha_i^* > 0$ 的样本点 (x_i, y_i)，而其他样本点对 w^* 和 b^* 没有影响. 我们将训练数据中对应于 $\alpha_i^* > 0$ 的实例点 $x_i \in \mathbf{R}^n$ 称为支持向量.

定义 7.4（支持向量） 考虑原始最优化问题 (7.13) $\sim$ (7.14) 及对偶最优化问题 (7.22) $\sim$ (7.24)，将训练数据集中对应于 $\alpha_i^* > 0$ 的样本点 (x_i, y_i) 的实例 $x_i \in \mathbf{R}^n$ 称为支持向量.

根据这一定义，支持向量一定在间隔边界上. 由 KKT 互补条件可知，

$$\alpha_i^* (y_i(w^* \cdot x_i + b^*) - 1) = 0, \quad i = 1, 2, \cdots, N$$

对应于 $\alpha_i^* > 0$ 的实例 x_i，有

$$y_i(w^* \cdot x_i + b^*) - 1 = 0$$

或

$$w^* \cdot x_i + b^* = \pm 1$$

即 x_i 一定在间隔边界上. 这里的支持向量的定义与前面给出的支持向量的定义是一致的.

例 7.2 训练数据与例 7.1 相同. 如图 7.4 所示，正例点是 $x_1 = (3,3)^\mathrm{T}$，$x_2 = (4,3)^\mathrm{T}$，负例点是 $x_3 = (1,1)^\mathrm{T}$，试用算法 7.2 求线性可分支持向量机.

解 根据所给数据，对偶问题是

$$\begin{aligned}
\min_{\alpha} \quad & \frac{1}{2} \sum_{i=1}^{N} \sum_{j=1}^{N} \alpha_i \alpha_j y_i y_j (x_i \cdot x_j) - \sum_{i=1}^{N} \alpha_i \\
= & \frac{1}{2}(18\alpha_1^2 + 25\alpha_2^2 + 2\alpha_3^2 + 42\alpha_1\alpha_2 - 12\alpha_1\alpha_3 - 14\alpha_2\alpha_3) - \alpha_1 - \alpha_2 - \alpha_3
\end{aligned}$$

$$\begin{aligned}
\text{s.t.} \quad & \alpha_1 + \alpha_2 - \alpha_3 = 0 \\
& \alpha_i \geqslant 0, \quad i = 1, 2, 3
\end{aligned}$$

解这一最优化问题. 将 $\alpha_3 = \alpha_1 + \alpha_2$ 代入目标函数并记为

$$s(\alpha_1, \alpha_2) = 4\alpha_1^2 + \frac{13}{2}\alpha_2^2 + 10\alpha_1\alpha_2 - 2\alpha_1 - 2\alpha_2$$

对 α_1, α_2 求偏导数并令其为 0，易知 $s(\alpha_1, \alpha_2)$ 在点 $\left(\frac{3}{2}, -1\right)^\mathrm{T}$ 取极值，但该点不满足约束条件 $\alpha_2 \geqslant 0$，所以最小值应在边界上达到.

当 $\alpha_1 = 0$ 时，最小值 $s\left(0,\dfrac{2}{13}\right) = -\dfrac{2}{13}$；当 $\alpha_2 = 0$ 时，最小值 $s\left(\dfrac{1}{4},0\right) = -\dfrac{1}{4}$．于是 $s(\alpha_1,\alpha_2)$ 在 $\alpha_1 = \dfrac{1}{4}, \alpha_2 = 0$ 达到最小，此时 $\alpha_3 = \alpha_1 + \alpha_2 = \dfrac{1}{4}$．

这样，$\alpha_1^* = \alpha_3^* = \dfrac{1}{4}$ 对应的实例点 x_1, x_3 是支持向量．根据式 (7.25) 和式 (7.26) 计算得

$$w_1^* = w_2^* = \frac{1}{2}$$
$$b^* = -2$$

分离超平面为

$$\frac{1}{2}x^{(1)} + \frac{1}{2}x^{(2)} - 2 = 0$$

分类决策函数为

$$f(x) = \text{sign}\left(\frac{1}{2}x^{(1)} + \frac{1}{2}x^{(2)} - 2\right)$$　　■

对于线性可分问题，上述线性可分支持向量机的学习（硬间隔最大化）算法是完美的．但是，训练数据集线性可分是理想的情形．在现实问题中，训练数据集往往是线性不可分的，即在样本中出现噪声或特异点．此时，有更一般的学习算法．

7.2　线性支持向量机与软间隔最大化

7.2.1　线性支持向量机

线性可分问题的支持向量机学习方法，对线性不可分训练数据是不适用的，因为这时上述方法中的不等式约束并不能都成立．怎么才能将它扩展到线性不可分问题呢？这就需要修改硬间隔最大化，使其成为软间隔最大化．

假设给定一个特征空间上的训练数据集

$$T = \{(x_1,y_1),(x_2,y_2),\cdots,(x_N,y_N)\}$$

其中，$x_i \in \mathcal{X} = \mathbf{R}^n$，$y_i \in \mathcal{Y} = \{+1,-1\}$，$i = 1,2,\cdots,N$，$x_i$ 为第 i 个特征向量，y_i 为 x_i 的类标记．再假设训练数据集不是线性可分的．通常情况是，训练数据中有一些特异点（outlier），将这些特异点除去后，剩下大部分的样本点组成的集合是线性可分的．

线性不可分意味着某些样本点 (x_i,y_i) 不能满足函数间隔大于等于 1 的约束条件 (7.14)．为了解决这个问题，可以对每个样本点 (x_i,y_i) 引进一个松弛变量 $\xi_i \geq 0$，

使函数间隔加上松弛变量大于等于 1. 这样，约束条件变为

$$y_i(w \cdot x_i + b) \geqslant 1 - \xi_i$$

同时，对每个松弛变量 ξ_i，支付一个代价 ξ_i. 目标函数由原来的 $\frac{1}{2}\|w\|^2$ 变成

$$\frac{1}{2}\|w\|^2 + C\sum_{i=1}^{N}\xi_i \tag{7.31}$$

这里，$C > 0$ 称为惩罚参数，一般由应用问题决定，C 值大时对误分类的惩罚增大，C 值小时对误分类的惩罚减小. 最小化目标函数 (7.31) 包含两层含义: 使 $\frac{1}{2}\|w\|^2$ 尽量小即间隔尽量大，同时使误分类点的个数尽量小，C 是调和二者的系数.

有了上面的思路，可以和训练数据集线性可分时一样来考虑训练数据集线性不可分时的线性支持向量机学习问题. 相应于硬间隔最大化，它称为软间隔最大化.

线性不可分的线性支持向量机的学习问题变成如下凸二次规划（convex quadratic programming）问题（原始问题）:

$$\min_{w,b,\xi} \quad \frac{1}{2}\|w\|^2 + C\sum_{i=1}^{N}\xi_i \tag{7.32}$$

$$\text{s.t.} \quad y_i(w \cdot x_i + b) \geqslant 1 - \xi_i, \quad i = 1, 2, \cdots, N \tag{7.33}$$

$$\xi_i \geqslant 0, \quad i = 1, 2, \cdots, N \tag{7.34}$$

原始问题 (7.32) ~ (7.34) 是一个凸二次规划问题，因而关于 (w, b, ξ) 的解是存在的. 可以证明 w 的解是唯一的，但 b 的解不唯一，b 的解存在于一个区间[11].

设问题 (7.32) ~ (7.34) 的解是 w^*，b^*，于是可以得到分离超平面 $w^* \cdot x + b^* = 0$ 及分类决策函数 $f(x) = \text{sign}(w^* \cdot x + b^*)$. 称这样的模型为训练样本线性不可分时的线性支持向量机，简称为线性支持向量机. 显然，线性支持向量机包含线性可分支持向量机. 由于现实中训练数据集往往是线性不可分的，线性支持向量机具有更广的适用性.

下面给出线性支持向量机的定义.

定义 7.5（线性支持向量机） 对于给定的线性不可分的训练数据集，通过求解凸二次规划问题，即软间隔最大化问题 (7.32) ~ (7.34)，得到的分离超平面为

$$w^* \cdot x + b^* = 0 \tag{7.35}$$

以及相应的分类决策函数

$$f(x) = \text{sign}(w^* \cdot x + b^*) \tag{7.36}$$

称为线性支持向量机.

7.2.2　学习的对偶算法

原始问题 (7.32) ～ (7.34) 的对偶问题是

$$\min_{\alpha} \quad \frac{1}{2}\sum_{i=1}^{N}\sum_{j=1}^{N}\alpha_i\alpha_j y_i y_j(x_i \cdot x_j) - \sum_{i=1}^{N}\alpha_i \tag{7.37}$$

$$\text{s.t.} \quad \sum_{i=1}^{N}\alpha_i y_i = 0 \tag{7.38}$$

$$0 \leqslant \alpha_i \leqslant C\ ,\quad i=1,2,\cdots,N \tag{7.39}$$

原始最优化问题 (7.32) ～ (7.34) 的拉格朗日函数是

$$L(w,b,\xi,\alpha,\mu) \equiv \frac{1}{2}\|w\|^2 + C\sum_{i=1}^{N}\xi_i - \sum_{i=1}^{N}\alpha_i(y_i(w\cdot x_i + b)-1+\xi_i) - \sum_{i=1}^{N}\mu_i\xi_i \tag{7.40}$$

其中，$\alpha_i \geqslant 0, \mu_i \geqslant 0$.

对偶问题是拉格朗日函数的极大极小问题. 首先求 $L(w,b,\xi,\alpha,\mu)$ 对 w,b,ξ 的极小，由

$$\nabla_w L(w,b,\xi,\alpha,\mu) = w - \sum_{i=1}^{N}\alpha_i y_i x_i = 0$$

$$\nabla_b L(w,b,\xi,\alpha,\mu) = -\sum_{i=1}^{N}\alpha_i y_i = 0$$

$$\nabla_{\xi_i} L(w,b,\xi,\alpha,\mu) = C - \alpha_i - \mu_i = 0$$

得

$$w = \sum_{i=1}^{N}\alpha_i y_i x_i \tag{7.41}$$

$$\sum_{i=1}^{N}\alpha_i y_i = 0 \tag{7.42}$$

$$C - \alpha_i - \mu_i = 0 \tag{7.43}$$

将式 (7.41) ～ (7.43) 代入式 (7.40)，得

$$\min_{w,b,\xi} L(w,b,\xi,\alpha,\mu) = -\frac{1}{2}\sum_{i=1}^{N}\sum_{j=1}^{N}\alpha_i\alpha_j y_i y_j(x_i \cdot x_j) + \sum_{i=1}^{N}\alpha_i$$

再对 $\min\limits_{w,b,\xi} L(w,b,\xi,\alpha,\mu)$ 求 α 的极大，即得对偶问题：

$$\max_{\alpha} \quad -\frac{1}{2}\sum_{i=1}^{N}\sum_{j=1}^{N}\alpha_i\alpha_j y_i y_j(x_i \cdot x_j) + \sum_{i=1}^{N}\alpha_i \tag{7.44}$$

$$\text{s.t.} \quad \sum_{i=1}^{N} \alpha_i y_i = 0 \tag{7.45}$$

$$C - \alpha_i - \mu_i = 0 \tag{7.46}$$

$$\alpha_i \geqslant 0 \tag{7.47}$$

$$\mu_i \geqslant 0, \quad i = 1, 2, \cdots, N \tag{7.48}$$

将对偶最优化问题 (7.44) ～ (7.48) 进行变换：利用等式约束 (7.46) 消去 μ_i，从而只留下变量 α_i，并将约束 (7.46) ～ (7.48) 写成

$$0 \leqslant \alpha_i \leqslant C \tag{7.49}$$

再将对目标函数求极大转换为求极小，于是得到对偶问题 (7.37) ～ (7.39).

可以通过求解对偶问题而得到原始问题的解，进而确定分离超平面和决策函数. 为此，就可以定理的形式叙述原始问题的最优解和对偶问题的最优解的关系.

定理 7.3 设 $\alpha^* = (\alpha_1^*, \alpha_2^*, \cdots, \alpha_N^*)^\mathrm{T}$ 是对偶问题 (7.37) ～ (7.39) 的一个解，若存在 α^* 的一个分量 α_j^*，$0 < \alpha_j^* < C$，则原始问题 (7.32) ～ (7.34) 的解 w^*, b^* 可按下式求得：

$$w^* = \sum_{i=1}^{N} \alpha_i^* y_i x_i \tag{7.50}$$

$$b^* = y_j - \sum_{i=1}^{N} y_i \alpha_i^* (x_i \cdot x_j) \tag{7.51}$$

证明 原始问题是凸二次规划问题，解满足 KKT 条件. 即得

$$\nabla_w L(w^*, b^*, \xi^*, \alpha^*, \mu^*) = w^* - \sum_{i=1}^{N} \alpha_i^* y_i x_i = 0 \tag{7.52}$$

$$\nabla_b L(w^*, b^*, \xi^*, \alpha^*, \mu^*) = -\sum_{i=1}^{N} \alpha_i^* y_i = 0$$

$$\nabla_\xi L(w^*, b^*, \xi^*, \alpha^*, \mu^*) = C - \alpha^* - \mu^* = 0$$

$$\alpha_i^* (y_i(w^* \cdot x_i + b^*) - 1 + \xi_i^*) = 0 \tag{7.53}$$

$$\mu_i^* \xi_i^* = 0 \tag{7.54}$$

$$y_i(w^* \cdot x_i + b^*) - 1 + \xi_i^* \geqslant 0$$

$$\xi_i^* \geqslant 0$$

$$\alpha_i^* \geqslant 0$$

$$\mu_i^* \geqslant 0, \quad i = 1, 2, \cdots, N$$

由式 (7.52) 易知式 (7.50) 成立. 再由式 (7.53) ～ (7.54) 可知，若存在 α_j^*，$0 < \alpha_j^* < C$，则 $y_i(w^* \cdot x_i + b^*) - 1 = 0$. 由此即得式 (7.51).　■

由此定理可知，分离超平面可以写成

$$\sum_{i=1}^{N} \alpha_i^* y_i (x \cdot x_i) + b^* = 0 \tag{7.55}$$

分类决策函数可以写成

$$f(x) = \text{sign}\left(\sum_{i=1}^{N} \alpha_i^* y_i (x \cdot x_i) + b^* \right) \tag{7.56}$$

式 (7.56) 为线性支持向量机的对偶形式.

综合前面的结果，有下面的算法.

算法 7.3（线性支持向量机学习算法）

输入：训练数据集 $T = \{(x_1, y_1), (x_2, y_2), \cdots, (x_N, y_N)\}$，其中，$x_i \in \mathcal{X} = \mathbf{R}^n$，$y_i \in \mathcal{Y} = \{-1, +1\}$，$i = 1, 2, \cdots, N$；

输出：分离超平面和分类决策函数.

（1）选择惩罚参数 $C > 0$，构造并求解凸二次规划问题

$$\min_{\alpha} \quad \frac{1}{2} \sum_{i=1}^{N} \sum_{j=1}^{N} \alpha_i \alpha_j y_i y_j (x_i \cdot x_j) - \sum_{i=1}^{N} \alpha_i$$

$$\text{s.t.} \quad \sum_{i=1}^{N} \alpha_i y_i = 0$$

$$0 \leqslant \alpha_i \leqslant C, \quad i = 1, 2, \cdots, N$$

求得最优解 $\alpha^* = (\alpha_1^*, \alpha_2^*, \cdots, \alpha_N^*)^{\mathrm{T}}$.

（2）计算 $w^* = \sum_{i=1}^{N} \alpha_i^* y_i x_i$

选择 α^* 的一个分量 α_j^* 适合条件 $0 < \alpha_j^* < C$，计算

$$b^* = y_j - \sum_{i=1}^{N} y_i \alpha_i^* (x_i \cdot x_j)$$

（3）求得分离超平面

$$w^* \cdot x + b^* = 0$$

分类决策函数：

$$f(x) = \text{sign}(w^* \cdot x + b^*)$$

　　　　■

步骤 (2) 中，对任一适合条件 $0 < \alpha_j^* < C$ 的 α_j^*，按式 (7.51) 都可求出 b^*，但是由于原始问题 (7.32) ～ (7.34) 对 b 的解并不唯一[11]，所以实际计算时可以取在所有

符合条件的样本点上的平均值.

7.2.3 支持向量

在线性不可分的情况下,将对偶问题 (7.37) ～ (7.39) 的解 $\alpha^* = (\alpha_1^*, \alpha_2^*, \cdots, \alpha_N^*)^T$ 中对应于 $\alpha_i^* > 0$ 的样本点 (x_i, y_i) 的实例 x_i 称为支持向量(软间隔的支持向量). 如图 7.5 所示,这时的支持向量要比线性可分时的情况复杂一些. 图中,分离超平面由实线表示,间隔边界由虚线表示,正例点由"。"表示,负例点由"×"表示. 图中还标出了实例 x_i 到间隔边界的距离 $\dfrac{\xi_i}{\|w\|}$.

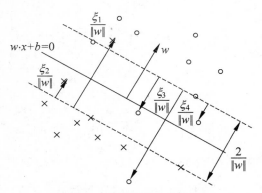

图 7.5 软间隔的支持向量

软间隔的支持向量 x_i 或者在间隔边界上,或者在间隔边界与分离超平面之间,或者在分离超平面误分一侧. 若 $\alpha_i^* < C$,则 $\xi_i = 0$,支持向量 x_i 恰好落在间隔边界上;若 $\alpha_i^* = C$,$0 < \xi_i < 1$,则分类正确,x_i 在间隔边界与分离超平面之间;若 $\alpha_i^* = C$,$\xi_i = 1$,则 x_i 在分离超平面上;若 $\alpha_i^* = C$,$\xi_i > 1$,则 x_i 位于分离超平面误分一侧.

7.2.4 合页损失函数

对于线性支持向量机学习来说,其模型为分离超平面 $w^* \cdot x + b^* = 0$ 及决策函数 $f(x) = \text{sign}(w^* \cdot x + b^*)$,其学习策略为软间隔最大化,学习算法为凸二次规划.

线性支持向量机学习还有另外一种解释,就是最小化以下目标函数:

$$\sum_{i=1}^{N} [1 - y_i(w \cdot x_i + b)]_+ + \lambda \| w \|^2 \tag{7.57}$$

目标函数的第 1 项是经验损失或经验风险,函数

$$L(y(w \cdot x + b)) = [1 - y(w \cdot x + b)]_+ \tag{7.58}$$

称为合页损失函数（hinge loss function）. 下标"＋"表示以下取正值的函数.

$$[z]_+ = \begin{cases} z, & z > 0 \\ 0, & z \leqslant 0 \end{cases} \tag{7.59}$$

这就是说，当样本点 (x_i, y_i) 被正确分类且函数间隔（确信度） $y_i(w \cdot x_i + b)$ 大于 1 时，损失是 0，否则损失是 $1 - y_i(w \cdot x_i + b)$，注意到在图 7.5 中的实例点 x_4 被正确分类，但损失不是 0. 目标函数的第 2 项是系数为 λ 的 w 的 L_2 范数，是正则化项.

定理 7.4　线性支持向量机原始最优化问题:

$$\min_{w,b,\xi} \quad \frac{1}{2}\|w\|^2 + C\sum_{i=1}^{N}\xi_i \tag{7.60}$$

$$\text{s.t.} \quad y_i(w \cdot x_i + b) \geqslant 1 - \xi_i, \quad i = 1, 2, \cdots, N \tag{7.61}$$

$$\xi_i \geqslant 0, \quad i = 1, 2, \cdots, N \tag{7.62}$$

等价于最优化问题

$$\min_{w,b} \quad \sum_{i=1}^{N}[1 - y_i(w \cdot x_i + b)]_+ + \lambda\|w\|^2 \tag{7.63}$$

证明　可将最优化问题 (7.63) 写成问题 (7.60) ～ (7.62). 令

$$[1 - y_i(w \cdot x_i + b)]_+ = \xi_i \tag{7.64}$$

则 $\xi_i \geqslant 0$，式 (7.62) 成立. 由式 (7.64)，当 $1 - y_i(w \cdot x_i + b) > 0$ 时，有 $y_i(w \cdot x_i + b) = 1 - \xi_i$；当 $1 - y_i(w \cdot x_i + b) \leqslant 0$ 时，$\xi_i = 0$，有 $y_i(w \cdot x_i + b) \geqslant 1 - \xi_i$. 故式 (7.61) 成立. 于是 w, b, ξ_i 满足约束条件 (7.61)～(7.62). 所以最优化问题(7.63)可写成

$$\min_{w,b} \quad \sum_{i=1}^{N}\xi_i + \lambda\|w\|^2$$

若取 $\lambda = \dfrac{1}{2C}$，则

$$\min_{w,b} \quad \frac{1}{C}\left(\frac{1}{2}\|w\|^2 + C\sum_{i=1}^{N}\xi_i\right)$$

与式 (7.60) 等价.

反之，也可将最优化问题 (7.60) ～ (7.62) 表示成问题 (7.63). ∎

合页损失函数的图形如图 7.6 所示，横轴是函数间隔 $y(w \cdot x + b)$，纵轴是损失. 由于函数形状像一个合页，故名合页损失函数.

图中还画出 0-1 损失函数，可以认为它是二类分类问题的真正的损失函数，而合页损失函数是 0-1 损失函数的上界. 由于 0-1 损失函数不是连续可导的，直接

优化由其构成的目标函数比较困难，可以认为线性支持向量机是优化由 0-1 损失函数的上界（合页损失函数）构成的目标函数．这时的上界损失函数又称为代理损失函数（surrogate loss function）．

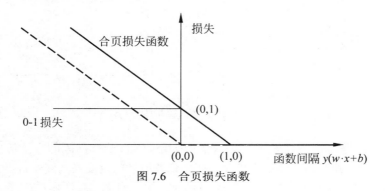

图 7.6 合页损失函数

图 7.6 中虚线显示的是感知机的损失函数 $[-y_i(w \cdot x_i + b)]_+$．这时，当样本点 (x_i, y_i) 被正确分类时，损失是 0，否则损失是 $-y_i(w \cdot x_i + b)$．相比之下，合页损失函数不仅要分类正确，而且确信度足够高时损失才是 0．也就是说，合页损失函数对学习有更高的要求．

7.3 非线性支持向量机与核函数

对解线性分类问题，线性分类支持向量机是一种非常有效的方法．但是，有时分类问题是非线性的，这时可以使用非线性支持向量机．本节叙述非线性支持向量机，其主要特点是利用核技巧（kernel trick）．为此，先要介绍核技巧．核技巧不仅应用于支持向量机，而且应用于其他统计学习问题．

7.3.1 核技巧

1. 非线性分类问题

非线性分类问题是指通过利用非线性模型才能很好地进行分类的问题．先看一个例子：如 7.7 左图，是一个分类问题，图中"·"表示正实例点，"×"表示负实例点．由图可见，无法用直线（线性模型）将正负实例正确分开，但可以用一条椭圆曲线（非线性模型）将它们正确分开．

一般来说，对给定的一个训练数据集 $T = \{(x_1, y_1), (x_2, y_2), \cdots, (x_N, y_N)\}$，其中，实例 x_i 属于输入空间，$x_i \in \mathcal{X} = \mathbf{R}^n$，对应的标记有两类 $y_i \in \mathcal{Y} = \{-1, +1\}$，$i = 1, 2, \cdots, N$．如果能用 $\mathbf{R}^n$ 中的一个超曲面将正负例正确分开，则称这个问题为非线性可分问题．

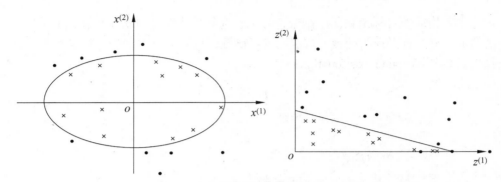

图 7.7　非线性分类问题与核技巧示例

　　非线性问题往往不好求解，所以希望能用解线性分类问题的方法解决这个问题．所采取的方法是进行一个非线性变换，将非线性问题变换为线性问题，通过解变换后的线性问题的方法求解原来的非线性问题．对图 7.7 所示的例子，通过变换，将左图中椭圆变换成右图中的直线，将非线性分类问题变换为线性分类问题．

　　设原空间为 $\mathcal{X} \subset \mathbf{R}^2$，$x = (x^{(1)}, x^{(2)})^\mathrm{T} \in \mathcal{X}$，新空间为 $\mathcal{Z} \subset \mathbf{R}^2$，$z = (z^{(1)}, z^{(2)})^\mathrm{T} \in \mathcal{Z}$，定义从原空间到新空间的变换（映射）：

$$z = \phi(x) = ((x^{(1)})^2, (x^{(2)})^2)^\mathrm{T}$$

经过变换 $z = \phi(x)$，原空间 $\mathcal{X} \subset \mathbf{R}^2$ 变换为新空间 $\mathcal{Z} \subset \mathbf{R}^2$，原空间中的点相应地变换为新空间中的点，原空间中的椭圆

$$w_1(x^{(1)})^2 + w_2(x^{(2)})^2 + b = 0$$

变换成为新空间中的直线

$$w_1 z^{(1)} + w_2 z^{(2)} + b = 0$$

在变换后的新空间里，直线 $w_1 z^{(1)} + w_2 z^{(2)} + b = 0$ 可以将变换后的正负实例点正确分开．这样，原空间的非线性可分问题就变成了新空间的线性可分问题．

　　上面的例子说明，用线性分类方法求解非线性分类问题分为两步：首先使用一个变换将原空间的数据映射到新空间；然后在新空间里用线性分类学习方法从训练数据中学习分类模型．核技巧就属于这样的方法．

　　核技巧应用到支持向量机，其基本想法就是通过一个非线性变换将输入空间（欧氏空间 $\mathbf{R}^n$ 或离散集合）对应于一个特征空间（希尔伯特空间 $\mathcal{H}$），使得在输入空间 $\mathbf{R}^n$ 中的超曲面模型对应于特征空间 $\mathcal{H}$ 中的超平面模型（支持向量机）．这样，分类问题的学习任务通过在特征空间中求解线性支持向量机就可以完成．

　　2.　核函数的定义

　　定义 7.6（核函数）　设 $\mathcal{X}$ 是输入空间（欧氏空间 $\mathbf{R}^n$ 的子集或离散集合），又

设 $\mathcal{H}$ 为特征空间（希尔伯特空间），如果存在一个从 $\mathcal{X}$ 到 $\mathcal{H}$ 的映射

$$\phi(x):\mathcal{X} \to \mathcal{H} \tag{7.65}$$

使得对所有 $x,z \in \mathcal{X}$，函数 $K(x,z)$ 满足条件

$$K(x,z) = \phi(x)\cdot\phi(z) \tag{7.66}$$

则称 $K(x,z)$ 为核函数，$\phi(x)$ 为映射函数，式中 $\phi(x)\cdot\phi(z)$ 为 $\phi(x)$ 和 $\phi(z)$ 的内积.

核技巧的想法是，在学习与预测中只定义核函数 $K(x,z)$，而不显式地定义映射函数 ϕ. 通常，直接计算 $K(x,z)$ 比较容易，而通过 $\phi(x)$ 和 $\phi(z)$ 计算 $K(x,z)$ 并不容易. 注意，ϕ 是输入空间 $\mathbf{R}^n$ 到特征空间 $\mathcal{H}$ 的映射，特征空间 $\mathcal{H}$ 一般是高维的，甚至是无穷维的. 可以看到，对于给定的核 $K(x,z)$，特征空间 $\mathcal{H}$ 和映射函数 ϕ 的取法并不唯一，可以取不同的特征空间，即便是在同一特征空间里也可以取不同的映射.

下面举一个简单的例子来说明核函数和映射函数的关系.

例 7.3　假设输入空间是 $\mathbf{R}^2$，核函数是 $K(x,z) = (x\cdot z)^2$，试找出其相关的特征空间 $\mathcal{H}$ 和映射 $\phi(x):\mathbf{R}^2 \to \mathcal{H}$.

解　取特征空间 $\mathcal{H}=\mathbf{R}^3$，记 $x = (x^{(1)},x^{(2)})^{\mathrm{T}}$，$z = (z^{(1)},z^{(2)})^{\mathrm{T}}$，由于

$$(x\cdot z)^2 = (x^{(1)}z^{(1)}+x^{(2)}z^{(2)})^2 = (x^{(1)}z^{(1)})^2 + 2x^{(1)}z^{(1)}x^{(2)}z^{(2)} + (x^{(2)}z^{(2)})^2$$

所以可以取映射

$$\phi(x) = ((x^{(1)})^2,\sqrt{2}x^{(1)}x^{(2)},(x^{(2)})^2)^{\mathrm{T}}$$

容易验证 $\phi(x)\cdot\phi(z) = (x\cdot z)^2 = K(x,z)$.

仍取 $\mathcal{H}=\mathbf{R}^3$ 以及

$$\phi(x) = \frac{1}{\sqrt{2}}((x^{(1)})^2-(x^{(2)})^2,2x^{(1)}x^{(2)},(x^{(1)})^2+(x^{(2)})^2)^{\mathrm{T}}$$

同样有 $\phi(x)\cdot\phi(z) = (x\cdot z)^2 = K(x,z)$.

还可以取 $\mathcal{H}=\mathbf{R}^4$ 和

$$\phi(x) = ((x^{(1)})^2,x^{(1)}x^{(2)},x^{(1)}x^{(2)},(x^{(2)})^2)^{\mathrm{T}} \qquad ∎$$

3.　核技巧在支持向量机中的应用

我们注意到在线性支持向量机的对偶问题中，无论是目标函数还是决策函数（分离超平面）都只涉及输入实例与实例之间的内积. 在对偶问题的目标函数 (7.37) 中的内积 $x_i \cdot x_j$ 可以用核函数 $K(x_i,x_j) = \phi(x_i)\cdot\phi(x_j)$ 来代替. 此时对偶问题的目标函数成为

$$W(\alpha) = \frac{1}{2} \sum_{i=1}^{N} \sum_{j=1}^{N} \alpha_i \alpha_j y_i y_j K(x_i, x_j) - \sum_{i=1}^{N} \alpha_i \tag{7.67}$$

同样，分类决策函数中的内积也可以用核函数代替，而分类决策函数式成为

$$f(x) = \text{sign}\left(\sum_{i=1}^{N_s} a_i^* y_i \phi(x_i) \cdot \phi(x) + b^* \right) = \text{sign}\left(\sum_{i=1}^{N_s} a_i^* y_i K(x_i, x) + b^* \right) \tag{7.68}$$

　　这等价于经过映射函数 ϕ 将原来的输入空间变换到一个新的特征空间，将输入空间中的内积 $x_i \cdot x_j$ 变换为特征空间中的内积 $\phi(x_i) \cdot \phi(x_j)$，在新的特征空间里从训练样本中学习线性支持向量机. 当映射函数是非线性函数时，学习到的含有核函数的支持向量机是非线性分类模型.

　　也就是说，在核函数 $K(x,z)$ 给定的条件下，可以利用解线性分类问题的方法求解非线性分类问题的支持向量机. 学习是隐式地在特征空间进行的，不需要显式地定义特征空间和映射函数. 这样的技巧称为核技巧，它是巧妙地利用线性分类学习方法与核函数解决非线性问题的技术. 在实际应用中，往往依赖领域知识直接选择核函数，核函数选择的有效性需要通过实验验证.

7.3.2　正定核

　　已知映射函数 ϕ，可以通过 $\phi(x)$ 和 $\phi(z)$ 的内积求得核函数 $K(x,z)$. 不用构造映射 $\phi(x)$ 能否直接判断一个给定的函数 $K(x,z)$ 是不是核函数？或者说，函数 $K(x,z)$ 满足什么条件才能成为核函数？

　　本节叙述正定核的充要条件. 通常所说的核函数就是正定核函数（positive definite kernel function）. 为证明此定理先介绍有关的预备知识.

　　假设 $K(x,z)$ 是定义在 $\mathcal{X} \times \mathcal{X}$ 上的对称函数，并且对任意的 $x_1, x_2, \cdots, x_m \in \mathcal{X}$，$K(x,z)$ 关于 $x_1, x_2, \cdots, x_m$ 的 Gram 矩阵是半正定的. 可以依据函数 $K(x,z)$，构成一个希尔伯特空间（Hilbert space），其步骤是：首先定义映射 ϕ 并构成向量空间 $\mathcal{S}$；然后在 $\mathcal{S}$ 上定义内积构成内积空间；最后将 $\mathcal{S}$ 完备化构成希尔伯特空间.

　　1. 定义映射，构成向量空间 $\mathcal{S}$

　　先定义映射

$$\phi : x \to K(\cdot, x) \tag{7.69}$$

根据这一映射，对任意 $x_i \in \mathcal{X}$，$\alpha_i \in \mathbf{R}$，$i = 1, 2, \cdots, m$，定义线性组合

$$f(\cdot) = \sum_{i=1}^{m} \alpha_i K(\cdot, x_i) \tag{7.70}$$

考虑由线性组合为元素的集合 $\mathcal{S}$. 由于集合 $\mathcal{S}$ 对加法和数乘运算是封闭的，所以

$\mathcal{S}$ 构成一个向量空间.

2. 在 $\mathcal{S}$ 上定义内积，使其成为内积空间

在 $\mathcal{S}$ 上定义一个运算 $*$：对任意 $f, g \in \mathcal{S}$,

$$f(\cdot) = \sum_{i=1}^{m} \alpha_i K(\cdot, x_i) \tag{7.71}$$

$$g(\cdot) = \sum_{i=1}^{l} \beta_j K(\cdot, z_j) \tag{7.72}$$

定义运算 $*$

$$f * g = \sum_{i=1}^{m} \sum_{j=1}^{l} \alpha_i \beta_j K(x_i, z_j) \tag{7.73}$$

证明运算 $*$ 是空间 $\mathcal{S}$ 的内积. 为此要证：
（1） $(cf) * g = c(f * g)$, $c \in \mathbf{R}$ \hfill (7.74)
（2） $(f + g) * h = f * h + g * h$, $h \in \mathcal{S}$ \hfill (7.75)
（3） $f * g = g * f$ \hfill (7.76)
（4） $f * f \geqslant 0$, \hfill (7.77)

$$f * f = 0 \Leftrightarrow f = 0 \tag{7.78}$$

其中, (1) $\sim$ (3) 由式 (7.70) $\sim$ 式 (7.72) 及 $K(x, z)$ 的对称性容易得到. 现证 (4) 之式 (7.77). 由式 (7.70) 及式 (7.73) 可得：

$$f * f = \sum_{i,j=1}^{m} \alpha_i \alpha_j K(x_i, x_j)$$

由 Gram 矩阵的半正定性知上式右端非负，即 $f * f \geqslant 0$.

再证 (4) 之式 (7.78). 充分性显然. 为证必要性，首先证明不等式：

$$|f * g|^2 \leqslant (f * f)(g * g) \tag{7.79}$$

设 $f, g \in \mathcal{S}$, $\lambda \in \mathbf{R}$, 则 $f + \lambda g \in \mathcal{S}$, 于是,

$$(f + \lambda g) * (f + \lambda g) \geqslant 0$$

$$f * f + 2\lambda(f * g) + \lambda^2(g * g) \geqslant 0$$

其左端是 λ 的二次三项式，非负，其判别式小于等于 0，即

$$(f * g)^2 - (f * f)(g * g) \leqslant 0$$

于是式 (7.79) 得证. 现证若 $f * f = 0$, 则 $f = 0$. 事实上，若

$$f(\cdot) = \sum_{i=1}^{m} \alpha_i K(\cdot, x_i)$$

则按运算 $*$ 的定义式 (7.73)，对任意的 $x \in \mathcal{X}$，有

$$K(\cdot, x) * f = \sum_{i=1}^{m} \alpha_i K(x, x_i) = f(x)$$

于是，

$$|f(x)|^2 = |K(\cdot, x) * f|^2 \tag{7.80}$$

由式 (7.79) 和式 (7.77) 有

$$|K(\cdot, x) * f|^2 \leqslant (K(\cdot, x) * K(\cdot, x))(f * f) = K(x, x)(f * f)$$

由式 (7.80) 有

$$|f(x)|^2 \leqslant K(x, x)(f * f)$$

此式表明，当 $f * f = 0$ 时，对任意的 x 都有 $|f(x)| = 0$.

　　至此，证明了 $*$ 为向量空间 $\mathcal{S}$ 的内积. 赋予内积的向量空间为内积空间. 因此 $\mathcal{S}$ 是一个内积空间. 既然 $*$ 为 $\mathcal{S}$ 的内积运算，那么仍然用 $\cdot$ 表示，即若

$$f(\cdot) = \sum_{i=1}^{m} \alpha_i K(\cdot, x_i), \quad g(\cdot) = \sum_{i=1}^{l} \beta_j K(\cdot, z_j)$$

则

$$f \cdot g = \sum_{i=1}^{m} \sum_{j=1}^{l} \alpha_i \beta_j K(x_i, z_j) \tag{7.81}$$

3. 将内积空间 $\mathcal{S}$ 完备化为希尔伯特空间

　　现在将内积空间 $\mathcal{S}$ 完备化. 由式 (7.81) 定义的内积可以得到范数

$$\| f \| = \sqrt{f \cdot f} \tag{7.82}$$

因此，$\mathcal{S}$ 是一个赋范向量空间. 根据泛函分析理论，对于不完备的赋范向量空间 $\mathcal{S}$，一定可以使之完备化，得到完备的赋范向量空间 $\mathcal{H}$. 一个内积空间，当作为一个赋范向量空间是完备的时候，就是希尔伯特空间. 这样，就得到了希尔伯特空间 $\mathcal{H}$.

　　这一希尔伯特空间 $\mathcal{H}$ 称为再生核希尔伯特空间（reproducing kernel Hilbert space，RKHS）. 这是由于核 K 具有再生性，即满足

$$K(\cdot, x) \cdot f = f(x) \tag{7.83}$$

及

$$K(\cdot, x) \cdot K(\cdot, z) = K(x, z) \tag{7.84}$$

称为再生核.

4. 正定核的充要条件

定理 7.5(正定核的充要条件) 设 $K : \mathcal{X} \times \mathcal{X} \to \mathbf{R}$ 是对称函数,则 $K(x, z)$ 为正定核函数的充要条件是对任意 $x_i \in \mathcal{X}$, $i = 1, 2, \cdots, m$, $K(x, z)$ 对应的 Gram 矩阵:

$$K = \left[K(x_i, x_j) \right]_{m \times m} \tag{7.85}$$

是半正定矩阵.

证明 必要性. 由于 $K(x, z)$ 是 $\mathcal{X} \times \mathcal{X}$ 上的正定核,所以存在从 $\mathcal{X}$ 到希尔伯特空间 $\mathcal{H}$ 的映射 ϕ,使得

$$K(x, z) = \phi(x) \cdot \phi(z)$$

于是,对任意 $x_1, x_2, \cdots, x_m$,构造 $K(x, z)$ 关于 $x_1, x_2, \cdots, x_m$ 的 Gram 矩阵

$$[K_{ij}]_{m \times m} = [K(x_i, x_j)]_{m \times m}$$

对任意 $c_1, c_2, \cdots, c_m \in \mathbf{R}$,有

$$\sum_{i,j=1}^{m} c_i c_j K(x_i, x_j) = \sum_{i,j=1}^{m} c_i c_j (\phi(x_i) \cdot \phi(x_j))$$

$$= \left(\sum_i c_i \phi(x_i) \right) \cdot \left(\sum_j c_j \phi(x_j) \right) = \left\| \sum_i c_i \phi(x_i) \right\|^2 \geqslant 0$$

表明 $K(x, z)$ 关于 $x_1, x_2, \cdots, x_m$ 的 Gram 矩阵是半正定的.

充分性. 已知对称函数 $K(x, z)$ 对任意 $x_1, x_2, \cdots, x_m \in \mathcal{X}$, $K(x, z)$ 关于 $x_1, x_2, \cdots, x_m$ 的 Gram 矩阵是半正定的. 根据前面的结果,对给定的 $K(x, z)$,可以构造从 $\mathcal{X}$ 到某个希尔伯特空间 $\mathcal{H}$ 的映射:

$$\phi : x \to K(\cdot, x) \tag{7.86}$$

由式 (7.83) 可知,

$$K(\cdot, x) \cdot f = f(x)$$

并且

$$K(\cdot, x) \cdot K(\cdot, z) = K(x, z)$$

由式 (7.86) 即得

$$K(x, z) = \phi(x) \cdot \phi(z)$$

表明 $K(x, z)$ 是 $\mathcal{X} \times \mathcal{X}$ 上的核函数. ∎

定理给出了正定核的充要条件，因此可以作为正定核，即核函数的另一定义.

定义 7.7（正定核的等价定义）　设 $\mathcal{X} \subset \mathbf{R}^n$，$K(x,z)$ 是定义在 $\mathcal{X} \times \mathcal{X}$ 上的对称函数，如果对任意 $x_i \in \mathcal{X}$，$i = 1, 2, \cdots, m$，$K(x,z)$ 对应的 Gram 矩阵

$$K = \left[K(x_i, x_j) \right]_{m \times m} \tag{7.87}$$

是半正定矩阵，则称 $K(x,z)$ 是正定核.

这一定义在构造核函数时很有用. 但对于一个具体函数 $K(x,z)$ 来说，检验它是否为正定核函数并不容易，因为要求对任意有限输入集 $\{x_1, x_2, \cdots, x_m\}$ 验证 K 对应的 Gram 矩阵是否为半正定的. 在实际问题中往往应用已有的核函数. 另外，由 Mercer 定理可以得到 Mercer 核（Mercer Kernel）[11]，正定核比 Mercer 核更具一般性. 下面介绍一些常用的核函数.

7.3.3　常用核函数

1. 多项式核函数（polynomial kernel function）

$$K(x,z) = (x \cdot z + 1)^p \tag{7.88}$$

对应的支持向量机是一个 p 次多项式分类器. 在此情形下，分类决策函数成为

$$f(x) = \text{sign}\left(\sum_{i=1}^{N_s} a_i^* y_i (x_i \cdot x + 1)^p + b^* \right) \tag{7.89}$$

2. 高斯核函数（Gaussian kernel　function）

$$K(x,z) = \exp\left(-\frac{\|x-z\|^2}{2\sigma^2} \right) \tag{7.90}$$

对应的支持向量机是高斯径向基函数（radial basis function）分类器. 在此情形下，分类决策函数成为

$$f(x) = \text{sign}\left(\sum_{i=1}^{N_s} a_i^* y_i \exp\left(-\frac{\|x-z\|^2}{2\sigma^2} \right) + b^* \right) \tag{7.91}$$

3. 字符串核函数（string kernel function）

核函数不仅可以定义在欧氏空间上，还可以定义在离散数据的集合上. 比如，字符串核是定义在字符串集合上的核函数. 字符串核函数在文本分类、信息检索、生物信息学等方面都有应用.

考虑一个有限字符表 Σ. 字符串 s 是从 Σ 中取出的有限个字符的序列，包括空字符串. 字符串 s 的长度用 $|s|$ 表示，它的元素记作 $s(1)s(2)\cdots s(|s|)$. 两个字符串 s 和 t 的连接记作 st. 所有长度为 n 的字符串的集合记作 Σ^n，所有字符串的集合记作 $\Sigma^* = \bigcup_{n=0}^{\infty} \Sigma^n$.

考虑字符串 s 的子串 u. 给定一个指标序列 $i = (i_1, i_2, \cdots, i_{|u|})$，$1 \leqslant i_1 < i_2 < \cdots < i_{|u|} \leqslant |s|$，$s$ 的子串定义为 $u = s(i) = s(i_1)s(i_2)\cdots s(i_{|u|})$，其长度记作 $l(i) = i_{|u|} - i_1 + 1$. 如果 i 是连续的，则 $l(i) = |u|$；否则，$l(i) > |u|$.

假设 $\mathcal{S}$ 是长度大于或等于 n 字符串的集合，s 是 $\mathcal{S}$ 的元素. 现在建立字符串集合 $\mathcal{S}$ 到特征空间 $\mathcal{H}_n = R^{\Sigma^n}$ 的映射 $\phi_n(s)$. R^{Σ^n} 表示定义在 Σ^n 上的实数空间，其每一维对应一个字符串 $u \in \Sigma^n$，映射 $\phi_n(s)$ 将字符串 s 对应于空间 R^{Σ^n} 的一个向量，其在 u 维上的取值为

$$[\phi_n(s)]_u = \sum_{i:s(i)=u} \lambda^{l(i)} \tag{7.92}$$

这里，$0 < \lambda \leqslant 1$ 是一个衰减参数，$l(i)$ 表示字符串 i 的长度，求和在 s 中所有与 u 相同的子串上进行.

例如，假设 Σ 为英文字符集，n 为 3，$\mathcal{S}$ 为长度大于或等于 3 的字符串的集合. 考虑将字符集 $\mathcal{S}$ 映射到特征空间 H_3. H_3 的一维对应于字符串 asd. 这时，字符串 "Nasdaq" 与 "lass das" 在这一维上的值分别是 $[\phi_3(\text{Nasdaq})]_{asd} = \lambda^3$ 和 $[\phi_3(\text{lass}\square\text{das})]_{asd} = 2\lambda^5$（$\square$ 为空格）. 在第 1 个字符串里，asd 是连续的子串. 在第 2 个字符串里，asd 是长度为 5 的不连续子串，共出现 2 次.

两个字符串 s 和 t 上的字符串核函数是基于映射 ϕ_n 的特征空间中的内积：

$$k_n(s,t) = \sum_{u \in \Sigma^n} [\phi_n(s)]_u [\phi_n(t)]_u = \sum_{u \in \Sigma^n} \sum_{(i,j):s(i)=t(j)=u} \lambda^{l(i)} \lambda^{l(j)} \tag{7.93}$$

字符串核函数 $k_n(s,t)$ 给出了字符串 s 和 t 中长度等于 n 的所有子串组成的特征向量的余弦相似度（cosine similarity）. 直观上，两个字符串相同的子串越多，它们就越相似，字符串核函数的值就越大. 字符串核函数可以由动态规划快速地计算.

7.3.4 非线性支持向量分类机

如上所述，利用核技巧，可以将线性分类的学习方法应用到非线性分类问题中去. 将线性支持向量机扩展到非线性支持向量机，只需将线性支持向量机对偶形式中的内积换成核函数.

定义 7.8（非线性支持向量机） 从非线性分类训练集，通过核函数与软间隔最大化，或凸二次规划 (7.95) ～(7.97)，学习得到的分类决策函数

$$f(x) = \text{sign}\left(\sum_{i=1}^{N} \alpha_i^* y_i K(x, x_i) + b^*\right) \tag{7.94}$$

称为非线性支持向量，$K(x, z)$ 是正定核函数.

下面叙述非线性支持向量机学习算法.

算法 7.4（非线性支持向量机学习算法）

输入：训练数据集 $T = \{(x_1, y_1), (x_2, y_2), \cdots, (x_N, y_N)\}$，其中 $x_i \in \mathcal{X} = \mathbf{R}^n$，$y_i \in \mathcal{Y} = \{-1, +1\}$，$i = 1, 2, \cdots, N$；

输出：分类决策函数.

（1）选取适当的核函数 $K(x, z)$ 和适当的参数 C，构造并求解最优化问题

$$\min_{\alpha} \quad \frac{1}{2}\sum_{i=1}^{N}\sum_{j=1}^{N} \alpha_i \alpha_j y_i y_j K(x_i, x_j) - \sum_{i=1}^{N} \alpha_i \tag{7.95}$$

$$\text{s.t.} \quad \sum_{i=1}^{N} \alpha_i y_i = 0 \tag{7.96}$$

$$0 \leqslant \alpha_i \leqslant C, \quad i = 1, 2, \cdots, N \tag{7.97}$$

求得最优解 $\alpha^* = (\alpha_1^*, \alpha_2^*, \cdots, \alpha_N^*)^{\mathrm{T}}$.

（2）选择 α^* 的一个正分量 $0 < \alpha_j^* < C$，计算

$$b^* = y_j - \sum_{i=1}^{N} \alpha_i^* y_i K(x_i \cdot x_j)$$

（3）构造决策函数：

$$f(x) = \text{sign}\left(\sum_{i=1}^{N} \alpha_i^* y_i K(x \cdot x_i) + b^*\right)$$

当 $K(x, z)$ 是正定核函数时，问题 (7.95) ~ (7.97) 是凸二次规划问题，解是存在的.

7.4　序列最小最优化算法

本节讨论支持向量机学习的实现问题. 我们知道，支持向量机的学习问题可以形式化为求解凸二次规划问题. 这样的凸二次规划问题具有全局最优解，并且有许多最优化算法可以用于这一问题的求解. 但是当训练样本容量很大时，这些算法往往变得非常低效，以致无法使用. 所以，如何高效地实现支持向量机学习就成为一个重要的问题. 目前人们已提出许多快速实现算法. 本节讲述其中的序列最小最优化（sequential minimal optimization，SMO）算法，这种算法 1998 年由 Platt 提出.

SMO 算法要解如下凸二次规划的对偶问题:

$$\min_{\alpha} \quad \frac{1}{2}\sum_{i=1}^{N}\sum_{j=1}^{N}\alpha_i\alpha_j y_i y_j K(x_i,x_j) - \sum_{i=1}^{N}\alpha_i \tag{7.98}$$

$$\text{s.t.} \quad \sum_{i=1}^{N}\alpha_i y_i = 0 \tag{7.99}$$

$$0 \leqslant \alpha_i \leqslant C, \quad i=1,2,\cdots,N \tag{7.100}$$

在这个问题中,变量是拉格朗日乘子,一个变量 α_i 对应于一个样本点 (x_i,y_i);变量的总数等于训练样本容量 N.

SMO 算法是一种启发式算法,其基本思路是:如果所有变量的解都满足此最优化问题的 KKT 条件(Karush-Kuhn-Tucker conditions),那么这个最优化问题的解就得到了. 因为 KKT 条件是该最优化问题的充分必要条件. 否则,选择两个变量,固定其他变量,针对这两个变量构建一个二次规划问题. 这个二次规划问题关于这两个变量的解应该更接近原始二次规划问题的解,因为这会使得原始二次规划问题的目标函数值变得更小. 重要的是,这时子问题可以通过解析方法求解,这样就可以大大提高整个算法的计算速度. 子问题有两个变量,一个是违反 KKT 条件最严重的那一个,另一个由约束条件自动确定. 如此,SMO 算法将原问题不断分解为子问题并对子问题求解,进而达到求解原问题的目的.

注意,子问题的两个变量中只有一个是自由变量. 假设 α_1, α_2 为两个变量,$\alpha_3,\alpha_4,\cdots,\alpha_N$ 固定,那么由等式约束 (7.99) 可知

$$\alpha_1 = -y_1\sum_{i=2}^{N}\alpha_i y_i$$

如果 α_2 确定,那么 α_1 也随之确定. 所以子问题中同时更新两个变量.

整个 SMO 算法包括两个部分:求解两个变量二次规划的解析方法和选择变量的启发式方法.

7.4.1 两个变量二次规划的求解方法

不失一般性,假设选择的两个变量是 α_1,α_2,其他变量 $\alpha_i(i=3,4,\cdots,N)$ 是固定的. 于是 SMO 的最优化问题 (7.98) ~ (7.100) 的子问题可以写成:

$$\min_{\alpha_1,\alpha_2} \quad W(\alpha_1,\alpha_2) = \frac{1}{2}K_{11}\alpha_1^2 + \frac{1}{2}K_{22}\alpha_2^2 + y_1 y_2 K_{12}\alpha_1\alpha_2$$

$$-(\alpha_1+\alpha_2) + y_1\alpha_1\sum_{i=3}^{N}y_i\alpha_i K_{i1} + y_2\alpha_2\sum_{i=3}^{N}y_i\alpha_i K_{i2} \tag{7.101}$$

$$\text{s.t.} \qquad \alpha_1 y_1 + \alpha_2 y_2 = -\sum_{i=3}^{N} y_i \alpha_i = \varsigma \tag{7.102}$$

$$0 \leqslant \alpha_i \leqslant C, \quad i=1,2 \tag{7.103}$$

其中，$K_{ij} = K(x_i, x_j), i, j = 1, 2, \cdots, N$，$\varsigma$ 是常数，目标函数式 (7.101) 中省略了不含 α_1, α_2 的常数项.

为了求解两个变量的二次规划问题 (7.101) ～ (7.103)，首先分析约束条件，然后在此约束条件下求极小.

由于只有两个变量 (α_1, α_2)，约束可以用二维空间中的图形表示（如图 7.8 所示）.

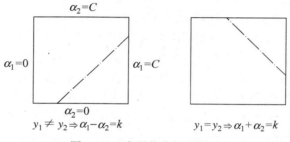

图 7.8 二变量优化问题图示

不等式约束 (7.103) 使得 (α_1, α_2) 在盒子 $[0, C] \times [0, C]$ 内，等式约束 (7.102) 使 (α_1, α_2) 在平行于盒子 $[0, C] \times [0, C]$ 的对角线的直线上. 因此要求的是目标函数在一条平行于对角线的线段上的最优值. 这使得两个变量的最优化问题成为实质上的单变量的最优化问题，不妨考虑为变量 α_2 的最优化问题.

假设问题 (7.101) ～ (7.103) 的初始可行解为 $\alpha_1^{\text{old}}, \alpha_2^{\text{old}}$，最优解为 $\alpha_1^{\text{new}}, \alpha_2^{\text{new}}$，并且假设在沿着约束方向未经剪辑时 α_2 的最优解为 $\alpha_2^{\text{new,unc}}$.

由于 α_2^{new} 需满足不等式约束 (7.103)，所以最优值 α_2^{new} 的取值范围必须满足条件

$$L \leqslant \alpha_2^{\text{new}} \leqslant H$$

其中，L 与 H 是 α_2^{new} 所在的对角线段端点的界. 如果 $y_1 \neq y_2$（如图 7.8 左图所示），则

$$L = \max(0, \alpha_2^{\text{old}} - \alpha_1^{\text{old}}), \quad H = \min(C, C + \alpha_2^{\text{old}} - \alpha_1^{\text{old}})$$

如果 $y_1 = y_2$（如图 7.8 右图所示），则

$$L = \max(0, \alpha_2^{\text{old}} + \alpha_1^{\text{old}} - C), \quad H = \min(C, \alpha_2^{\text{old}} + \alpha_1^{\text{old}})$$

下面，首先求沿着约束方向未经剪辑即未考虑不等式约束 (7.103) 时 α_2 的最优解 $\alpha_2^{\text{new,unc}}$；然后再求剪辑后 α_2 的解 α_2^{new}. 我们用定理来叙述这个结果. 为了叙述简单，记

$$g(x) = \sum_{i=1}^{N} \alpha_i y_i K(x_i, x) + b \tag{7.104}$$

令

$$E_i = g(x_i) - y_i = \left(\sum_{j=1}^{N} \alpha_j y_j K(x_j, x_i) + b \right) - y_i, \quad i = 1, 2 \tag{7.105}$$

当 $i = 1, 2$ 时，E_i 为函数 $g(x)$ 对输入 x_i 的预测值与真实输出 y_i 之差.

定理 7.6　最优化问题 (7.101) ~ (7.103) 沿着约束方向未经剪辑时的解是

$$\alpha_2^{\text{new,unc}} = \alpha_2^{\text{old}} + \frac{y_2(E_1 - E_2)}{\eta} \tag{7.106}$$

其中，

$$\eta = K_{11} + K_{22} - 2K_{12} = \left\| \Phi(x_1) - \Phi(x_2) \right\|^2 \tag{7.107}$$

$\Phi(x)$ 是输入空间到特征空间的映射，E_i，$i = 1, 2$，由式 (7.105) 给出.

经剪辑后 α_2 的解是

$$\alpha_2^{\text{new}} = \begin{cases} H, & \alpha_2^{\text{new,unc}} > H \\ \alpha_2^{\text{new,unc}}, & L \leqslant \alpha_2^{\text{new,unc}} \leqslant H \\ L, & \alpha_2^{\text{new,unc}} < L \end{cases} \tag{7.108}$$

由 α_2^{new} 求得 α_1^{new} 是

$$\alpha_1^{\text{new}} = \alpha_1^{\text{old}} + y_1 y_2 (\alpha_2^{\text{old}} - \alpha_2^{\text{new}}) \tag{7.109}$$

证明　引进记号

$$v_i = \sum_{j=3}^{N} \alpha_j y_j K(x_i, x_j) = g(x_i) - \sum_{j=1}^{2} \alpha_j y_j K(x_i, x_j) - b, \quad i = 1, 2$$

目标函数可写成

$$\begin{aligned} W(\alpha_1, \alpha_2) = &\frac{1}{2} K_{11} \alpha_1^2 + \frac{1}{2} K_{22} \alpha_2^2 + y_1 y_2 K_{12} \alpha_1 \alpha_2 \\ &- (\alpha_1 + \alpha_2) + y_1 v_1 \alpha_1 + y_2 v_2 \alpha_2 \end{aligned} \tag{7.110}$$

由 $\alpha_1 y_1 = \varsigma - \alpha_2 y_2$ 及 $y_i^2 = 1$，可将 α_1 表示为

$$\alpha_1 = (\varsigma - y_2 \alpha_2) y_1$$

代入式 (7.110)，得到只是 α_2 的函数的目标函数：

$$W(\alpha_2) = \frac{1}{2} K_{11}(\varsigma - \alpha_2 y_2)^2 + \frac{1}{2} K_{22}\alpha_2^2 + y_2 K_{12}(\varsigma - \alpha_2 y_2)\alpha_2$$
$$- (\varsigma - \alpha_2 y_2)y_1 - \alpha_2 + v_1(\varsigma - \alpha_2 y_2) + y_2 v_2 \alpha_2$$

对 α_2 求导数

$$\frac{\partial W}{\partial \alpha_2} = K_{11}\alpha_2 + K_{22}\alpha_2 - 2K_{12}\alpha_2$$
$$- K_{11}\varsigma y_2 + K_{12}\varsigma y_2 + y_1 y_2 - 1 - v_1 y_2 + y_2 v_2$$

令其为 0，得到

$$(K_{11} + K_{22} - 2K_{12})\alpha_2 = y_2(y_2 - y_1 + \varsigma K_{11} - \varsigma K_{12} + v_1 - v_2)$$
$$= y_2 \left[y_2 - y_1 + \varsigma K_{11} - \varsigma K_{12} + \left(g(x_1) - \sum_{j=1}^{2} y_j \alpha_j K_{1j} - b \right) \right.$$
$$\left. - \left(g(x_2) - \sum_{j=1}^{2} y_j \alpha_j K_{2j} - b \right) \right]$$

将 $\varsigma = \alpha_1^{\text{old}} y_1 + \alpha_2^{\text{old}} y_2$ 代入，得到

$$(K_{11} + K_{22} - 2K_{12})\alpha_2^{\text{new,unc}} = y_2((K_{11} + K_{22} - 2K_{12})\alpha_2^{\text{old}} y_2 + y_2 - y_1 + g(x_1) - g(x_2))$$
$$= (K_{11} + K_{22} - 2K_{12})\alpha_2^{\text{old}} + y_2(E_1 - E_2)$$

将 $\eta = K_{11} + K_{22} - 2K_{12}$ 代入，于是得到

$$\alpha_2^{\text{new,unc}} = \alpha_2^{\text{old}} + \frac{y_2(E_1 - E_2)}{\eta}$$

要使其满足不等式约束必须将其限制在区间 $[L, H]$ 内，从而得到 α_2^{new} 的表达式 (7.108)．由等式约束 (7.102)，得到 α_1^{new} 的表达式 (7.109)．于是得到最优化问题 (7.101) ～ (7.103) 的解 $(\alpha_1^{\text{new}}, \alpha_2^{\text{new}})$．∎

7.4.2　变量的选择方法

SMO 算法在每个子问题中选择两个变量优化，其中至少一个变量是违反 KKT 条件的．

1. 第 1 个变量的选择

SMO 称选择第 1 个变量的过程为外层循环．外层循环在训练样本中选取违反 KKT 条件最严重的样本点，并将其对应的变量作为第 1 个变量．具体地，检验训练样本点 (x_i, y_i) 是否满足 KKT 条件，即

$$\alpha_i = 0 \Leftrightarrow y_i g(x_i) \geq 1 \tag{7.111}$$

$$0 < \alpha_i < C \Leftrightarrow y_i g(x_i) = 1 \tag{7.112}$$

$$\alpha_i = C \Leftrightarrow y_i g(x_i) \leqslant 1 \tag{7.113}$$

其中，$g(x_i) = \sum_{j=1}^{N} \alpha_j y_j K(x_i, x_j) + b$.

该检验是在 ε 范围内进行的. 在检验过程中，外层循环首先遍历所有满足条件 $0 < \alpha_i < C$ 的样本点，即在间隔边界上的支持向量点，检验它们是否满足 KKT 条件. 如果这些样本点都满足 KKT 条件，那么遍历整个训练集，检验它们是否满足 KKT 条件.

2. 第 2 个变量的选择

SMO 称选择第 2 个变量的过程为内层循环. 假设在外层循环中已经找到第 1 个变量 α_1，现在要在内层循环中找第 2 个变量 α_2. 第 2 个变量选择的标准是希望能使 α_2 有足够大的变化.

由式 (7.106) 和式 (7.108) 可知，α_2^{new} 是依赖于 $|E_1 - E_2|$ 的，为了加快计算速度，一种简单的做法是选择 α_2，使其对应的 $|E_1 - E_2|$ 最大. 因为 α_1 已定，E_1 也确定了. 如果 E_1 是正的，那么选择最小的 E_i 作为 E_2；如果 E_1 是负的，那么选择最大的 E_i 作为 E_2. 为了节省计算时间，将所有 E_i 值保存在一个列表中.

在特殊情况下，如果内层循环通过以上方法选择的 α_2 不能使目标函数有足够的下降，那么采用以下启发式规则继续选择 α_2. 遍历在间隔边界上的支持向量点，依次将其对应的变量作为 α_2 试用，直到目标函数有足够的下降. 若找不到合适的 α_2，那么遍历训练数据集；若仍找不到合适的 α_2，则放弃第 1 个 α_1，再通过外层循环寻求另外的 α_1.

3. 计算阈值 b 和差值 E_i

在每次完成两个变量的优化后，都要重新计算阈值 b. 当 $0 < \alpha_1^{\text{new}} < C$ 时，由 KKT 条件 (7.112) 可知：

$$\sum_{i=1}^{N} \alpha_i y_i K_{i1} + b = y_1$$

于是，

$$b_1^{\text{new}} = y_1 - \sum_{i=3}^{N} \alpha_i y_i K_{i1} - \alpha_1^{\text{new}} y_1 K_{11} - \alpha_2^{\text{new}} y_2 K_{21} \tag{7.114}$$

由 E_1 的定义式 (7.105) 有

$$E_1 = \sum_{i=3}^{N} \alpha_i y_i K_{i1} + \alpha_1^{\text{old}} y_1 K_{11} + \alpha_2^{\text{old}} y_2 K_{21} + b^{\text{old}} - y_1$$

式 (7.114) 的前两项可写成:

$$y_1 - \sum_{i=3}^{N} \alpha_i y_i K_{i1} = -E_1 + \alpha_1^{\text{old}} y_1 K_{11} + \alpha_2^{\text{old}} y_2 K_{21} + b^{\text{old}}$$

代入式 (7.114) ，可得

$$b_1^{\text{new}} = -E_1 - y_1 K_{11}(\alpha_1^{\text{new}} - \alpha_1^{\text{old}}) - y_2 K_{21}(\alpha_2^{\text{new}} - \alpha_2^{\text{old}}) + b^{\text{old}} \tag{7.115}$$

同样，如果 $0 < \alpha_2^{\text{new}} < C$ ，那么，

$$b_2^{\text{new}} = -E_2 - y_1 K_{12}(\alpha_1^{\text{new}} - \alpha_1^{\text{old}}) - y_2 K_{22}(\alpha_2^{\text{new}} - \alpha_2^{\text{old}}) + b^{\text{old}} \tag{7.116}$$

如果 $\alpha_1^{\text{new}}, \alpha_2^{\text{new}}$ 同时满足条件 $0 < \alpha_i^{\text{new}} < C$ ， $i = 1, 2$ ，那么 $b_1^{\text{new}} = b_2^{\text{new}}$. 如果 $\alpha_1^{\text{new}}, \alpha_2^{\text{new}}$ 是 0 或者 C ，那么 b_1^{new} 和 b_2^{new} 以及它们之间的数都是符合 KKT 条件的阈值，这时选择它们的中点作为 b^{new} .

在每次完成两个变量的优化之后，还必须更新对应的 E_i 值，并将它们保存在列表中. E_i 值的更新要用到 b^{new} 值，以及所有支持向量对应的 α_j ：

$$E_i^{\text{new}} = \sum_S y_j \alpha_j K(x_i, x_j) + b^{\text{new}} - y_i \tag{7.117}$$

其中， S 是所有支持向量 x_j 的集合.

7.4.3　SMO 算法

算法 7.5（SMO 算法）

输入：训练数据集 $T = \{(x_1, y_1), (x_2, y_2), \cdots, (x_N, y_N)\}$ ，其中， $x_i \in \mathcal{X} = \mathbf{R}^n$ ， $y_i \in \mathcal{Y} = \{-1, +1\}$ ， $i = 1, 2, \cdots, N$ ，精度 ε ；

输出：近似解 $\hat{\alpha}$.

（1）取初值 $\alpha^{(0)} = 0$ ，令 $k = 0$ ；

（2）选取优化变量 $\alpha_1^{(k)}, \alpha_2^{(k)}$ ，解析求解两个变量的最优化问题 (7.101) ～ (7.103)，求得最优解 $\alpha_1^{(k+1)}, \alpha_2^{(k+1)}$ ，更新 α 为 $\alpha^{(k+1)}$ ；

（3）若在精度 ε 范围内满足停机条件

$$\sum_{i=1}^{N} \alpha_i y_i = 0$$

$$0 \leqslant \alpha_i \leqslant C, \quad i = 1, 2, \cdots, N$$

$$y_i \cdot g(x_i) = \begin{cases} \geqslant 1, & \{x_i \mid \alpha_i = 0\} \\ = 1, & \{x_i \mid 0 < \alpha_i < C\} \\ \leqslant 1, & \{x_i \mid \alpha_i = C\} \end{cases}$$

其中，

$$g(x_i) = \sum_{j=1}^{N} \alpha_j y_j K(x_j, x_i) + b$$

则转 (4)；否则令 $k = k+1$，转 (2)；

（4）取 $\hat{\alpha} = \alpha^{(k+1)}$ ． ■

本 章 概 要

1．支持向量机最简单的情况是线性可分支持向量机，或硬间隔支持向量机．构建它的条件是训练数据线性可分．其学习策略是最大间隔法．可以表示为凸二次规划问题，其原始最优化问题为

$$\min_{w,b} \quad \frac{1}{2}\|w\|^2$$

$$\text{s.t.} \quad y_i(w \cdot x_i + b) - 1 \geq 0, \quad i = 1, 2, \cdots, N$$

求得最优化问题的解为 w^*，b^*，得到线性可分支持向量机，分离超平面是

$$w^* \cdot x + b^* = 0$$

分类决策函数是

$$f(x) = \text{sign}(w^* \cdot x + b^*)$$

最大间隔法中，函数间隔与几何间隔是重要的概念．

线性可分支持向量机的最优解存在且唯一．位于间隔边界上的实例点为支持向量．最优分离超平面由支持向量完全决定．

二次规划问题的对偶问题是

$$\min \quad \frac{1}{2}\sum_{i=1}^{N}\sum_{j=1}^{N} \alpha_i \alpha_j y_i y_j (x_i \cdot x_j) - \sum_{i=1}^{N} \alpha_i$$

$$\text{s.t.} \quad \sum_{i=1}^{N} \alpha_i y_i = 0$$

$$\alpha_i \geq 0, \quad i = 1, 2, \cdots, N$$

通常，通过求解对偶问题学习线性可分支持向量机，即首先求解对偶问题的最优值 α^*，然后求最优值 w^* 和 b^*，得出分离超平面和分类决策函数．

2．现实中训练数据是线性可分的情形较少，训练数据往往是近似线性可分

的，这时使用线性支持向量机，或软间隔支持向量机．线性支持向量机是最基本的支持向量机．

对于噪声或例外，通过引入松弛变量 ξ_i，使其"可分"，得到线性支持向量机学习的凸二次规划问题，其原始最优化问题是

$$\min_{w,b,\xi} \quad \frac{1}{2}\|w\|^2 + C\sum_{i=1}^{N}\xi_i$$

$$\text{s.t.} \quad y_i(w \cdot x_i + b) \geq 1 - \xi_i, \quad i = 1,2,\cdots,N$$

$$\xi_i \geq 0, \quad i = 1,2,\cdots,N$$

求解原始最优化问题的解 w^*, b^*，得到线性支持向量机，其分离超平面为

$$w^* \cdot x + b^* = 0$$

分类决策函数为

$$f(x) = \text{sign}(w^* \cdot x + b^*)$$

线性可分支持向量机的解 w^* 唯一但 b^* 不唯一．

对偶问题是

$$\min_{\alpha} \quad \frac{1}{2}\sum_{i=1}^{N}\sum_{j=1}^{N}\alpha_i\alpha_j y_i y_j(x_i \cdot x_j) - \sum_{i=1}^{N}\alpha_i$$

$$\text{s.t.} \quad \sum_{i=1}^{N}\alpha_i y_i = 0$$

$$0 \leq \alpha_i \leq C, \quad i = 1,2,\cdots,N$$

线性支持向量机的对偶学习算法，首先求解对偶问题得到最优解 α^*，然后求原始问题最优解 w^* 和 b^*，得出分离超平面和分类决策函数．

对偶问题的解 α^* 中满足 $\alpha_i^* > 0$ 的实例点 x_i 称为支持向量．支持向量可在间隔边界上，也可在间隔边界与分离超平面之间，或者在分离超平面误分一侧．最优分离超平面由支持向量完全决定．

线性支持向量机学习等价于最小化二阶范数正则化的合页函数

$$\sum_{i=1}^{N}\left[1 - y_i(w \cdot x_i + b)\right]_+ + \lambda\|w\|^2$$

3．非线性支持向量机

对于输入空间中的非线性分类问题，可以通过非线性变换将它转化为某个高

维特征空间中的线性分类问题，在高维特征空间中学习线性支持向量机．由于在线性支持向量机学习的对偶问题里，目标函数和分类决策函数都只涉及实例与实例之间的内积，所以不需要显式地指定非线性变换，而是用核函数来替换当中的内积．核函数表示，通过一个非线性转换后的两个实例间的内积．具体地，$K(x,z)$ 是一个核函数，或正定核，意味着存在一个从输入空间 $\mathcal{X}$ 到特征空间 $\mathcal{H}$ 的映射 $\phi(x): \mathcal{X} \to \mathcal{H}$，对任意 $x, z \in \mathcal{X}$，有

$$K(x,z) = \phi(x) \cdot \phi(z)$$

对称函数 $K(x,z)$ 为正定核的充要条件如下：对任意 $x_i \in \mathcal{X}$，$i = 1, 2, \cdots, m$，任意正整数 m，对称函数 $K(x,z)$ 对应的 Gram 矩阵是半正定的．

所以，在线性支持向量机学习的对偶问题中，用核函数 $K(x,z)$ 替代内积，求解得到的就是非线性支持向量机

$$f(x) = \text{sign}\left(\sum_{i=1}^{N} \alpha_i^* y_i K(x, x_i) + b^* \right)$$

4. SMO 算法

SMO 算法是支持向量机学习的一种快速算法，其特点是不断地将原二次规划问题分解为只有两个变量的二次规划子问题，并对子问题进行解析求解，直到所有变量满足 KKT 条件为止．这样通过启发式的方法得到原二次规划问题的最优解．因为子问题有解析解，所以每次计算子问题都很快，虽然计算子问题次数很多，但在总体上还是高效的．

继 续 阅 读

线性支持向量机（软间隔）由 Cortes 与 Vapnik 提出[1]．同时，Boser, Guyon 与 Vapnik 又引入核技巧，提出非线性支持向量机[2]．Drucker 等人将其扩展到支持向量回归[3]．Vapnik Vladimir 在他的统计学习理论[4]一书中对支持向量机的泛化能力进行了论述．

Platt 提出了支持向量机的快速学习算法 SMO[5]，Joachims 实现的 SVM Light，以及 Chang 与 Lin 实现的 LIBSVM 软件包被广泛使用．②

原始的支持向量机是二类分类模型，又被推广到多类分类支持向量机[6,7]，以及用于结构预测的结构支持向量机[8]．

关于支持向量机的文献很多．支持向量机的介绍可参照文献[9~12]．核方法

---

② SVM Light: http://svmlight.joachims.org/. LIBSVM: http://www.csie.ntu.edu.tw/~cjlin/libsvm/.

被认为是比支持向量机更具一般性的机器学习方法. 核方法的介绍可参考文献 [13~15].

习　　题

1.1　比较感知机的对偶形式与线性可分支持向量机的对偶形式.

1.2　已知正例点 $x_1 = (1,2)^T$, $x_2 = (2,3)^T$, $x_3 = (3,3)^T$, 负例点 $x_4 = (2,1)^T$, $x_5 = (3,2)^T$, 试求最大间隔分离超平面和分类决策函数, 并在图上画出分离超平面、间隔边界及支持向量.

1.3　线性支持向量机还可以定义为以下形式:

$$\min_{w,b,\xi} \quad \frac{1}{2}\|w\|^2 + C\sum_{i=1}^{N}\xi_i^2$$

$$\text{s.t.} \quad y_i(w \cdot x_i + b) \geqslant 1 - \xi_i, \quad i = 1,2,\cdots,N$$

$$\xi_i \geqslant 0, \quad i = 1,2,\cdots,N$$

试求其对偶形式.

1.4　证明内积的正整数幂函数:

$$K(x,z) = (x \cdot z)^p$$

是正定核函数, 这里 p 是正整数, $x,z \in \mathbf{R}^n$.

参 考 文 献

[1]　Cortes C, Vapnik V. Support-vector networks. Machine Learning, 1995, 20

[2]　Boser BE, Guyon IM, Vapnik VN. A training algorithm for optimal margin classifiers. In: Haussler D, ed. Proc of the 5th Annual ACM Workshop on COLT. Pittsburgh, PA, 1992, 144–152

[3]　Drucker H, Burges CJC, Kaufman L, Smola A, Vapnik V. Support vector regression machines. In: Advances in Neural Information Processing Systems 9, NIPS 1996. MIT Press, 155–161

[4]　Vapnik Vladimir N. The Nature of Statistical Learning Theory. Berlin: Springer-Verlag, 1995 （中译本: 张学工, 译. 统计学习理论的本质. 北京: 清华大学出版社, 2000）

[5]　Platt JC. Fast training of support vector machines using sequential minimal optimization. Microsoft Research, http://research.microsoft.com/apps/pubs/?id=68391

[6]　Weston JAE, Watkins C. Support vector machines for multi-class pattern recognition. In: Proceedings of the 7th European Symposium on Articial Neural Networks. 1999

[7]　Crammer K, Singer Y. On the algorithmic implementation of multiclass kernel-based machines. Journal of Machine Learning Research, 2001, 2 (Dec): 265–292

[8] Tsochantaridis I, Joachims T, Hofmann T, Altun Y. Large margin methods for structured and interdependent output variables. JMLR, 2005, 6: 1453–1484

[9] Burges JC. A tutorial on support vector machines for pattern recognition. Bell Laboratories, Lucent Technologies. 1997

[10] Cristianini N, Shawe-Taylor J. An Introduction to Support Vector Machines and Othre Kerner-Based Learning Methods. Cambridge University Press，2000（中译本：李国正，等译. 支持向量机导论. 北京：电子工业出版社，2004）

[11] 邓乃扬，田英杰. 数据挖掘中的新方法——支持向量机. 北京：科学出版社，2004

[12] 邓乃扬，田英杰. 支持向量机——理论，算法与拓展. 北京：科学出版社，2009

[13] Scholkpf B, Smola AJ. Learning with Kernels: Support Vector Machines, Regularization, Optimization, and Beyond. MIT Press, 2002

[14] Herbrich R. Learning Kernel Classifiers, Theory and Algorithms. The MIT Press, 2002

[15] Hofmann T, Scholkopf B, Smola AJ. Kernel methods in machine learning. The Annals of Statistics, 2008, 36(3): 1171–1220

第8章 提升方法

提升（boosting）方法是一种常用的统计学习方法，应用广泛且有效. 在分类问题中，它通过改变训练样本的权重，学习多个分类器，并将这些分类器进行线性组合，提高分类的性能.

本章首先介绍提升方法的思路和代表性的提升算法 AdaBoost；然后通过训练误差分析探讨 AdaBoost 为什么能够提高学习精度；并且从前向分步加法模型的角度解释 AdaBoost；最后叙述提升方法更具体的实例——提升树（boosting tree）. AdaBoost 算法是 1995 年由 Freund 和 Schapire 提出的，提升树是 2000 年由 Friedman 等人提出的.

8.1 提升方法 AdaBoost 算法

8.1.1 提升方法的基本思路

提升方法基于这样一种思想：对于一个复杂任务来说，将多个专家的判断进行适当的综合所得出的判断，要比其中任何一个专家单独的判断好. 实际上，就是"三个臭皮匠顶个诸葛亮"的道理.

历史上，Kearns 和 Valiant 首先提出了"强可学习（strongly learnable）"和"弱可学习（weakly learnable）"的概念. 指出：在概率近似正确（probably approximately correct，PAC）学习的框架中，一个概念（一个类），如果存在一个多项式的学习算法能够学习它，并且正确率很高，那么就称这个概念是强可学习的；一个概念，如果存在一个多项式的学习算法能够学习它，学习的正确率仅比随机猜测略好，那么就称这个概念是弱可学习的. 非常有趣的是 Schapire 后来证明强可学习与弱可学习是等价的，也就是说，在 PAC 学习的框架下，一个概念是强可学习的充分必要条件是这个概念是弱可学习的.

这样一来，问题便成为，在学习中，如果已经发现了"弱学习算法"，那么能否将它提升（boost）为"强学习算法". 大家知道，发现弱学习算法通常要比发现强学习算法容易得多. 那么如何具体实施提升，便成为开发提升方法时所要解决的问题. 关于提升方法的研究很多，有很多算法被提出. 最具代表性的是 AdaBoost 算法（AdaBoost algorithm）.

对于分类问题而言，给定一个训练样本集，求比较粗糙的分类规则（弱分类器）要比求精确的分类规则（强分类器）容易得多. 提升方法就是从弱学习算法出发，反复学习，得到一系列弱分类器（又称为基本分类器），然后组合这些弱分类器, 构成一个强分类器. 大多数的提升方法都是改变训练数据的概率分布 (训练数据的权值分布), 针对不同的训练数据分布调用弱学习算法学习一系列弱分类器.

这样, 对提升方法来说, 有两个问题需要回答: 一是在每一轮如何改变训练数据的权值或概率分布; 二是如何将弱分类器组合成一个强分类器. 关于第 1 个问题, AdaBoost 的做法是, 提高那些被前一轮弱分类器错误分类样本的权值, 而降低那些被正确分类样本的权值. 这样一来, 那些没有得到正确分类的数据, 由于其权值的加大而受到后一轮的弱分类器的更大关注. 于是, 分类问题被一系列的弱分类器 "分而治之". 至于第 2 个问题, 即弱分类器的组合, AdaBoost 采取加权多数表决的方法. 具体地, 加大分类误差率小的弱分类器的权值, 使其在表决中起较大的作用, 减小分类误差率大的弱分类器的权值, 使其在表决中起较小的作用.

AdaBoost 的巧妙之处就在于它将这些想法自然且有效地实现在一种算法里.

8.1.2 AdaBoost 算法

现在叙述 AdaBoost 算法. 假设给定一个二类分类的训练数据集

$$T = \{(x_1, y_1), (x_2, y_2), \cdots, (x_N, y_N)\}$$

其中, 每个样本点由实例与标记组成. 实例 $x_i \in \mathcal{X} \subseteq \mathbf{R}^n$, 标记 $y_i \in \mathcal{Y} = \{-1, +1\}$, $\mathcal{X}$ 是实例空间, $\mathcal{Y}$ 是标记集合. AdaBoost 利用以下算法, 从训练数据中学习一系列弱分类器或基本分类器, 并将这些弱分类器线性组合成为一个强分类器.

算法 8.1 (AdaBoost)

输入: 训练数据集 $T = \{(x_1, y_1), (x_2, y_2), \cdots, (x_N, y_N)\}$, 其中 $x_i \in \mathcal{X} \subseteq \mathbf{R}^n$, $y_i \in \mathcal{Y} = \{-1, +1\}$; 弱学习算法;

输出: 最终分类器 $G(x)$.

(1) 初始化训练数据的权值分布

$$D_1 = (w_{11}, \cdots, w_{1i}, \cdots, w_{1N}), \quad w_{1i} = \frac{1}{N}, \quad i = 1, 2, \cdots, N$$

(2) 对 $m = 1, 2, \cdots, M$

(a) 使用具有权值分布 D_m 的训练数据集学习, 得到基本分类器

$$G_m(x): \mathcal{X} \to \{-1, +1\}$$

(b) 计算 $G_m(x)$ 在训练数据集上的分类误差率

$$e_m = P(G_m(x_i) \neq y_i) = \sum_{i=1}^{N} w_{mi} I(G_m(x_i) \neq y_i) \tag{8.1}$$

（c）计算 $G_m(x)$ 的系数

$$\alpha_m = \frac{1}{2}\log\frac{1-e_m}{e_m}、 \tag{8.2}$$

这里的对数是自然对数.

（d）更新训练数据集的权值分布

$$D_{m+1} = (w_{m+1,1},\cdots,w_{m+1,i},\cdots,w_{m+1,N}) \tag{8.3}$$

$$w_{m+1,i} = \frac{w_{mi}}{Z_m}\exp(-\alpha_m y_i G_m(x_i)), \quad i=1,2,\cdots,N \tag{8.4}$$

这里，Z_m 是规范化因子

$$Z_m = \sum_{i=1}^{N} w_{mi}\exp(-\alpha_m y_i G_m(x_i)) \tag{8.5}$$

它使 D_{m+1} 成为一个概率分布.

（3）构建基本分类器的线性组合

$$f(x) = \sum_{m=1}^{M}\alpha_m G_m(x) \tag{8.6}$$

得到最终分类器

$$G(x) = \text{sign}(f(x)) = \text{sign}\left(\sum_{m=1}^{M}\alpha_m G_m(x)\right) \tag{8.7}$$

对 AdaBoost 算法作如下说明：

步骤（1） 假设训练数据集具有均匀的权值分布，即每个训练样本在基本分类器的学习中作用相同，这一假设保证第 1 步能够在原始数据上学习基本分类器 $G_1(x)$.

步骤（2） AdaBoost 反复学习基本分类器，在每一轮 $m=1,2,\cdots,M$ 顺次地执行下列操作：

（a）使用当前分布 D_m 加权的训练数据集，学习基本分类器 $G_m(x)$.

（b）计算基本分类器 $G_m(x)$ 在加权训练数据集上的分类误差率：

$$e_m = P(G_m(x_i) \ne y_i) = \sum_{G_m(x_i)\ne y_i} w_{mi} \tag{8.8}$$

这里，w_{mi} 表示第 m 轮中第 i 个实例的权值，$\sum_{i=1}^{N} w_{mi} = 1$. 这表明，$G_m(x)$ 在加权的训练数据集上的分类误差率是被 $G_m(x)$ 误分类样本的权值之和，由此可以看出数据权值分布 D_m 与基本分类器 $G_m(x)$ 的分类误差率的关系.

（c）计算基本分类器 $G_m(x)$ 的系数 α_m. α_m 表示 $G_m(x)$ 在最终分类器中的重要性. 由式 (8.2) 可知，当 $e_m \le \frac{1}{2}$ 时，$\alpha_m \ge 0$，并且 α_m 随着 e_m 的减小而增大，所以分类误差率越小的基本分类器在最终分类器中的作用越大.

（d）更新训练数据的权值分布为下一轮作准备. 式 (8.4) 可以写成：

$$w_{m+1,i} = \begin{cases} \dfrac{w_{mi}}{Z_m} \mathrm{e}^{-\alpha_m}, & G_m(x_i) = y_i \\ \dfrac{w_{mi}}{Z_m} \mathrm{e}^{\alpha_m}, & G_m(x_i) \neq y_i \end{cases}$$

由此可知，被基本分类器 $G_m(x)$ 误分类样本的权值得以扩大，而被正确分类样本的权值却得以缩小. 两相比较，误分类样本的权值被放大 $\mathrm{e}^{2\alpha_m} = \dfrac{e_m}{1-e_m}$ 倍. 因此，误分类样本在下一轮学习中起更大的作用. 不改变所给的训练数据，而不断改变训练数据权值的分布，使得训练数据在基本分类器的学习中起不同的作用，这是 AdaBoost 的一个特点.

步骤（3） 线性组合 $f(x)$ 实现 M 个基本分类器的加权表决. 系数 α_m 表示了基本分类器 $G_m(x)$ 的重要性，这里，所有 α_m 之和并不为 1. $f(x)$ 的符号决定实例 x 的类，$f(x)$ 的绝对值表示分类的确信度. 利用基本分类器的线性组合构建最终分类器是 AdaBoost 的另一特点.

8.1.3 AdaBoost 的例子[①]

例 8.1 给定如表 8.1 所示训练数据. 假设弱分类器由 $x < v$ 或 $x > v$ 产生，其阈值 v 使该分类器在训练数据集上分类误差率最低. 试用 AdaBoost 算法学习一个强分类器.

表 8.1 训练数据表

序号	1	2	3	4	5	6	7	8	9	10
x	0	1	2	3	4	5	6	7	8	9
y	1	1	1	-1	-1	-1	1	1	1	-1

解 初始化数据权值分布

$$D_1 = (w_{11}, w_{12}, \cdots, w_{110})$$
$$w_{1i} = 0.1, \quad i = 1, 2, \cdots, 10$$

对 $m = 1$，

（a）在权值分布为 D_1 的训练数据上，阈值 v 取 2.5 时分类误差率最低，故基本分类器为

$$G_1(x) = \begin{cases} 1, & x < 2.5 \\ -1, & x > 2.5 \end{cases}$$

[①] 例题来源于 http://www.csie.edu.tw。

（b）$G_1(x)$ 在训练数据集上的误差率 $e_1 = P(G_1(x_i) \neq y_i) = 0.3$.

（c）计算 $G_1(x)$ 的系数：$\alpha_1 = \dfrac{1}{2}\log\dfrac{1-e_1}{e_1} = 0.4236$.

（d）更新训练数据的权值分布：

$$D_2 = (w_{21}, \cdots, w_{2i}, \cdots, w_{210})$$

$$w_{2i} = \frac{w_{1i}}{Z_1}\exp(-\alpha_1 y_i G_1(x_i)), \quad i = 1, 2, \cdots, 10$$

$$D_2 = (0.07143, 0.07143, 0.07143, 0.07143, 0.07143, 0.07143,$$
$$0.16667, 0.16667, 0.16667, 0.07143)$$

$$f_1(x) = 0.4236G_1(x)$$

分类器 $\text{sign}[f_1(x)]$ 在训练数据集上有 3 个误分类点.

对 $m = 2$，

（a）在权值分布为 D_2 的训练数据上，阈值 v 是 8.5 时分类误差率最低，基本分类器为

$$G_2(x) = \begin{cases} 1, & x < 8.5 \\ -1, & x > 8.5 \end{cases}$$

（b）$G_2(x)$ 在训练数据集上的误差率 $e_2 = 0.2143$.

（c）计算 $\alpha_2 = 0.6496$.

（d）更新训练数据权值分布：

$$D_3 = (0.0455, 0.0455, 0.0455, 0.1667, 0.1667, 0.1667,$$
$$0.1060, 0.1060, 0.1060, 0.0455)$$

$$f_2(x) = 0.4236G_1(x) + 0.6496G_2(x)$$

分类器 $\text{sign}[f_2(x)]$ 在训练数据集上有 3 个误分类点.

对 $m = 3$，

（a）在权值分布为 D_3 的训练数据上，阈值 v 是 5.5 时分类误差率最低，基本分类器为

$$G_3(x) = \begin{cases} 1, & x > 5.5 \\ -1, & x < 5.5 \end{cases}$$

（b）$G_3(x)$ 在训练样本集上的误差率 $e_3 = 0.1820$.

（c）计算 $\alpha_3 = 0.7514$.

（d）更新训练数据的权值分布：

$$D_4 = (0.125, 0.125, 0.125, 0.102, 0.102, 0.102, 0.065, 0.065, 0.065, 0.125)$$

于是得到：

$$f_3(x) = 0.4236G_1(x) + 0.6496G_2(x) + 0.7514G_3(x)$$

分类器 $\text{sign}[f_3(x)]$ 在训练数据集上误分类点个数为 0.

于是最终分类器为

$$G(x) = \text{sign}[f_3(x)] = \text{sign}[0.4236G_1(x) + 0.6496G_2(x) + 0.7514G_3(x)]$$

8.2　AdaBoost 算法的训练误差分析

AdaBoost 最基本的性质是它能在学习过程中不断减少训练误差, 即在训练数据集上的分类误差率. 关于这个问题有下面的定理:

定理 8.1（AdaBoost 的训练误差界）　AdaBoost 算法最终分类器的训练误差界为

$$\frac{1}{N}\sum_{i=1}^{N}I(G(x_i) \neq y_i) \leqslant \frac{1}{N}\sum_i \exp(-y_i f(x_i)) = \prod_m Z_m \tag{8.9}$$

这里, $G(x)$, $f(x)$ 和 Z_m 分别由式 (8.7)、式 (8.6) 和式 (8.5) 给出.

证明　当 $G(x_i) \neq y_i$ 时, $y_i f(x_i) < 0$, 因而 $\exp(-y_i f(x_i)) \geqslant 1$. 由此直接推导出前半部分.

后半部分的推导要用到 Z_m 的定义式 (8.5) 及式 (8.4) 的变形:

$$w_{mi}\exp(-\alpha_m y_i G_m(x_i)) = Z_m w_{m+1,i}$$

现推导如下:

$$\frac{1}{N}\sum_i \exp(-y_i f(x_i))$$

$$= \frac{1}{N}\sum_i \exp\left(-\sum_{m=1}^{M}\alpha_m y_i G_m(x_i)\right)$$

$$= \sum_i w_{1i}\prod_{m=1}^{M}\exp(-\alpha_m y_i G_m(x_i))$$

$$= Z_1 \sum_i w_{2i}\prod_{m=2}^{M}\exp(-\alpha_m y_i G_m(x_i))$$

$$= Z_1 Z_2 \sum_i w_{3i}\prod_{m=3}^{M}\exp(-\alpha_m y_i G_m(x_i))$$

$$= \cdots$$

$$= Z_1 Z_2 \cdots Z_{M-1}\sum_i w_{Mi}\exp(-\alpha_M y_i G_M(x_i))$$

$$= \prod_{m=1}^{M}Z_m$$

这一定理说明，可以在每一轮选取适当的 G_m 使得 Z_m 最小，从而使训练误差下降最快. 对二类分类问题，有如下结果：

定理 8.2（**二类分类问题 AdaBoost 的训练误差界**）

$$\prod_{m=1}^{M} Z_m = \prod_{m=1}^{M} [2\sqrt{e_m(1-e_m)}] = \prod_{m=1}^{M} \sqrt{(1-4\gamma_m^2)} \leqslant \exp\left(-2\sum_{m=1}^{M} \gamma_m^2\right) \qquad (8.10)$$

这里，$\gamma_m = \dfrac{1}{2} - e_m$.

证明 由 Z_m 的定义式 (8.5) 及式 (8.8) 得

$$
\begin{aligned}
Z_m &= \sum_{i=1}^{N} w_{mi} \exp(-\alpha_m y_i G_m(x_i)) \\
&= \sum_{y_i = G_m(x_i)} w_{mi} e^{-\alpha_m} + \sum_{y_i \neq G_m(x_i)} w_{mi} e^{\alpha_m} \\
&= (1-e_m) e^{-\alpha_m} + e_m e^{\alpha_m} \\
&= 2\sqrt{e_m(1-e_m)} = \sqrt{1-4\gamma_m^2}
\end{aligned}
\qquad (8.11)
$$

至于不等式

$$\prod_{m=1}^{M} \sqrt{(1-4\gamma_m^2)} \leqslant \exp\left(-2\sum_{m=1}^{M} \gamma_m^2\right)$$

则可先由 e^x 和 $\sqrt{1-x}$ 在点 $x=0$ 的泰勒展开式推出不等式 $\sqrt{(1-4\gamma_m^2)} \leqslant \exp(-2\gamma_m^2)$，进而得到. ∎

推论 8.1 如果存在 $\gamma > 0$，对所有 m 有 $\gamma_m \geqslant \gamma$，则

$$\frac{1}{N} \sum_{i=1}^{N} I(G(x_i) \neq y_i) \leqslant \exp(-2M\gamma^2) \qquad (8.12)$$

这表明在此条件下 AdaBoost 的训练误差是以指数速率下降的. 这一性质当然是很有吸引力的.

注意，AdaBoost 算法不需要知道下界 γ. 这正是 Freund 与 Schapire 设计 AdaBoost 时所考虑的. 与一些早期的提升方法不同，AdaBoost 具有适应性，即它能适应弱分类器各自的训练误差率. 这也是它的名称（适应的提升）的由来，Ada 是 Adaptive 的简写.

8.3 AdaBoost 算法的解释

AdaBoost 算法还有另一个解释，即可以认为 AdaBoost 算法是模型为加法模型、损失函数为指数函数、学习算法为前向分步算法时的二类分类学习方法.

8.3.1　前向分步算法

考虑加法模型（additive model）

$$f(x) = \sum_{m=1}^{M} \beta_m b(x; \gamma_m) \tag{8.13}$$

其中，$b(x; \gamma_m)$ 为基函数，γ_m 为基函数的参数，β_m 为基函数的系数. 显然，式 (8.6) 是一个加法模型.

在给定训练数据及损失函数 $L(y, f(x))$ 的条件下，学习加法模型 $f(x)$ 成为经验风险极小化即损失函数极小化问题：

$$\min_{\beta_m, \gamma_m} \sum_{i=1}^{N} L\left(y_i, \sum_{m=1}^{M} \beta_m b(x_i; \gamma_m) \right) \tag{8.14}$$

通常这是一个复杂的优化问题. 前向分步算法（forward stagewise algorithm）求解这一优化问题的想法是：因为学习的是加法模型，如果能够从前向后，每一步只学习一个基函数及其系数，逐步逼近优化目标函数式 (8.14)，那么就可以简化优化的复杂度. 具体地，每步只需优化如下损失函数：

$$\min_{\beta, \gamma} \sum_{i=1}^{N} L\left(y_i, \beta b(x_i; \gamma) \right) \tag{8.15}$$

给定训练数据集 $T = \{(x_1, y_1), (x_2, y_2), \cdots, (x_N, y_N)\}$，$x_i \in \mathcal{X} \subseteq \mathbf{R}^n$，$y_i \in \mathcal{Y} = \{-1, +1\}$. 损失函数 $L(y, f(x))$ 和基函数的集合 $\{b(x; \gamma)\}$，学习加法模型 $f(x)$ 的前向分步算法如下：

算法 8.2（前向分步算法）

输入：训练数据集 $T = \{(x_1, y_1), (x_2, y_2), \cdots, (x_N, y_N)\}$；损失函数 $L(y, f(x))$；基函数集 $\{b(x; \gamma)\}$；

输出：加法模型 $f(x)$.

（1）初始化 $f_0(x) = 0$

（2）对 $m = 1, 2, \cdots, M$

（a）极小化损失函数

$$(\beta_m, \gamma_m) = \arg\min_{\beta, \gamma} \sum_{i=1}^{N} L\left(y_i, f_{m-1}(x_i) + \beta b(x_i; \gamma) \right) \tag{8.16}$$

得到参数 β_m，γ_m

（b）更新

$$f_m(x) = f_{m-1}(x) + \beta_m b(x; \gamma_m) \tag{8.17}$$

（3）得到加法模型

$$f(x) = f_M(x) = \sum_{m=1}^{M} \beta_m b(x; \gamma_m) \tag{8.18}$$

这样，前向分步算法将同时求解从 $m=1$ 到 M 所有参数 β_m，γ_m 的优化问题简化为逐次求解各个 β_m，γ_m 的优化问题.

8.3.2 前向分步算法与 AdaBoost

由前向分步算法可以推导出 AdaBoost，用定理叙述这一关系.

定理 8.3 AdaBoost 算法是前向分步加法算法的特例. 这时，模型是由基本分类器组成的加法模型，损失函数是指数函数.

证明 前向分步算法学习的是加法模型，当基函数为基本分类器时，该加法模型等价于 AdaBoost 的最终分类器

$$f(x) = \sum_{m=1}^{M} \alpha_m G_m(x) \tag{8.19}$$

由基本分类器 $G_m(x)$ 及其系数 α_m 组成，$m=1,2,\cdots,M$. 前向分步算法逐一学习基函数，这一过程与 AdaBoost 算法逐一学习基本分类器的过程一致. 下面证明前向分步算法的损失函数是指数损失函数（exponential loss function）

$$L(y, f(x)) = \exp[-yf(x)]$$

时，其学习的具体操作等价于 AdaBoost 算法学习的具体操作.

假设经过 $m-1$ 轮迭代前向分步算法已经得到 $f_{m-1}(x)$：

$$\begin{aligned} f_{m-1}(x) &= f_{m-2}(x) + \alpha_{m-1} G_{m-1}(x) \\ &= \alpha_1 G_1(x) + \cdots + \alpha_{m-1} G_{m-1}(x) \end{aligned}$$

在第 m 轮迭代得到 α_m，$G_m(x)$ 和 $f_m(x)$.

$$f_m(x) = f_{m-1}(x) + \alpha_m G_m(x)$$

目标是使前向分步算法得到的 α_m 和 $G_m(x)$ 使 $f_m(x)$ 在训练数据集 T 上的指数损失最小，即

$$(\alpha_m, G_m(x)) = \arg\min_{\alpha, G} \sum_{i=1}^{N} \exp[-y_i(f_{m-1}(x_i) + \alpha G(x_i))] \tag{8.20}$$

式 (8.20) 可以表示为

$$(\alpha_m, G_m(x)) = \arg\min_{\alpha, G} \sum_{i=1}^{N} \overline{w}_{mi} \exp[-y_i \alpha G(x_i)] \tag{8.21}$$

其中，$\overline{w}_{mi} = \exp[-y_i f_{m-1}(x_i)]$. 因为 $\overline{w}_{mi}$ 既不依赖 α 也不依赖于 G，所以与最小化无关. 但 $\overline{w}_{mi}$ 依赖于 $f_{m-1}(x)$，随着每一轮迭代而发生改变.

现证使式 (8.21) 达到最小的 α_m^* 和 $G_m^*(x)$ 就是 AdaBoost 算法所得到的 α_m 和 $G_m(x)$. 求解式 (8.21) 可分两步：

首先，求 $G_m^*(x)$. 对任意 $\alpha > 0$，使式 (8.21) 最小的 $G(x)$ 由下式得到：

$$G_m^*(x) = \arg\min_G \sum_{i=1}^N \overline{w}_{mi} I(y_i \neq G(x_i))$$

其中，$\overline{w}_{mi} = \exp[-y_i f_{m-1}(x_i)]$.

　　此分类器 $G_m^*(x)$ 即为 AdaBoost 算法的基本分类器 $G_m(x)$，因为它是使第 m 轮加权训练数据分类误差率最小的基本分类器.

　　之后，求 α_m^*. 参照式 (8.11)，式 (8.21) 中

$$\sum_{i=1}^N \overline{w}_{mi} \exp[-y_i \alpha G(x_i)]$$
$$= \sum_{y_i = G_m(x_i)} \overline{w}_{mi} \mathrm{e}^{-\alpha} + \sum_{y_i \neq G_m(x_i)} \overline{w}_{mi} \mathrm{e}^{\alpha}$$
$$= (\mathrm{e}^{\alpha} - \mathrm{e}^{-\alpha}) \sum_{i=1}^N \overline{w}_{mi} I(y_i \neq G(x_i)) + \mathrm{e}^{-\alpha} \sum_{i=1}^N \overline{w}_{mi} \tag{8.22}$$

将已求得的 $G_m^*(x)$ 代入式 (8.22)，对 α 求导并使导数为 0，即得到使式 (8.21) 最小的 α.

$$\alpha_m^* = \frac{1}{2} \log \frac{1 - e_m}{e_m}$$

其中，e_m 是分类误差率：

$$e_m = \frac{\displaystyle\sum_{i=1}^N \overline{w}_{mi} I(y_i \neq G_m(x_i))}{\displaystyle\sum_{i=1}^N \overline{w}_{mi}} = \sum_{i=1}^N w_{mi} I(y_i \neq G_m(x_i))$$

　　这里的 α_m^* 与 AdaBoost 算法第 2(c) 步的 α_m 完全一致.

　　最后来看每一轮样本权值的更新. 由

$$f_m(x) = f_{m-1}(x) + \alpha_m G_m(x)$$

以及 $\overline{w}_{mi} = \exp[-y_i f_{m-1}(x_i)]$，可得

$$\overline{w}_{m+1,i} = \overline{w}_{m,i} \exp[-y_i \alpha_m G_m(x)]$$

　　这与 AdaBoost 算法第 2(d) 步的样本权值的更新，只相差规范化因子，因而等价.　■

8.4　提　升　树

　　提升树是以分类树或回归树为基本分类器的提升方法. 提升树被认为是统计学习中性能最好的方法之一.

8.4.1 提升树模型

提升方法实际采用加法模型（即基函数的线性组合）与前向分步算法. 以决策树为基函数的提升方法称为提升树（boosting tree）. 对分类问题决策树是二叉分类树，对回归问题决策树是二叉回归树. 在例 8.1 中看到的基本分类器 $x < v$ 或 $x > v$，可以看作是由一个根结点直接连接两个叶结点的简单决策树，即所谓的决策树桩（decision stump）. 提升树模型可以表示为决策树的加法模型：

$$f_M(x) = \sum_{m=1}^{M} T(x;\Theta_m) \tag{8.23}$$

其中，$T(x;\Theta_m)$ 表示决策树；Θ_m 为决策树的参数；M 为树的个数.

8.4.2 提升树算法

提升树算法采用前向分步算法. 首先确定初始提升树 $f_0(x) = 0$，第 m 步的模型是

$$f_m(x) = f_{m-1}(x) + T(x;\Theta_m) \tag{8.24}$$

其中，$f_{m-1}(x)$ 为当前模型，通过经验风险极小化确定下一棵决策树的参数 Θ_m，

$$\hat{\Theta}_m = \arg\min_{\Theta_m} \sum_{i=1}^{N} L(y_i, f_{m-1}(x_i) + T(x_i;\Theta_m)) \tag{8.25}$$

由于树的线性组合可以很好地拟合训练数据，即使数据中的输入与输出之间的关系很复杂也是如此，所以提升树是一个高功能的学习算法.

下面讨论针对不同问题的提升树学习算法，其主要区别在于使用的损失函数不同. 包括用平方误差损失函数的回归问题，用指数损失函数的分类问题，以及用一般损失函数的一般决策问题.

对于二类分类问题，提升树算法只需将 AdaBoost 算法 8.1 中的基本分类器限制为二类分类树即可，可以说这时的提升树算法是 AdaBoost 算法的特殊情况，这里不再细述. 下面叙述回归问题的提升树.

已知一个训练数据集 $T = \{(x_1, y_1), (x_2, y_2), \cdots, (x_N, y_N)\}$，$x_i \in \mathcal{X} \subseteq \mathbf{R}^n$，$\mathcal{X}$ 为输入空间，$y_i \in \mathcal{Y} \subseteq \mathbf{R}$，$\mathcal{Y}$ 为输出空间. 在 5.5 节中已经讨论了回归树的问题. 如果将输入空间 $\mathcal{X}$ 划分为 J 个互不相交的区域 $R_1, R_2, \cdots, R_J$，并且在每个区域上确定输出的常量 c_j，那么树可表示为

$$T(x;\Theta) = \sum_{j=1}^{J} c_j I(x \in R_j) \tag{8.26}$$

其中，参数 $\Theta = \{(R_1, c_1), (R_2, c_2), \cdots, (R_J, c_J)\}$ 表示树的区域划分和各区域上的常

数. J 是回归树的复杂度即叶结点个数.

回归问题提升树使用以下前向分步算法:

$$f_0(x) = 0$$
$$f_m(x) = f_{m-1}(x) + T(x; \Theta_m), \quad m = 1, 2, \cdots, M$$
$$f_M(x) = \sum_{m=1}^{M} T(x; \Theta_m)$$

在前向分步算法的第 m 步,给定当前模型 $f_{m-1}(x)$,需求解

$$\hat{\Theta}_m = \arg\min_{\Theta_m} \sum_{i=1}^{N} L(y_i, f_{m-1}(x_i) + T(x_i; \Theta_m))$$

得到 $\hat{\Theta}_m$,即第 m 棵树的参数.

当采用平方误差损失函数时,

$$L(y, f(x)) = (y - f(x))^2$$

其损失变为

$$\begin{aligned} &L(y, f_{m-1}(x) + T(x; \Theta_m)) \\ &= [y - f_{m-1}(x) - T(x; \Theta_m)]^2 \\ &= [r - T(x; \Theta_m)]^2 \end{aligned}$$

这里,

$$r = y - f_{m-1}(x) \tag{8.27}$$

是当前模型拟合数据的残差(residual). 所以,对回归问题的提升树算法来说,只需简单地拟合当前模型的残差. 这样,算法是相当简单的. 现将回归问题的提升树算法叙述如下.

算法 8.3(回归问题的提升树算法)

输入:训练数据集 $T = \{(x_1, y_1), (x_2, y_2), \cdots, (x_N, y_N)\}$, $x_i \in \mathcal{X} \subseteq \mathbf{R}^n$, $y_i \in \mathcal{Y} \subseteq \mathbf{R}$;

输出:提升树 $f_M(x)$.

(1)初始化 $f_0(x) = 0$

(2)对 $m = 1, 2, \cdots, M$

(a)按式 (8.27) 计算残差

$$r_{mi} = y_i - f_{m-1}(x_i), \quad i = 1, 2, \cdots, N$$

(b)拟合残差 r_{mi} 学习一个回归树,得到 $T(x; \Theta_m)$

(c)更新 $f_m(x) = f_{m-1}(x) + T(x; \Theta_m)$

（3）得到回归问题提升树

$$f_M(x) = \sum_{m=1}^{M} T(x; \Theta_m)$$ ∎

例 8.2 已知如表 8.2 所示的训练数据，x 的取值范围为区间 $[0.5, 10.5]$，y 的取值范围为区间 $[5.0, 10.0]$，学习这个回归问题的提升树模型，考虑只用树桩作为基函数.

表 8.2 训练数据表

x_i	1	2	3	4	5	6	7	8	9	10
y_i	5.56	5.70	5.91	6.40	6.80	7.05	8.90	8.70	9.00	9.05

解 按照算法 8.3，第 1 步求 $f_1(x)$ 即回归树 $T_1(x)$.

首先通过以下优化问题：

$$\min_{s}\left[\min_{c_1} \sum_{x_i \in R_1} (y_i - c_1)^2 + \min_{c_2} \sum_{x_i \in R_2} (y_i - c_2)^2 \right]$$

求解训练数据的切分点 s：

$$R_1 = \{x \mid x \leqslant s\}, \quad R_2 = \{x \mid x > s\}$$

容易求得在 R_1，R_2 内部使平方损失误差达到最小值的 c_1，c_2 为

$$c_1 = \frac{1}{N_1} \sum_{x_i \in R_1} y_i, \quad c_2 = \frac{1}{N_2} \sum_{x_i \in R_2} y_i$$

这里 N_1，N_2 是 R_1，R_2 的样本点数.

求训练数据的切分点. 根据所给数据，考虑如下切分点：

$$1.5, \ 2.5, \ 3.5, \ 4.5, \ 5.5, \ 6.5, \ 7.5, \ 8.5, \ 9.5$$

对各切分点，不难求出相应的 R_1，R_2，c_1，c_2 及

$$m(s) = \min_{c_1} \sum_{x_i \in R_1} (y_i - c_1)^2 + \min_{c_2} \sum_{x_i \in R_2} (y_i - c_2)^2$$

例如，当 $s = 1.5$ 时，$R_1 = \{1\}$，$R_2 = \{2, 3, \cdots, 10\}$，$c_1 = 5.56$，$c_2 = 7.50$，

$$m(s) = \min_{c_1} \sum_{x_i \in R_1} (y_i - c_1)^2 + \min_{c_2} \sum_{x_i \in R_2} (y_i - c_2)^2 = 0 + 15.72 = 15.72$$

现将 s 及 $m(s)$ 的计算结果列表如下（见表 8.3）.

表 8.3 计算数据表

s	1.5	2.5	3.5	4.5	5.5	6.5	7.5	8.5	9.5
$m(s)$	15.72	12.07	8.36	5.78	3.91	1.93	8.01	11.73	15.74

由表 8.3 可知，当 $s=6.5$ 时 $m(s)$ 达到最小值，此时 $R_1=\{1,2,\cdots,6\}$，$R_2=\{7,8,9,10\}$，$c_1=6.24$，$c_2=8.91$，所以回归树 $T_1(x)$ 为

$$T_1(x)=\begin{cases}6.24, & x<6.5\\ 8.91, & x\geqslant 6.5\end{cases}$$

$$f_1(x)=T_1(x)$$

用 $f_1(x)$ 拟合训练数据的残差见表 8.4，表中 $r_{2i}=y_i-f_1(x_i)$，$i=1,2,\cdots,10$.

表 8.4　残差表

x_i	1	2	3	4	5	6	7	8	9	10
r_{2i}	−0.68	−0.54	−0.33	0.16	0.56	0.81	−0.01	−0.21	0.09	0.14

用 $f_1(x)$ 拟合训练数据的平方损失误差：

$$L(y,f_1(x))=\sum_{i=1}^{10}(y_i-f_1(x_i))^2=1.93$$

第 2 步求 $T_2(x)$. 方法与求 $T_1(x)$ 一样，只是拟合的数据是表 8.4 的残差. 可以得到：

$$T_2(x)=\begin{cases}-0.52, & x<3.5\\ 0.22, & x\geqslant 3.5\end{cases}$$

$$f_2(x)=f_1(x)+T_2(x)=\begin{cases}5.72, & x<3.5\\ 6.46, & 3.5\leqslant x<6.5\\ 9.13, & x\geqslant 6.5\end{cases}$$

用 $f_2(x)$ 拟合训练数据的平方损失误差是

$$L(y,f_2(x))=\sum_{i=1}^{10}(y_i-f_2(x_i))^2=0.79$$

继续求得

$$T_3(x)=\begin{cases}0.15, & x<6.5\\ -0.22, & x\geqslant 6.5\end{cases}\qquad L(y,f_3(x))=0.47,$$

$$T_4(x)=\begin{cases}-0.16, & x<4.5\\ 0.11, & x\geqslant 4.5\end{cases}\qquad L(y,f_4(x))=0.30,$$

$$T_5(x)=\begin{cases}0.07, & x<6.5\\ -0.11, & x\geqslant 6.5\end{cases}\qquad L(y,f_5(x))=0.23,$$

$$T_6(x)=\begin{cases}-0.15, & x<2.5\\ 0.04, & x\geqslant 2.5\end{cases}$$

$$f_6(x) = f_5(x) + T_6(x) = T_1(x) + \cdots + T_5(x) + T_6(x)$$

$$= \begin{cases} 5.63, & x < 2.5 \\ 5.82, & 2.5 \leqslant x < 3.5 \\ 6.56, & 3.5 \leqslant x < 4.5 \\ 6.83, & 4.5 \leqslant x < 6.5 \\ 8.95, & x \geqslant 6.5 \end{cases}$$

用 $f_6(x)$ 拟合训练数据的平方损失误差是

$$L(y, f_6(x)) = \sum_{i=1}^{10} (y_i - f_6(x_i))^2 = 0.17$$

假设此时已满足误差要求,那么 $f(x) = f_6(x)$ 即为所求提升树. ∎

8.4.3 梯度提升

提升树利用加法模型与前向分步算法实现学习的优化过程. 当损失函数是平方损失和指数损失函数时,每一步优化是很简单的. 但对一般损失函数而言,往往每一步优化并不那么容易. 针对这一问题,Freidman 提出了梯度提升(gradient boosting)算法. 这是利用最速下降法的近似方法,其关键是利用损失函数的负梯度在当前模型的值

$$-\left[\frac{\partial L(y, f(x_i))}{\partial f(x_i)} \right]_{f(x) = f_{m-1}(x)}$$

作为回归问题提升树算法中的残差的近似值,拟合一个回归树.

算法 8.4(梯度提升算法)

输入:训练数据集 $T = \{(x_1, y_1), (x_2, y_2), \cdots, (x_N, y_N)\}$,$x_i \in \mathcal{X} \subseteq \mathbf{R}^n$,$y_i \in \mathcal{Y} \subseteq \mathbf{R}$;损失函数 $L(y, f(x))$;

输出:回归树 $\hat{f}(x)$.

(1)初始化

$$f_0(x) = \arg \min_c \sum_{i=1}^{N} L(y_i, c)$$

(2)对 $m = 1, 2, \cdots, M$

(a)对 $i = 1, 2, \cdots, N$,计算

$$r_{mi} = -\left[\frac{\partial L(y_i, f(x_i))}{\partial f(x_i)} \right]_{f(x) = f_{m-1}(x)}$$

(b)对 r_{mi} 拟合一个回归树,得到第 m 棵树的叶结点区域 R_{mj},$j = 1, 2, \cdots, J$

(c)对 $j = 1, 2, \cdots, J$,计算

$$c_{mj} = \arg\min_c \sum_{x_i \in R_{mj}} L(y_i, f_{m-1}(x_i) + c)$$

（d）更新 $f_m(x) = f_{m-1}(x) + \sum_{j=1}^{J} c_{mj} I(x \in R_{mj})$

（3）得到回归树

$$\hat{f}(x) = f_M(x) = \sum_{m=1}^{M} \sum_{j=1}^{J} c_{mj} I(x \in R_{mj})$$ ■

　　算法第 1 步初始化，估计使损失函数极小化的常数值，它是只有一个根结点的树．第 2 (a) 步计算损失函数的负梯度在当前模型的值，将它作为残差的估计．对于平方损失函数，它就是通常所说的残差；对于一般损失函数，它就是残差的近似值．第 2 (b) 步估计回归树叶结点区域，以拟合残差的近似值．第 2 (c) 步利用线性搜索估计叶结点区域的值，使损失函数极小化．第 2 (d) 步更新回归树．第 3 步得到输出的最终模型 $\hat{f}(x)$．

本 章 概 要

　　1．提升方法是将弱学习算法提升为强学习算法的统计学习方法．在分类学习中，提升方法通过反复修改训练数据的权值分布，构建一系列基本分类器（弱分类器），并将这些基本分类器线性组合，构成一个强分类器．代表性的提升方法是 AdaBoost 算法．

　　AdaBoost 模型是弱分类器的线性组合：

$$f(x) = \sum_{m=1}^{M} \alpha_m G_m(x)$$

　　2．AdaBoost 算法的特点是通过迭代每次学习一个基本分类器．每次迭代中，提高那些被前一轮分类器错误分类数据的权值，而降低那些被正确分类的数据的权值．最后，AdaBoost 将基本分类器的线性组合作为强分类器，其中给分类误差率小的基本分类器以大的权值，给分类误差率大的基本分类器以小的权值．

　　3．AdaBoost 的训练误差分析表明，AdaBoost 的每次迭代可以减少它在训练数据集上的分类误差率，这说明了它作为提升方法的有效性．

　　4．AdaBoost 算法的一个解释是该算法实际是前向分步算法的一个实现．在这个方法里，模型是加法模型，损失函数是指数损失，算法是前向分步算法．

　　每一步中极小化损失函数

$$(\beta_m, \gamma_m) = \arg\min_{\beta, \gamma} \sum_{i=1}^{N} L(y_i, f_{m-1}(x_i) + \beta b(x_i; \gamma))$$

得到参数 β_m，γ_m．

5．提升树是以分类树或回归树为基本分类器的提升方法．提升树被认为是统计学习中最有效的方法之一．

继 续 阅 读

提升方法的介绍可参见文献[1, 2]. PAC 学习可参见文献[3]．强可学习与弱可学习的关系可参见文献[4]．关于 AdaBoost 的最初论文是文献[5]．关于 AdaBoost 的前向分步加法模型解释参见文献[6]，提升树与梯度提升可参见文献[6, 7]. AdaBoost 只是用于二类分类，Schapire 与 Singer 将它扩展到多类分类问题[8]．AdaBoost 与逻辑斯谛回归的关系也有相关研究[9]．

习　　题

8.1　某公司招聘职员考查身体、业务能力、发展潜力这 3 项．身体分为合格 1、不合格 0 两级，业务能力和发展潜力分为上 1、中 2、下 3 三级．分类为合格 1、不合格 –1 两类．已知 10 个人的数据，如下表所示．假设弱分类器为决策树桩．试用 AdaBoost 算法学习一个强分类器．

应聘人员情况数据表

	1	2	3	4	5	6	7	8	9	10
身体	0	0	1	1	1	0	1	1	1	0
业务	1	3	2	1	2	1	1	1	3	2
潜力	3	1	2	3	3	2	2	1	1	1
分类	–1	–1	–1	–1	–1	–1	1	1	–1	–1

8.2　比较支持向量机、AdaBoost、逻辑斯谛回归模型的学习策略与算法．

参 考 文 献

[1] Freund Y，Schapire RE. A short introduction to boosting. Journal of Japanese Society for Artificial Intelligence, 1999, 14(5): 771–780

[2] Hastie T, Tibshirani R, Friedman J. The Elements of Statistical Learning: Data Mining, Inference, and Prediction. Springer-Verlag, 2001（中译本：统计学习基础——数据挖掘、推理与预测. 范明，柴玉梅，昝红英，等译. 北京：电子工业出版社，2004）

[3] Valiant LG. A theory of the learnable. Communications of the ACM, 1984, 27(11): 1134–1142

[4] Schapire R. The strength of weak learnability. Machine Learning, 1990, 5(2): 197–227

[5] Freund Y, Schapire RE. A decision-theoretic generalization of on-line learning and an

application to boosting. Computational Learning Theory. Lecture Notes in Computer Science, Vol. 904, 1995, 23–37

[6]   Friedman J, Hastie T, Tibshirani R. Additive logistic regression: a statistical view of boosting (with discussions). Annals of Statistics, 2000, 28: 337–407

[7]   Friedman J. Greedy function approximation: a gradient boosting machine. Annals of Statistics, 2001, 29(5)

[8]   Schapire RE, Singer Y. Improved boosting algorithms using confidence-rated predictions. Machine Learning, 1999, 37(3): 297–336

[9]   Collins M, Schapire R E, Singer Y. Logistic regression, AdaBoost and Bregman distances. Machine Learning Journal, 2004

第9章 EM 算法及其推广

EM 算法是一种迭代算法，1977 年由 Dempster 等人总结提出，用于含有隐变量（hidden variable）的概率模型参数的极大似然估计，或极大后验概率估计。EM 算法的每次迭代由两步组成：E 步，求期望（expectation）；M 步，求极大（maximization）。所以这一算法称为期望极大算法（expectation maximization algorithm），简称 EM 算法。本章首先叙述 EM 算法，然后讨论 EM 算法的收敛性；作为 EM 算法的应用，介绍高斯混合模型的学习；最后叙述 EM 算法的推广——GEM 算法。

9.1 EM 算法的引入

概率模型有时既含有观测变量（observable variable），又含有隐变量或潜在变量（latent variable）。如果概率模型的变量都是观测变量，那么给定数据，可以直接用极大似然估计法，或贝叶斯估计法估计模型参数。但是，当模型含有隐变量时，就不能简单地使用这些估计方法。EM 算法就是含有隐变量的概率模型参数的极大似然估计法，或极大后验概率估计法。我们仅讨论极大似然估计，极大后验概率估计与其类似。

9.1.1 EM 算法

首先介绍一个使用 EM 算法的例子。

例 9.1（三硬币模型） 假设有 3 枚硬币，分别记作 A，B，C。这些硬币正面出现的概率分别是 π，p 和 q。进行如下掷硬币试验：先掷硬币 A，根据其结果选出硬币 B 或硬币 C，正面选硬币 B，反面选硬币 C；然后掷选出的硬币，掷硬币的结果，出现正面记作 1，出现反面记作 0；独立地重复 n 次试验（这里，$n=10$），观测结果如下：

$$1,1,0,1,0,0,1,0,1,1$$

假设只能观测到掷硬币的结果，不能观测掷硬币的过程。问如何估计三硬币正面出现的概率，即三硬币模型的参数。

解 三硬币模型可以写作

$$\begin{aligned} P(y\,|\,\theta) &= \sum_z P(y,z\,|\,\theta) = \sum_z P(z\,|\,\theta)P(y\,|\,z,\theta) \\ &= \pi p^y (1-p)^{1-y} + (1-\pi) q^y (1-q)^{1-y} \end{aligned} \tag{9.1}$$

这里，随机变量 y 是观测变量，表示一次试验观测的结果是 1 或 0；随机变量 z 是隐变量，表示未观测到的掷硬币 A 的结果；$\theta=(\pi,p,q)$ 是模型参数. 这一模型是以上数据的生成模型. 注意，随机变量 y 的数据可以观测，随机变量 z 的数据不可观测.

将观测数据表示为 $Y=(Y_1,Y_2,\cdots,Y_n)^{\mathrm{T}}$，未观测数据表示为 $Z=(Z_1,Z_2,\cdots,Z_n)^{\mathrm{T}}$，则观测数据的似然函数为

$$P(Y\mid\theta)=\sum_{Z}P(Z\mid\theta)P(Y\mid Z,\theta)\tag{9.2}$$

即

$$P(Y\mid\theta)=\prod_{j=1}^{n}[\pi p^{y_j}(1-p)^{1-y_j}+(1-\pi)q^{y_j}(1-q)^{1-y_j}]\tag{9.3}$$

考虑求模型参数 $\theta=(\pi,p,q)$ 的极大似然估计，即

$$\hat{\theta}=\arg\max_{\theta}\log P(Y\mid\theta)\tag{9.4}$$

这个问题没有解析解，只有通过迭代的方法求解. EM 算法就是可以用于求解这个问题的一种迭代算法. 下面给出针对以上问题的 EM 算法，其推导过程省略.

EM 算法首先选取参数的初值，记作 $\theta^{(0)}=(\pi^{(0)},p^{(0)},q^{(0)})$，然后通过下面的步骤迭代计算参数的估计值，直至收敛为止. 第 i 次迭代参数的估计值为 $\theta^{(i)}=(\pi^{(i)},p^{(i)},q^{(i)})$. EM 算法的第 $i+1$ 次迭代如下.

E 步：计算在模型参数 $\pi^{(i)}$，$p^{(i)}$，$q^{(i)}$ 下观测数据 y_j 来自掷硬币 B 的概率

$$\mu^{(i+1)}=\frac{\pi^{(i)}(p^{(i)})^{y_j}(1-p^{(i)})^{1-y_j}}{\pi^{(i)}(p^{(i)})^{y_j}(1-p^{(i)})^{1-y_j}+(1-\pi^{(i)})(q^{(i)})^{y_j}(1-q^{(i)})^{1-y_j}}\tag{9.5}$$

M 步：计算模型参数的新估计值

$$\pi^{(i+1)}=\frac{1}{n}\sum_{j=1}^{n}\mu_j^{(i+1)}\tag{9.6}$$

$$p^{(i+1)}=\frac{\sum_{j=1}^{n}\mu_j^{(i+1)}y_j}{\sum_{j=1}^{n}\mu_j^{(i+1)}}\tag{9.7}$$

$$q^{(i+1)}=\frac{\sum_{j=1}^{n}(1-\mu_j^{(i+1)})y_j}{\sum_{j=1}^{n}(1-\mu_j^{(i+1)})}\tag{9.8}$$

进行数字计算. 假设模型参数的初值取为

$$\pi^{(0)} = 0.5 , \quad p^{(0)} = 0.5 , \quad q^{(0)} = 0.5$$

由式 (9.5)，对 $y_j = 1$ 与 $y_j = 0$ 均有 $\mu_j^{(1)} = 0.5$.

利用迭代公式 (9.6) ～ (9.8)，得到

$$\pi^{(1)} = 0.5 , \quad p^{(1)} = 0.6 , \quad q^{(1)} = 0.6$$

由式 (9.5)，

$$\mu_j^{(2)} = 0.5 , \quad j = 1, 2, \cdots, 10$$

继续迭代，得

$$\pi^{(2)} = 0.5 , \quad p^{(2)} = 0.6 , \quad q^{(2)} = 0.6$$

于是得到模型参数 θ 的极大似然估计：

$$\hat{\pi} = 0.5 , \quad \hat{p} = 0.6 , \quad \hat{q} = 0.6$$

$\pi = 0.5$ 表示硬币 A 是均匀的，这一结果容易理解.

如果取初值 $\pi^{(0)} = 0.4$, $p^{(0)} = 0.6$, $q^{(0)} = 0.7$ ，那么得到的模型参数的极大似然估计是 $\hat{\pi} = 0.4064$, $\hat{p} = 0.5368$, $\hat{q} = 0.6432$. 这就是说，EM 算法与初值的选择有关，选择不同的初值可能得到不同的参数估计值. ∎

一般地，用 Y 表示观测随机变量的数据，Z 表示隐随机变量的数据. Y 和 Z 连在一起称为完全数据（complete-data），观测数据 Y 又称为不完全数据（incomplete-data）. 假设给定观测数据 Y，其概率分布是 $P(Y|\theta)$，其中 θ 是需要估计的模型参数，那么不完全数据 Y 的似然函数是 $P(Y|\theta)$，对数似然函数 $L(\theta) = \log P(Y|\theta)$；假设 Y 和 Z 的联合概率分布是 $P(Y, Z|\theta)$，那么完全数据的对数似然函数是 $\log P(Y, Z|\theta)$.

EM 算法通过迭代求 $L(\theta) = \log P(Y|\theta)$ 的极大似然估计. 每次迭代包含两步：E 步，求期望；M 步，求极大化. 下面来介绍 EM 算法.

算法 9.1（EM 算法）

输入：观测变量数据 Y，隐变量数据 Z，联合分布 $P(Y, Z|\theta)$，条件分布 $P(Z|Y, \theta)$；

输出：模型参数 θ .

（1）选择参数的初值 $\theta^{(0)}$，开始迭代；

（2）E 步：记 $\theta^{(i)}$ 为第 i 次迭代参数 θ 的估计值，在第 $i+1$ 次迭代的 E 步，计算

$$\begin{aligned} Q(\theta, \theta^{(i)}) &= E_Z[\log P(Y, Z|\theta)|Y, \theta^{(i)}] \\ &= \sum_Z \log P(Y, Z|\theta) P(Z|Y, \theta^{(i)}) \end{aligned} \tag{9.9}$$

这里，$P(Z|Y,\theta^{(i)})$ 是在给定观测数据 Y 和当前的参数估计 $\theta^{(i)}$ 下隐变量数据 Z 的条件概率分布；

（3）M 步：求使 $Q(\theta,\theta^{(i)})$ 极大化的 θ，确定第 $i+1$ 次迭代的参数的估计值 $\theta^{(i+1)}$

$$\theta^{(i+1)} = \arg\max_{\theta} Q(\theta,\theta^{(i)}) \tag{9.10}$$

（4）重复第 (2) 步和第 (3) 步，直到收敛.   ∎

式 (9.9) 的函数 $Q(\theta,\theta^{(i)})$ 是 EM 算法的核心，称为 Q 函数（Q function）.

定义 9.1（Q **函数**） 完全数据的对数似然函数 $\log P(Y,Z|\theta)$ 关于在给定观测数据 Y 和当前参数 $\theta^{(i)}$ 下对未观测数据 Z 的条件概率分布 $P(Z|Y,\theta^{(i)})$ 的期望称为 Q 函数，即

$$Q(\theta,\theta^{(i)}) = E_Z[\log P(Y,Z|\theta)|Y,\theta^{(i)}] \tag{9.11}$$

下面关于 EM 算法作几点说明：

步骤（1） 参数的初值可以任意选择，但需注意 EM 算法对初值是敏感的.

步骤（2） E 步求 $Q(\theta,\theta^{(i)})$. Q 函数式中 Z 是未观测数据，Y 是观测数据. 注意，$Q(\theta,\theta^{(i)})$ 的第 1 个变元表示要极大化的参数，第 2 个变元表示参数的当前估计值. 每次迭代实际在求 Q 函数及其极大.

步骤（3） M 步求 $Q(\theta,\theta^{(i)})$ 的极大化，得到 $\theta^{(i+1)}$，完成一次迭代 $\theta^{(i)} \to \theta^{(i+1)}$. 后面将证明每次迭代使似然函数增大或达到局部极值.

步骤（4） 给出停止迭代的条件，一般是对较小的正数 $\varepsilon_1,\varepsilon_2$，若满足

$$\| \theta^{(i+1)} - \theta^{(i)} \| < \varepsilon_1 \quad \text{或} \quad \| Q(\theta^{(i+1)},\theta^{(i)}) - Q(\theta^{(i)},\theta^{(i)}) \| < \varepsilon_2$$

则停止迭代.

9.1.2   EM 算法的导出

上面叙述了 EM 算法. 为什么 EM 算法能近似实现对观测数据的极大似然估计呢？下面通过近似求解观测数据的对数似然函数的极大化问题来导出 EM 算法，由此可以清楚地看出 EM 算法的作用.

我们面对一个含有隐变量的概率模型，目标是极大化观测数据（不完全数据）Y 关于参数 θ 的对数似然函数，即极大化

$$\begin{aligned}
L(\theta) &= \log P(Y|\theta) = \log \sum_{Z} P(Y,Z|\theta) \\
&= \log \left(\sum_{Z} P(Y|Z,\theta)P(Z|\theta) \right)
\end{aligned} \tag{9.12}$$

注意到这一极大化的主要困难是式 (9.12) 中有未观测数据并有包含和（或积分）的对数.

事实上，EM 算法是通过迭代逐步近似极大化 $L(\theta)$ 的. 假设在第 i 次迭代后 θ 的估计值是 $\theta^{(i)}$. 我们希望新估计值 θ 能使 $L(\theta)$ 增加，即 $L(\theta) > L(\theta^{(i)})$，并逐步达到极大值. 为此，考虑两者的差：

$$L(\theta) - L(\theta^{(i)}) = \log\left(\sum_Z P(Y \mid Z,\theta)P(Z \mid \theta)\right) - \log P(Y \mid \theta^{(i)})$$

利用 Jensen 不等式（Jensen inequality）[①]得到其下界：

$$
\begin{aligned}
L(\theta) - L(\theta^{(i)}) &= \log\left(\sum_Z P(Y \mid Z,\theta^{(i)}) \frac{P(Y \mid Z,\theta)P(Z \mid \theta)}{P(Y \mid Z,\theta^{(i)})}\right) - \log P(Y \mid \theta^{(i)}) \\
&\geqslant \sum_Z P(Z \mid Y,\theta^{(i)}) \log \frac{P(Y \mid Z,\theta)P(Z \mid \theta)}{P(Z \mid Y,\theta^{(i)})} - \log P(Y \mid \theta^{(i)}) \\
&= \sum_Z P(Z \mid Y,\theta^{(i)}) \log \frac{P(Y \mid Z,\theta)P(Z \mid \theta)}{P(Z \mid Y,\theta^{(i)})P(Y \mid \theta^{(i)})}
\end{aligned}
$$

令

$$B(\theta,\theta^{(i)}) \triangleq L(\theta^{(i)}) + \sum_Z P(Z \mid Y,\theta^{(i)}) \log \frac{P(Y \mid Z,\theta)P(Z \mid \theta)}{P(Z \mid Y,\theta^{(i)})P(Y \mid \theta^{(i)})} \tag{9.13}$$

则

$$L(\theta) \geqslant B(\theta,\theta^{(i)}) \tag{9.14}$$

即函数 $B(\theta,\theta^{(i)})$ 是 $L(\theta)$ 的一个下界，而且由式 (9.13) 可知，

$$L(\theta^{(i)}) = B(\theta^{(i)},\theta^{(i)}) \tag{9.15}$$

因此，任何可以使 $B(\theta,\theta^{(i)})$ 增大的 θ，也可以使 $L(\theta)$ 增大. 为了使 $L(\theta)$ 有尽可能大的增长，选择 $\theta^{(i+1)}$ 使 $B(\theta,\theta^{(i)})$ 达到极大，即

$$\theta^{(i+1)} = \arg\max_\theta B(\theta,\theta^{(i)}) \tag{9.16}$$

现在求 $\theta^{(i+1)}$ 的表达式. 省去对 θ 的极大化而言是常数的项，由式 (9.16)、式 (9.13) 及式 (9.10)，有

$$
\begin{aligned}
\theta^{(i+1)} &= \arg\max_\theta \left(L(\theta^{(i)}) + \sum_Z P(Z \mid Y,\theta^{(i)}) \log \frac{P(Y \mid Z,\theta)P(Z \mid \theta)}{P(Z \mid Y,\theta^{(i)})P(Y \mid \theta^{(i)})} \right) \\
&= \arg\max_\theta \left(\sum_Z P(Z \mid Y,\theta^{(i)}) \log(P(Y \mid Z,\theta)P(Z \mid \theta)) \right) \\
&= \arg\max_\theta \left(\sum_Z P(Z \mid Y,\theta^{(i)}) \log P(Y,Z \mid \theta) \right) \\
&= \arg\max_\theta Q(\theta,\theta^{(i)})
\end{aligned}
\tag{9.17}
$$

式 (9.17) 等价于 EM 算法的一次迭代，即求 Q 函数及其极大化. EM 算法是通过

---

① 这里用到的是 $\log \sum_j \lambda_j y_j \geqslant \sum_j \lambda_j \log y_j$，其中 $\lambda_j \geqslant 0$，$\sum_j \lambda_j = 1$.

不断求解下界的极大化逼近求解对数似然函数极大化的算法.

图 9.1 给出 EM 算法的直观解释. 图中上方曲线为 $L(\theta)$，下方曲线为 $B(\theta, \theta^{(i)})$. 由式 (9.14)，$B(\theta, \theta^{(i)})$ 为对数似然函数 $L(\theta)$ 的下界. 由式 (9.15)，两个函数在点 $\theta = \theta^{(i)}$ 处相等. 由式 (9.16) 和式 (9.17)，EM 算法找到下一个点 $\theta^{(i+1)}$ 使函数 $B(\theta, \theta^{(i)})$ 极大化，也使函数 $Q(\theta, \theta^{(i)})$ 极大化. 这时由于 $L(\theta) \geqslant B(\theta, \theta^{(i)})$，函数 $B(\theta, \theta^{(i)})$ 的增加，保证对数似然函数 $L(\theta)$ 在每次迭代中也是增加的. EM 算法在点 $\theta^{(i+1)}$ 重新计算 Q 函数值，进行下一次迭代. 在这个过程中，对数似然函数 $L(\theta)$ 不断增大. 从图可以推断出 EM 算法不能保证找到全局最优值.

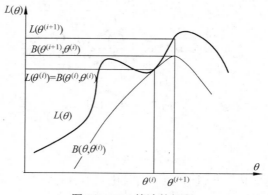

图 9.1   EM 算法的解释

9.1.3   EM 算法在非监督学习中的应用

监督学习是由训练数据 $\{(x_1, y_1), (x_2, y_2), \cdots, (x_N, y_N)\}$ 学习条件概率分布 $P(Y \mid X)$ 或决策函数 $Y = f(X)$ 作为模型，用于分类、回归、标注等任务. 这时训练数据中的每个样本点由输入和输出对组成.

有时训练数据只有输入没有对应的输出 $\{(x_1, \cdot), (x_2, \cdot), \cdots, (x_N, \cdot)\}$，从这样的数据学习模型称为非监督学习问题. EM 算法可以用于生成模型的非监督学习. 生成模型由联合概率分布 $P(X, Y)$ 表示，可以认为非监督学习训练数据是联合概率分布产生的数据. X 为观测数据，Y 为未观测数据.

9.2   EM 算法的收敛性

EM 算法提供一种近似计算含有隐变量概率模型的极大似然估计的方法. EM 算法的最大优点是简单性和普适性. 我们很自然地要问：EM 算法得到的估计序列是否收敛？如果收敛，是否收敛到全局最大值或局部极大值？下面给出关于 EM 算法收敛性的两个定理.

定理 9.1 设 $P(Y|\theta)$ 为观测数据的似然函数，$\theta^{(i)}$ ($i=1,2,\cdots$) 为 EM 算法得到的参数估计序列，$P(Y|\theta^{(i)})$ ($i=1,2,\cdots$) 为对应的似然函数序列，则 $P(Y|\theta^{(i)})$ 是单调递增的，即

$$P(Y|\theta^{(i+1)}) \geqslant P(Y|\theta^{(i)}) \tag{9.18}$$

证明 由于

$$P(Y|\theta) = \frac{P(Y,Z|\theta)}{P(Z|Y,\theta)}$$

取对数有

$$\log P(Y|\theta) = \log P(Y,Z|\theta) - \log P(Z|Y,\theta)$$

由式 (9.11)

$$Q(\theta,\theta^{(i)}) = \sum_Z \log P(Y,Z|\theta) P(Z|Y,\theta^{(i)})$$

令

$$H(\theta,\theta^{(i)}) = \sum_Z \log P(Z|Y,\theta) P(Z|Y,\theta^{(i)}) \tag{9.19}$$

于是对数似然函数可以写成

$$\log P(Y|\theta) = Q(\theta,\theta^{(i)}) - H(\theta,\theta^{(i)}) \tag{9.20}$$

在式 (9.20) 中分别取 θ 为 $\theta^{(i)}$ 和 $\theta^{(i+1)}$ 并相减，有

$$\log P(Y|\theta^{(i+1)}) - \log P(Y|\theta^{(i)})$$
$$= [Q(\theta^{(i+1)},\theta^{(i)}) - Q(\theta^{(i)},\theta^{(i)})] - [H(\theta^{(i+1)},\theta^{(i)}) - H(\theta^{(i)},\theta^{(i)})] \tag{9.21}$$

为证式 (9.18)，只需证式 (9.21) 右端是非负的。式 (9.21) 右端的第 1 项，由于 $\theta^{(i+1)}$ 使 $Q(\theta,\theta^{(i)})$ 达到极大，所以有

$$Q(\theta^{(i+1)},\theta^{(i)}) - Q(\theta^{(i)},\theta^{(i)}) \geqslant 0 \tag{9.22}$$

其第 2 项，由式 (9.19) 可得：

$$H(\theta^{(i+1)},\theta^{(i)}) - H(\theta^{(i)},\theta^{(i)})$$
$$= \sum_Z \left(\log \frac{P(Z|Y,\theta^{(i+1)})}{P(Z|Y,\theta^{(i)})} \right) P(Z|Y,\theta^{(i)})$$
$$\leqslant \log \left(\sum_Z \frac{P(Z|Y,\theta^{(i+1)})}{P(Z|Y,\theta^{(i)})} P(Z|Y,\theta^{(i)}) \right)$$
$$= \log \left(\sum_Z P(Z|Y,\theta^{(i+1)}) \right) = 0 \tag{9.23}$$

这里的不等号由 Jensen 不等式得到.

由式 (9.22) 和式 (9.23) 即知式 (9.21) 右端是非负的.　　　　　　　■

定理 9.2　设 $L(\theta) = \log P(Y \mid \theta)$ 为观测数据的对数似然函数，$\theta^{(i)}$ ($i = 1, 2, \cdots$) 为 EM 算法得到的参数估计序列，$L(\theta^{(i)})$ ($i = 1, 2, \cdots$) 为对应的对数似然函数序列.

（1）如果 $P(Y \mid \theta)$ 有上界，则 $L(\theta^{(i)}) = \log P(Y \mid \theta^{(i)})$ 收敛到某一值 L^*；

（2）在函数 $Q(\theta, \theta')$ 与 $L(\theta)$ 满足一定条件下，由 EM 算法得到的参数估计序列 $\theta^{(i)}$ 的收敛值 θ^* 是 $L(\theta)$ 的稳定点.

证明　（1）由 $L(\theta) = \log P(Y \mid \theta^{(i)})$ 的单调性及 $P(Y \mid \theta)$ 的有界性立即得到.

（2）证明从略，参阅文献 [6].　　　　　　　　　　　　　　　　　■

定理 9.2 关于函数 $Q(\theta, \theta')$ 与 $L(\theta)$ 的条件在大多数情况下都是满足的. EM 算法的收敛性包含关于对数似然函数序列 $L(\theta^{(i)})$ 的收敛性和关于参数估计序列 $\theta^{(i)}$ 的收敛性两层意思，前者并不蕴涵后者. 此外，定理只能保证参数估计序列收敛到对数似然函数序列的稳定点，不能保证收敛到极大值点. 所以在应用中，初值的选择变得非常重要，常用的办法是选取几个不同的初值进行迭代，然后对得到的各个估计值加以比较，从中选择最好的.

9.3　EM 算法在高斯混合模型学习中的应用

EM 算法的一个重要应用是高斯混合模型的参数估计. 高斯混合模型应用广泛，在许多情况下，EM 算法是学习高斯混合模型（Gaussian misture model）的有效方法.

9.3.1　高斯混合模型

定义 9.2（高斯混合模型）　高斯混合模型是指具有如下形式的概率分布模型：

$$P(y \mid \theta) = \sum_{k=1}^{K} \alpha_k \phi(y \mid \theta_k) \tag{9.24}$$

其中，α_k 是系数，$\alpha_k \geq 0$，$\sum_{k=1}^{K} \alpha_k = 1$；$\phi(y \mid \theta_k)$ 是高斯分布密度，$\theta_k = (\mu_k, \sigma_k^2)$，

$$\phi(y \mid \theta_k) = \frac{1}{\sqrt{2\pi}\sigma_k} \exp\left(-\frac{(y - \mu_k)^2}{2\sigma_k^2}\right) \tag{9.25}$$

称为第 k 个分模型.

一般混合模型可以由任意概率分布密度代替式 (9.25) 中的高斯分布密度，我们只介绍最常用的高斯混合模型.

9.3.2 高斯混合模型参数估计的 EM 算法

假设观测数据 $y_1, y_2, \cdots, y_N$ 由高斯混合模型生成,

$$P(y \mid \theta) = \sum_{k=1}^{K} \alpha_k \phi(y \mid \theta_k) \qquad (9.26)$$

其中, $\theta = (\alpha_1, \alpha_2, \cdots, \alpha_K; \theta_1, \theta_2, \cdots, \theta_K)$. 我们用 EM 算法估计高斯混合模型的参数 θ.

1. 明确隐变量,写出完全数据的对数似然函数

可以设想观测数据 y_j, $j=1,2,\cdots,N$, 是这样产生的:首先依概率 α_k 选择第 k 个高斯分布分模型 $\phi(y \mid \theta_k)$;然后依第 k 个分模型的概率分布 $\phi(y \mid \theta_k)$ 生成观测数据 y_j. 这时观测数据 y_j, $j=1,2,\cdots,N$, 是已知的;反映观测数据 y_j 来自第 k 个分模型的数据是未知的, $k=1,2,\cdots,K$, 以隐变量 γ_{jk} 表示,其定义如下:

$$\gamma_{jk} = \begin{cases} 1, & \text{第 } j \text{ 个观测来自第 } k \text{ 个分模型} \\ 0, & \text{否则} \end{cases}$$

$$j=1,2,\cdots,N \ ; \quad k=1,2,\cdots,K \qquad (9.27)$$

γ_{jk} 是 0-1 随机变量.

有了观测数据 y_j 及未观测数据 γ_{jk},那么完全数据是

$$(y_j, \gamma_{j1}, \gamma_{j2}, \cdots, \gamma_{jK}), \quad j=1,2,\cdots,N$$

于是,可以写出完全数据的似然函数:

$$
\begin{aligned}
P(y, \gamma \mid \theta) &= \prod_{j=1}^{N} P(y_j, \gamma_{j1}, \gamma_{j2}, \cdots, \gamma_{jK} \mid \theta) \\
&= \prod_{k=1}^{K} \prod_{j=1}^{N} \left[\alpha_k \phi(y_j \mid \theta_k) \right]^{\gamma_{jk}} \\
&= \prod_{k=1}^{K} \alpha_k^{n_k} \prod_{j=1}^{N} \left[\phi(y_j \mid \theta_k) \right]^{\gamma_{jk}} \\
&= \prod_{k=1}^{K} \alpha_k^{n_k} \prod_{j=1}^{N} \left[\frac{1}{\sqrt{2\pi}\sigma_k} \exp\left(-\frac{(y_j - \mu_k)^2}{2\sigma_k^2} \right) \right]^{\gamma_{jk}}
\end{aligned}
$$

式中, $n_k = \sum_{j=1}^{N} \gamma_{jk}$, $\sum_{k=1}^{K} n_k = N$.

那么,完全数据的对数似然函数为

$$\log P(y, \gamma \mid \theta) = \sum_{k=1}^{K} \left\{ n_k \log \alpha_k + \sum_{j=1}^{N} \gamma_{jk} \left[\log\left(\frac{1}{\sqrt{2\pi}} \right) - \log \sigma_k - \frac{1}{2\sigma_k^2} (y_j - \mu_k)^2 \right] \right\}$$

2. EM 算法的 E 步：确定 Q 函数

$$Q(\theta,\theta^{(i)}) = E[\log P(y,\gamma\,|\,\theta)\,|\,y,\theta^{(i)}]$$

$$= E\left\{\sum_{k=1}^{K}\left\{n_k\log\alpha_k + \sum_{j=1}^{N}\gamma_{jk}\left[\log\left(\frac{1}{\sqrt{2\pi}}\right) - \log\sigma_k - \frac{1}{2\sigma_k^2}(y_j-\mu_k)^2\right]\right\}\right\}$$

$$= \sum_{k=1}^{K}\left\{\sum_{j=1}^{N}(E\gamma_{jk})\log\alpha_k + \sum_{j=1}^{N}(E\gamma_{jk})\left[\log\left(\frac{1}{\sqrt{2\pi}}\right) - \log\sigma_k - \frac{1}{2\sigma_k^2}(y_j-\mu_k)^2\right]\right\}$$

$$(9.28)$$

这里需要计算 $E(\gamma_{jk}\,|\,y,\theta)$，记为 $\hat{\gamma}_{jk}$.

$$\hat{\gamma}_{jk} = E(\gamma_{jk}\,|\,y,\theta) = P(\gamma_{jk}=1\,|\,y,\theta)$$

$$= \frac{P(\gamma_{jk}=1,y_j\,|\,\theta)}{\sum_{k=1}^{K}P(\gamma_{jk}=1,y_j\,|\,\theta)}$$

$$= \frac{P(y_j\,|\,\gamma_{jk}=1,\theta)P(\gamma_{jk}=1\,|\,\theta)}{\sum_{k=1}^{K}P(y_j\,|\,\gamma_{jk}=1,\theta)P(\gamma_{jk}=1\,|\,\theta)}$$

$$= \frac{\alpha_k\phi(y_j\,|\,\theta_k)}{\sum_{k=1}^{K}\alpha_k\phi(y_j\,|\,\theta_k)}, \quad j=1,2,\cdots,N;\ k=1,2,\cdots,K$$

$\hat{\gamma}_{jk}$ 是在当前模型参数下第 j 个观测数据来自第 k 个分模型的概率，称为分模型 k 对观测数据 y_j 的响应度.

将 $\hat{\gamma}_{jk}=E\gamma_{jk}$ 及 $n_k=\sum_{j=1}^{N}E\gamma_{jk}$ 代入式 (9.28) 即得

$$Q(\theta,\theta^{(i)}) = \sum_{k=1}^{K}\left\{n_k\log\alpha_k + \sum_{k=1}^{N}\hat{\gamma}_{jk}\left[\log\left(\frac{1}{\sqrt{2\pi}}\right) - \log\sigma_k - \frac{1}{2\sigma_k^2}(y_j-\mu_k)^2\right]\right\} \quad (9.29)$$

3. 确定 EM 算法的 M 步

迭代的 M 步是求函数 $Q(\theta,\theta^{(i)})$ 对 θ 的极大值，即求新一轮迭代的模型参数：

$$\theta^{(i+1)} = \arg\max_{\theta} Q(\theta,\theta^{(i)})$$

用 $\hat{\mu}_k$，$\hat{\sigma}_k^2$ 及 $\hat{\alpha}_k$，$k=1,2,\cdots,K$，表示 $\theta^{(i+1)}$ 的各参数. 求 $\hat{\mu}_k$，$\hat{\sigma}_k^2$ 只需将式 (9.29) 分别对 μ_k，σ_k^2 求偏导数并令其为 0，即可得到；求 $\hat{\alpha}_k$ 是在 $\sum_{k=1}^{K}\alpha_k=1$ 条件下求偏导数并令其为 0 得到的. 结果如下：

$$\hat{\mu}_k = \frac{\sum\limits_{j=1}^{N} \hat{\gamma}_{jk} y_j}{\sum\limits_{j=1}^{N} \hat{\gamma}_{jk}}, \qquad k = 1, 2, \cdots, K \tag{9.30}$$

$$\hat{\sigma}_k^2 = \frac{\sum\limits_{j=1}^{N} \hat{\gamma}_{jk} (y_j - \mu_k)^2}{\sum\limits_{j=1}^{N} \hat{\gamma}_{jk}}, \qquad k = 1, 2, \cdots, K \tag{9.31}$$

$$\hat{\alpha}_k = \frac{n_k}{N} = \frac{\sum\limits_{j=1}^{N} \hat{\gamma}_{jk}}{N}, \qquad k = 1, 2, \cdots, K \tag{9.32}$$

重复以上计算，直到对数似然函数值不再有明显的变化为止.

现将估计高斯混合模型参数的 EM 算法总结如下：

算法 9.2（高斯混合模型参数估计的 **EM 算法**）

输入：观测数据 $y_1, y_2, \cdots, y_N$，高斯混合模型；

输出：高斯混合模型参数.

（1）取参数的初始值开始迭代

（2）E 步：依据当前模型参数，计算分模型 k 对观测数据 y_j 的响应度

$$\hat{\gamma}_{jk} = \frac{\alpha_k \phi(y_j \mid \theta_k)}{\sum\limits_{k=1}^{K} \alpha_k \phi(y_j \mid \theta_k)}, \qquad j = 1, 2, \cdots, N; \quad k = 1, 2, \cdots, K$$

（3）M 步：计算新一轮迭代的模型参数

$$\hat{\mu}_k = \frac{\sum\limits_{j=1}^{N} \hat{\gamma}_{jk} y_j}{\sum\limits_{j=1}^{N} \hat{\gamma}_{jk}}, \qquad k = 1, 2, \cdots, K$$

$$\hat{\sigma}_k^2 = \frac{\sum\limits_{j=1}^{N} \hat{\gamma}_{jk} (y_j - \mu_k)^2}{\sum\limits_{j=1}^{N} \hat{\gamma}_{jk}}, \qquad k = 1, 2, \cdots, K$$

$$\hat{\alpha}_k = \frac{\sum\limits_{j=1}^{N} \hat{\gamma}_{jk}}{N}, \qquad k = 1, 2, \cdots, K$$

（4）重复第（2）步和第（3）步，直到收敛. ∎

9.4 EM 算法的推广

EM 算法还可以解释为 F 函数（F function）的极大-极大算法（maximization-maximization algorithm），基于这个解释有若干变形与推广，如广义期望极大（generalized expectation maximization，GEM）算法. 下面予以介绍.

9.4.1 F 函数的极大–极大算法

首先引进 F 函数并讨论其性质.

定义 9.3（F **函数**） 假设隐变量数据 Z 的概率分布为 $\tilde{P}(Z)$，定义分布 $\tilde{P}$ 与参数 θ 的函数 $F(\tilde{P},\theta)$ 如下：

$$F(\tilde{P},\theta) = E_{\tilde{P}}[\log P(Y,Z\,|\,\theta)] + H(\tilde{P}) \tag{9.33}$$

称为 F 函数. 式中 $H(\tilde{P}) = -E_{\tilde{P}}\log\tilde{P}(Z)$ 是分布 $\tilde{P}(Z)$ 的熵.

在定义 9.3 中，通常假设 $P(Y,Z\,|\,\theta)$ 是 θ 的连续函数；因而 $F(\tilde{P},\theta)$ 是 $\tilde{P}$ 和 θ 的连续函数. 函数 $F(\tilde{P},\theta)$ 还有以下重要性质：

引理 9.1 对于固定的 θ，存在唯一的分布 $\tilde{P}_\theta$ 极大化 $F(\tilde{P},\theta)$，这时 $\tilde{P}_\theta$ 由下式给出：

$$\tilde{P}_\theta(Z) = P(Z\,|\,Y,\theta) \tag{9.34}$$

并且 $\tilde{P}_\theta$ 随 θ 连续变化.

证明 对于固定的 θ，可以求得使 $F(\tilde{P},\theta)$ 达到极大的分布 $\tilde{P}_\theta(Z)$. 为此，引进拉格朗日乘子 λ，拉格朗日函数为

$$L = E_{\tilde{P}}\log P(Y,Z\,|\,\theta) - E_{\tilde{P}}\log\tilde{P}(Z) + \lambda\left(1 - \sum_Z \tilde{P}(Z)\right) \tag{9.35}$$

将其对 $\tilde{P}$ 求偏导数：

$$\frac{\partial L}{\partial \tilde{P}(Z)} = \log P(Y,Z\,|\,\theta) - \log\tilde{P}(Z) - 1 - \lambda$$

令偏导数等于 0，得出

$$\lambda = \log P(Y,Z\,|\,\theta) - \log\tilde{P}_\theta(Z) - 1$$

由此推出 $\tilde{P}_\theta(Z)$ 与 $P(Y,Z\,|\,\theta)$ 成比例

$$\frac{P(Y,Z\,|\,\theta)}{\tilde{P}_\theta(Z)} = \mathrm{e}^{1+\lambda}$$

再从约束条件 $\sum_Z \tilde{P}_\theta(Z) = 1$ 得式 (9.34) .

由假设 $P(Y,Z|\theta)$ 是 θ 的连续函数，得到 $\tilde{P}_\theta$ 是 θ 的连续函数. ∎

引理 9.2 若 $\tilde{P}_\theta(Z) = P(Z|Y,\theta)$，则

$$F(\tilde{P},\theta) = \log P(Y|\theta) \tag{9.36}$$

证明作为习题，留给读者.

由以上引理，可以得到关于 EM 算法用 F 函数的极大-极大算法的解释.

定理 9.3 设 $L(\theta) = \log P(Y|\theta)$ 为观测数据的对数似然函数，$\theta^{(i)}$，$i=1,2,\cdots$，为 EM 算法得到的参数估计序列，函数 $F(\tilde{P},\theta)$ 由式 (9.33) 定义. 如果 $F(\tilde{P},\theta)$ 在 $\tilde{P}^*$ 和 θ^* 有局部极大值，那么 $L(\theta)$ 也在 θ^* 有局部极大值. 类似地，如果 $F(\tilde{P},\theta)$ 在 $\tilde{P}^*$ 和 θ^* 达到全局最大值，那么 $L(\theta)$ 也在 θ^* 达到全局最大值.

证明 由引理 9.1 和引理 9.2 可知，$L(\theta) = \log P(Y|\theta) = F(\tilde{P}_\theta,\theta)$ 对任意 θ 成立. 特别地，对于使 $F(\tilde{P},\theta)$ 达到极大的参数 θ^*，有

$$L(\theta^*) = F(\tilde{P}_{\theta^*},\theta^*) = F(\tilde{P}^*,\theta^*) \tag{9.37}$$

为了证明 θ^* 是 $L(\theta)$ 的极大点，需要证明不存在接近 θ^* 的点 θ^{**}，使 $L(\theta^{**}) > L(\theta^*)$. 假如存在这样的点 θ^{**}，那么应有 $F(\tilde{P}^{**},\theta^{**}) > F(\tilde{P}^*,\theta^*)$，这里 $\tilde{P}^{**} = \tilde{P}_{\theta^{**}}$. 但因 $\tilde{P}_\theta$ 是随 θ 连续变化的，$\tilde{P}^{**}$ 应接近 $\tilde{P}^*$，这与 $\tilde{P}^*$ 和 θ^* 是 $F(\tilde{P},\theta)$ 的局部极大点的假设矛盾.

类似可以证明关于全局最大值的结论. ∎

定理 9.4 EM 算法的一次迭代可由 F 函数的极大-极大算法实现.

设 $\theta^{(i)}$ 为第 i 次迭代参数 θ 的估计，$\tilde{P}^{(i)}$ 为第 i 次迭代函数 $\tilde{P}$ 的估计. 在第 $i+1$ 次迭代的两步为

（1）对固定的 $\theta^{(i)}$，求 $\tilde{P}^{(i+1)}$ 使 $F(\tilde{P},\theta^{(i)})$ 极大化；

（2）对固定的 $\tilde{P}^{(i+1)}$，求 $\theta^{(i+1)}$ 使 $F(\tilde{P}^{(i+1)},\theta)$ 极大化.

证明 （1）由引理 9.1，对于固定的 $\theta^{(i)}$，

$$\tilde{P}^{(i+1)}(Z) = \tilde{P}_{\theta^{(i)}}(Z) = P(Z|Y,\theta^{(i)})$$

使 $F(\tilde{P},\theta^{(i)})$ 极大化. 此时，

$$
\begin{aligned}
F(\tilde{P}^{(i+1)},\theta) &= E_{\tilde{P}^{(i+1)}}[\log P(Y,Z|\theta)] + H(\tilde{P}^{(i+1)}) \\
&= \sum_Z \log P(Y,Z|\theta)P(Z|Y,\theta^{(i)}) + H(\tilde{P}^{(i+1)})
\end{aligned}
$$

由 $Q(\theta,\theta^{(i)})$ 的定义式 (9.11) 有

$$F(\tilde{P}^{(i+1)},\theta) = Q(\theta,\theta^{(i)}) + H(\tilde{P}^{(i+1)})$$

（2）固定 $\tilde{P}^{(i+1)}$，求 $\theta^{(i+1)}$ 使 $F(\tilde{P}^{(i+1)},\theta)$ 极大化. 得到

$$\theta^{(i+1)} = \arg\max_{\theta} F(\tilde{P}^{(i+1)}, \theta) = \arg\max_{\theta} Q(\theta, \theta^{(i)})$$

通过以上两步完成了 EM 算法的一次迭代. 由此可知, 由 EM 算法与 F 函数的极大-极大算法得到的参数估计序列 $\theta^{(i)}$, $i = 1, 2, \cdots$, 是一致的.

这样, 就有 EM 算法的推广.

9.4.2　GEM 算法

算法 9.3（GEM 算法 1）

输入: 观测数据, F 函数;

输出: 模型参数.

（1）初始化参数 $\theta^{(0)}$, 开始迭代

（2）第 $i+1$ 次迭代, 第 1 步: 记 $\theta^{(i)}$ 为参数 θ 的估计值, $\tilde{P}^{(i)}$ 为函数 $\tilde{P}$ 的估计. 求 $\tilde{P}^{(i+1)}$ 使 $\tilde{P}$ 极大化 $F(\tilde{P}, \theta^{(i)})$

（3）第 2 步: 求 $\theta^{(i+1)}$ 使 $F(\tilde{P}^{(i+1)}, \theta)$ 极大化

（4）重复 (2) 和 (3), 直到收敛.

在 GEM 算法 1 中, 有时求 $Q(\theta, \theta^{(i)})$ 的极大化是很困难的. 下面介绍的 GEM 算法 2 和 GEM 算法 3 并不是直接求 $\theta^{(i+1)}$ 使 $Q(\theta, \theta^{(i)})$ 达到极大的 θ, 而是找一个 $\theta^{(i+1)}$ 使得 $Q(\theta^{(i+1)}, \theta^{(i)}) > Q(\theta^{(i)}, \theta^{(i)})$.

算法 9.4（GEM 算法 2）

输入: 观测数据, Q 函数;

输出: 模型参数.

（1）初始化参数 $\theta^{(0)}$, 开始迭代

（2）第 $i+1$ 次迭代, 第 1 步: 记 $\theta^{(i)}$ 为参数 θ 的估计值, 计算

$$Q(\theta, \theta^{(i)}) = E_Z[\log P(Y, Z \mid \theta) \mid Y, \theta^{(i)}]$$
$$= \sum_Z P(Z \mid Y, \theta^{(i)}) \log P(Y, Z \mid \theta)$$

（3）第 2 步: 求 $\theta^{(i+1)}$ 使

$$Q(\theta^{(i+1)}, \theta^{(i)}) > Q(\theta^{(i)}, \theta^{(i)})$$

（4）重复 (2) 和 (3), 直到收敛.

当参数 θ 的维数为 d（$d \geqslant 2$）时, 可采用一种特殊的 GEM 算法, 它将 EM 算法的 M 步分解为 d 次条件极大化, 每次只改变参数向量的一个分量, 其余分量不改变.

算法 9.5（GEM 算法 3）

输入: 观测数据, Q 函数;

输出：模型参数.

（1）初始化参数 $\theta^{(0)} = (\theta_1^{(0)}, \theta_2^{(0)}, \cdots, \theta_d^{(0)})$，开始迭代

（2）第 $i+1$ 次迭代，第 1 步：记 $\theta^{(i)} = (\theta_1^{(i)}, \theta_2^{(i)}, \cdots, \theta_d^{(i)})$ 为参数 $\theta = (\theta_1, \theta_2, \cdots, \theta_d)$ 的估计值，计算

$$Q(\theta, \theta^{(i)}) = E_Z[\log P(Y, Z \mid \theta) \mid Y, \theta^{(i)}]$$
$$= \sum_Z P(Z \mid y, \theta^{(i)}) \log P(Y, Z \mid \theta)$$

（3）第 2 步：进行 d 次条件极大化：

首先，在 $\theta_2^{(i)}, \cdots, \theta_k^{(i)}$ 保持不变的条件下求使 $Q(\theta, \theta^{(i)})$ 达到极大的 $\theta_1^{(i+1)}$；

然后，在 $\theta_1 = \theta_1^{(i+1)}$，$\theta_j = \theta_j^{(i)}$，$j = 3, 4, \cdots, k$ 的条件下求使 $Q(\theta, \theta^{(i)})$ 达到极大的 $\theta_2^{(i+1)}$；

如此继续，经过 d 次条件极大化，得到 $\theta^{(i+1)} = (\theta_1^{(i+1)}, \theta_2^{(i+1)}, \cdots, \theta_d^{(i+1)})$ 使得

$$Q(\theta^{(i+1)}, \theta^{(i)}) > Q(\theta^{(i)}, \theta^{(i)})$$

（4）重复 (2) 和 (3)，直到收敛. ■

本 章 概 要

1. EM 算法是含有隐变量的概率模型极大似然估计或极大后验概率估计的迭代算法. 含有隐变量的概率模型的数据表示为 $P(Y, Z \mid \theta)$. 这里，Y 是观测变量的数据，Z 是隐变量的数据，θ 是模型参数. EM 算法通过迭代求解观测数据的对数似然函数 $L(\theta) = \log P(Y \mid \theta)$ 的极大化，实现极大似然估计. 每次迭代包括两步：E 步，求期望，即求 $\log P(Y, Z \mid \theta)$ 关于 $P(Z \mid Y, \theta^{(i)})$ 的期望：

$$Q(\theta, \theta^{(i)}) = \sum_Z \log P(Y, Z \mid \theta) P(Z \mid Y, \theta^{(i)})$$

称为 Q 函数，这里 $\theta^{(i)}$ 是参数的现估计值；M 步，求极大，即极大化 Q 函数得到参数的新估计值：

$$\theta^{(i+1)} = \arg\max_\theta Q(\theta, \theta^{(i)})$$

在构建具体的 EM 算法时，重要的是定义 Q 函数. 每次迭代中，EM 算法通过极大化 Q 函数来增大对数似然函数 $L(\theta)$.

2. EM 算法在每次迭代后均提高观测数据的似然函数值，即

$$P(Y \mid \theta^{(i+1)}) \geqslant P(Y \mid \theta^{(i)})$$

在一般条件下 EM 算法是收敛的，但不能保证收敛到全局最优.

3．EM 算法应用极其广泛，主要应用于含有隐变量的概率模型的学习．高斯混合模型的参数估计是 EM 算法的一个重要应用，下一章将要介绍的隐马尔可夫模型的非监督学习也是 EM 算法的一个重要应用．

4．EM 算法还可以解释为 F 函数的极大-极大算法．EM 算法有许多变形，如 GEM 算法．GEM 算法的特点是每次迭代增加 F 函数值（并不一定是极大化 F 函数），从而增加似然函数值．

继 续 阅 读

EM 算法由 Dempster 等人总结提出[1]．类似的算法之前已被提出，如 Baum 与 Welch 算法，但是都没有 EM 算法那么广泛．EM 算法的介绍可参见文献[2～4]．EM 算法收敛性定理的有关证明见文献[5]．GEM 是由 Neal 与 Hinton 提出的[6]．

习　　题

9.1　如例 9.1 的三硬币模型．假设观测数据不变，试选择不同的初值，例如，$\pi^{(0)} = 0.46$，$p^{(0)} = 0.55$，$q^{(0)} = 0.67$，求模型参数 $\theta = (\pi, p, q)$ 的极大似然估计．

9.2　证明引理 9.2．

9.3　已知观测数据

-67，-48，6，8，14，16，23，24，28，29，41，49，56，60，75

试估计两个分量的高斯混合模型的 5 个参数．

9.4　EM 算法可以用到朴素贝叶斯法的非监督学习．试写出其算法．

参 考 文 献

[1] Dempster AP, Laird NM, Rubin DB. Maximum-likelihood from incomplete data via the EM algorithm. *J. Royal Statist. Soc. Ser. B.*, 1977，39

[2] Hastie T, Tibshirani R, Friedman J. The Elements of Statistical Learning: Data Mining, Inference, and Prediction. Springer-Verlag, 2001（中译本：统计学习基础——数据挖掘、推理与预测．范明，柴玉梅，昝红英等译．北京：电子工业出版社，2004）

[3] McLachlan G, Krishnan T. The EM Algorithm and Extensions. New York: John Wiley & Sons, 1996

[4] 茆诗松，王静龙，濮晓龙．高等数理统计．北京：高等教育出版社；海登堡：斯普林格出版社，1998

[5] Wu CFJ. On the convergence properties of the EM algorithm. The Annals of Statistics, 1983, 11: 95–103

[6] Radford N, Geoffrey H, Jordan MI. A view of the EM algorithm that justifies incremental, sparse, and other variants. In: Learning in Graphical Models. Cambridge, MA: MIT Press, 1999, 355–368

第 10 章　隐马尔可夫模型

隐马尔可夫模型（hidden Markov model, HMM）是可用于标注问题的统计学习模型，描述由隐藏的马尔可夫链随机生成观测序列的过程，属于生成模型。本章首先介绍隐马尔可夫模型的基本概念，然后分别叙述隐马尔可夫模型的概率计算算法、学习算法以及预测算法。隐马尔可夫模型在语音识别、自然语言处理、生物信息、模式识别等领域有着广泛的应用。

10.1　隐马尔可夫模型的基本概念

10.1.1　隐马尔可夫模型的定义

定义 10.1（隐马尔可夫模型）　隐马尔可夫模型是关于时序的概率模型，描述由一个隐藏的马尔可夫链随机生成不可观测的状态随机序列，再由各个状态生成一个观测而产生观测随机序列的过程。隐藏的马尔可夫链随机生成的状态的序列，称为状态序列（state sequence）；每个状态生成一个观测，而由此产生的观测的随机序列，称为观测序列（observation sequence）。序列的每一个位置又可以看作是一个时刻。

隐马尔可夫模型由初始概率分布、状态转移概率分布以及观测概率分布确定。隐马尔可夫模型的形式定义如下：

设 Q 是所有可能的状态的集合，V 是所有可能的观测的集合。

$$Q = \{q_1, q_2, \cdots, q_N\}, \quad V = \{v_1, v_2, \cdots, v_M\}$$

其中，N 是可能的状态数，M 是可能的观测数。

I 是长度为 T 的状态序列，O 是对应的观测序列。

$$I = (i_1, i_2, \cdots, i_T), \quad O = (o_1, o_2, \cdots, o_T)$$

A 是状态转移概率矩阵：

$$A = \left[a_{ij} \right]_{N \times N} \tag{10.1}$$

其中，

$$a_{ij} = P(i_{t+1} = q_j \mid i_t = q_i), \quad i = 1, 2, \cdots, N; \ j = 1, 2, \cdots, N \tag{10.2}$$

是在时刻 t 处于状态 q_i 的条件下在时刻 $t+1$ 转移到状态 q_j 的概率。

B 是观测概率矩阵：

$$B = \left[b_j(k) \right]_{N \times M} \tag{10.3}$$

其中，

$$b_j(k) = P(o_t = v_k \mid i_t = q_j)，\quad k = 1, 2, \cdots, M; \ j = 1, 2, \cdots, N \tag{10.4}$$

是在时刻 t 处于状态 q_j 的条件下生成观测 v_k 的概率．

π 是初始状态概率向量：

$$\pi = (\pi_i) \tag{10.5}$$

其中，

$$\pi_i = P(i_1 = q_i)，\quad i = 1, 2, \cdots, N \tag{10.6}$$

是时刻 $t = 1$ 处于状态 q_i 的概率．

隐马尔可夫模型由初始状态概率向量 π、状态转移概率矩阵 A 和观测概率矩阵 B 决定．π 和 A 决定状态序列，B 决定观测序列．因此，隐马尔可夫模型 λ 可以用三元符号表示，即

$$\lambda = (A, B, \pi) \tag{10.7}$$

A, B, π 称为隐马尔可夫模型的三要素．

状态转移概率矩阵 A 与初始状态概率向量 π 确定了隐藏的马尔可夫链，生成不可观测的状态序列．观测概率矩阵 B 确定了如何从状态生成观测，与状态序列综合确定了如何产生观测序列．

从定义可知，隐马尔可夫模型作了两个基本假设：

（1）齐次马尔可夫性假设，即假设隐藏的马尔可夫链在任意时刻 t 的状态只依赖于其前一时刻的状态，与其他时刻的状态及观测无关，也与时刻 t 无关．

$$P(i_t \mid i_{t-1}, o_{t-1}, \cdots, i_1, o_1) = P(i_t \mid i_{t-1})，\quad t = 1, 2, \cdots, T \tag{10.8}$$

（2）观测独立性假设，即假设任意时刻的观测只依赖于该时刻的马尔可夫链的状态，与其他观测及状态无关．

$$P(o_t \mid i_T, o_T, i_{T-1}, o_{T-1}, \cdots, i_{t+1}, o_{t+1}, i_t, i_{t-1}, o_{t-1}, \cdots, i_1, o_1) = P(o_t \mid i_t) \tag{10.9}$$

隐马尔可夫模型可以用于标注，这时状态对应着标记．标注问题是给定观测的序列预测其对应的标记序列．可以假设标注问题的数据是由隐马尔可夫模型生成的．这样我们可以利用隐马尔可夫模型的学习与预测算法进行标注．

下面看一个隐马尔可夫模型的例子．

例 10.1 （盒子和球模型） 假设有 4 个盒子，每个盒子里都装有红白两种颜色的球，盒子里的红白球数由表 10.1 列出.

表 10.1 各盒子的红白球数

盒　子	1	2	3	4
红球数	5	3	6	8
白球数	5	7	4	2

按照下面的方法抽球，产生一个球的颜色的观测序列：开始，从 4 个盒子里以等概率随机选取 1 个盒子，从这个盒子里随机抽出 1 个球，记录其颜色后，放回；然后，从当前盒子随机转移到下一个盒子，规则是：如果当前盒子是盒子 1，那么下一盒子一定是盒子 2，如果当前是盒子 2 或 3，那么分别以概率 0.4 和 0.6 转移到左边或右边的盒子，如果当前是盒子 4，那么各以 0.5 的概率停留在盒子 4 或转移到盒子 3；确定转移的盒子后，再从这个盒子里随机抽出 1 个球，记录其颜色，放回；如此下去，重复进行 5 次，得到一个球的颜色的观测序列：

$$O = \{红, 红, 白, 白, 红\}$$

在这个过程中，观察者只能观测到球的颜色的序列，观测不到球是从哪个盒子取出的，即观测不到盒子的序列.

在这个例子中有两个随机序列，一个是盒子的序列（状态序列），一个是球的颜色的观测序列（观测序列）. 前者是隐藏的，只有后者是可观测的. 这是一个隐马尔可夫模型的例子，根据所给条件，可以明确状态集合、观测集合、序列长度以及模型的三要素.

盒子对应状态，状态的集合是

$$Q = \{盒子1, 盒子2, 盒子3, 盒子4\}, \quad N = 4$$

球的颜色对应观测. 观测的集合是

$$V = \{红, 白\}, \quad M = 2$$

状态序列和观测序列长度 $T = 5$.

初始概率分布为

$$\pi = (0.25, 0.25, 0.25, 0.25)^{\mathrm{T}}$$

状态转移概率分布为

$$A = \begin{bmatrix} 0 & 1 & 0 & 0 \\ 0.4 & 0 & 0.6 & 0 \\ 0 & 0.4 & 0 & 0.6 \\ 0 & 0 & 0.5 & 0.5 \end{bmatrix}$$

观测概率分布为

$$B = \begin{bmatrix} 0.5 & 0.5 \\ 0.3 & 0.7 \\ 0.6 & 0.4 \\ 0.8 & 0.2 \end{bmatrix}$$

10.1.2　观测序列的生成过程

根据隐马尔可夫模型定义,可以将一个长度为 T 的观测序列 $O = (o_1, o_2, \cdots, o_T)$ 的生成过程描述如下:

算法 10.1（观测序列的生成）

输入:隐马尔可夫模型 $\lambda = (A, B, \pi)$,观测序列长度 T;

输出:观测序列 $O = (o_1, o_2, \cdots, o_T)$.

（1）按照初始状态分布 π 产生状态 i_1

（2）令 $t = 1$

（3）按照状态 i_t 的观测概率分布 $b_{i_t}(k)$ 生成 o_t

（4）按照状态 i_t 的状态转移概率分布 $\{a_{i_t i_{t+1}}\}$ 产生状态 i_{t+1}, $i_{t+1} = 1, 2, \cdots, N$

（5）令 $t = t + 1$;如果 $t < T$,转步 (3);否则,终止

10.1.3　隐马尔可夫模型的 3 个基本问题

隐马尔可夫模型有 3 个基本问题:

（1）概率计算问题. 给定模型 $\lambda = (A, B, \pi)$ 和观测序列 $O = (o_1, o_2, \cdots, o_T)$,计算在模型 λ 下观测序列 O 出现的概率 $P(O|\lambda)$.

（2）学习问题. 已知观测序列 $O = (o_1, o_2, \cdots, o_T)$,估计模型 $\lambda = (A, B, \pi)$ 参数,使得在该模型下观测序列概率 $P(O|\lambda)$ 最大. 即用极大似然估计的方法估计参数.

（3）预测问题,也称为解码（decoding）问题. 已知模型 $\lambda = (A, B, \pi)$ 和观测序列 $O = (o_1, o_2, \cdots, o_T)$,求对给定观测序列条件概率 $P(I|O)$ 最大的状态序列 $I = (i_1, i_2, \cdots, i_T)$. 即给定观测序列,求最有可能的对应的状态序列.

下面各节将逐一介绍这些基本问题的解法.

10.2　概率计算算法

本节介绍计算观测序列概率 $P(O|\lambda)$ 的前向（forward）与后向（backward）算法. 先介绍概念上可行但计算上不可行的直接计算法.

10.2.1 直接计算法

给定模型 $\lambda = (A, B, \pi)$ 和观测序列 $O = (o_1, o_2, \cdots, o_T)$，计算观测序列 O 出现的概率 $P(O|\lambda)$. 最直接的方法是按概率公式直接计算. 通过列举所有可能的长度为 T 的状态序列 $I = (i_1, i_2, \cdots, i_T)$，求各个状态序列 I 与观测序列 $O = (o_1, o_2, \cdots, o_T)$ 的联合概率 $P(O, I|\lambda)$，然后对所有可能的状态序列求和，得到 $P(O|\lambda)$.

状态序列 $I = (i_1, i_2, \cdots, i_T)$ 的概率是

$$P(I|\lambda) = \pi_{i_1} a_{i_1 i_2} a_{i_2 i_3} \cdots a_{i_{T-1} i_T} \tag{10.10}$$

对固定的状态序列 $I = (i_1, i_2, \cdots, i_T)$，观测序列 $O = (o_1, o_2, \cdots, o_T)$ 的概率是 $P(O|I, \lambda)$，

$$P(O|I, \lambda) = b_{i_1}(o_1) b_{i_2}(o_2) \cdots b_{i_T}(o_T) \tag{10.11}$$

O 和 I 同时出现的联合概率为

$$\begin{aligned} P(O, I|\lambda) &= P(O|I, \lambda) P(I|\lambda) \\ &= \pi_{i_1} b_{i_1}(o_1) a_{i_1 i_2} b_{i_2}(o_2) \cdots a_{i_{T-1} i_T} b_{i_T}(o_T) \end{aligned} \tag{10.12}$$

然后，对所有可能的状态序列 I 求和，得到观测序列 O 的概率 $P(O|\lambda)$，即

$$\begin{aligned} P(O|\lambda) &= \sum_I P(O|I, \lambda) P(I|\lambda) \\ &= \sum_{i_1, i_2, \cdots, i_T} \pi_{i_1} b_{i_1}(o_1) a_{i_1 i_2} b_{i_2}(o_2) \cdots a_{i_{T-1} i_T} b_{i_T}(o_T) \end{aligned} \tag{10.13}$$

但是，利用公式 (10.13) 计算量很大，是 $O(TN^T)$ 阶的，这种算法不可行.

下面介绍计算观测序列概率 $P(O|\lambda)$ 的有效算法：前向-后向算法（forward-backward algorithm）.

10.2.2 前向算法

首先定义前向概率.

定义 10.2（前向概率） 给定隐马尔可夫模型 λ，定义到时刻 t 部分观测序列为 $o_1, o_2, \cdots, o_t$ 且状态为 q_i 的概率为前向概率，记作

$$\alpha_t(i) = P(o_1, o_2, \cdots, o_t, i_t = q_i | \lambda) \tag{10.14}$$

可以递推地求得前向概率 $\alpha_t(i)$ 及观测序列概率 $P(O|\lambda)$.

算法 10.2（观测序列概率的前向算法）

输入：隐马尔可夫模型 λ，观测序列 O；

输出：观测序列概率 $P(O|\lambda)$.

（1）初值

$$\alpha_1(i) = \pi_i b_i(o_1), \quad i = 1, 2, \cdots, N \tag{10.15}$$

（2）递推　对 $t = 1, 2, \cdots, T-1$，

$$\alpha_{t+1}(i) = \left[\sum_{j=1}^{N} \alpha_t(j) a_{ji} \right] b_i(o_{t+1}), \quad i = 1, 2, \cdots, N \tag{10.16}$$

（3）终止

$$P(O \mid \lambda) = \sum_{i=1}^{N} \alpha_T(i) \tag{10.17} \quad\blacksquare$$

前向算法，步骤（1）初始化前向概率，是初始时刻的状态 $i_1 = q_i$ 和观测 o_1 的联合概率. 步骤（2）是前向概率的递推公式，计算到时刻 $t+1$ 部分观测序列为 $o_1, o_2, \cdots, o_t, o_{t+1}$ 且在时刻 $t+1$ 处于状态 q_i 的前向概率，如图 10.1 所示. 在式 (10.16) 的方括弧里，既然 $\alpha_t(j)$ 是到时刻 t 观测到 $o_1, o_2, \cdots, o_t$ 并在时刻 t 处于状态 q_j 的前向概率，那么乘积 $\alpha_t(j) a_{ji}$ 就是到时刻 t 观测到 $o_1, o_2, \cdots, o_t$ 并在时刻 t 处于状态 q_j 而在时刻 $t+1$ 到达状态 q_i 的联合概率. 对这个乘积在时刻 t 的所有可能的 N 个状态 q_j 求和，其结果就是到时刻 t 观测为 $o_1, o_2, \cdots, o_t$ 并在时刻 $t+1$ 处于状态 q_i 的联合概率. 方括弧里的值与观测概率 $b_i(o_{t+1})$ 的乘积恰好是到时刻 $t+1$ 观测到 $o_1, o_2, \cdots, o_t, o_{t+1}$ 并在时刻 $t+1$ 处于状态 q_i 的前向概率 $\alpha_{t+1}(i)$. 步骤（3）给出 $P(O \mid \lambda)$ 的计算公式. 因为

$$\alpha_T(i) = P(o_1, o_2, \cdots, o_T, i_T = q_i \mid \lambda)$$

所以

$$P(O \mid \lambda) = \sum_{i=1}^{N} \alpha_T(i)$$

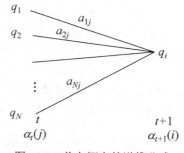

图 10.1　前向概率的递推公式

如图 10.2 所示，前向算法实际是基于"状态序列的路径结构"递推计算 $P(O \mid \lambda)$ 的算法. 前向算法高效的关键是其局部计算前向概率，然后利用路径结构将前向概率"递推"到全局，得到 $P(O \mid \lambda)$. 具体地，在时刻 $t = 1$，计算 $\alpha_1(i)$ 的 N 个值

($i = 1, 2, \cdots, N$)；在各个时刻 $t = 1, 2, \cdots, T-1$，计算 $\alpha_{t+1}(i)$ 的 N 个值 ($i = 1, 2, \cdots, N$)，而且每个 $\alpha_{t+1}(i)$ 的计算利用前一时刻 N 个 $\alpha_t(j)$. 减少计算量的原因在于每一次计算直接引用前一个时刻的计算结果，避免重复计算. 这样，利用前向概率计算 $P(O \mid \lambda)$ 的计算量是 $O(N^2 T)$ 阶的，而不是直接计算的 $O(TN^T)$ 阶.

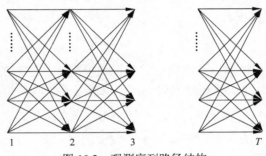

图 10.2   观测序列路径结构

例 10.2   考虑盒子和球模型 $\lambda = (A, B, \pi)$，状态集合 $Q = \{1, 2, 3\}$，观测集合 $V = \{红，白\}$，

$$A = \begin{bmatrix} 0.5 & 0.2 & 0.3 \\ 0.3 & 0.5 & 0.2 \\ 0.2 & 0.3 & 0.5 \end{bmatrix}, \quad B = \begin{bmatrix} 0.5 & 0.5 \\ 0.4 & 0.6 \\ 0.7 & 0.3 \end{bmatrix}, \quad \pi = (0.2, 0.4, 0.4)^{\mathrm{T}}$$

设 $T = 3$，$O = (红, 白, 红)$，试用前向算法计算 $P(O \mid \lambda)$.

解   按照算法 10.2

（1）计算初值

$$\alpha_1(1) = \pi_1 b_1(o_1) = 0.10$$
$$\alpha_1(2) = \pi_2 b_2(o_1) = 0.16$$
$$\alpha_1(3) = \pi_3 b_3(o_1) = 0.28$$

（2）递推计算

$$\alpha_2(1) = \left[\sum_{i=1}^{3} \alpha_1(i) a_{i1} \right] b_1(o_2) = 0.154 \times 0.5 = 0.077$$

$$\alpha_2(2) = \left[\sum_{i=1}^{3} \alpha_1(i) a_{i2} \right] b_2(o_2) = 0.184 \times 0.6 = 0.1104$$

$$\alpha_2(3) = \left[\sum_{i=1}^{3} \alpha_1(i) a_{i3} \right] b_3(o_2) = 0.202 \times 0.3 = 0.0606$$

$$\alpha_3(1) = \left[\sum_{i=1}^{3} \alpha_2(i) a_{i1} \right] b_1(o_3) = 0.04187$$

$$\alpha_3(2) = \left[\sum_{i=1}^{3} \alpha_2(i) a_{i2} \right] b_2(o_3) = 0.03551$$

$$\alpha_3(3) = \left[\sum_{i=1}^{3}\alpha_2(i)a_{i3}\right]b_3(o_3) = 0.05284$$

（3）终止

$$P(O\mid\lambda) = \sum_{i=1}^{3}\alpha_3(i) = 0.13022 \qquad\blacksquare$$

10.2.3　后向算法

定义 10.3（后向概率）　　给定隐马尔可夫模型 λ，定义在时刻 t 状态为 q_i 的条件下，从 $t+1$ 到 T 的部分观测序列为 $o_{t+1},o_{t+2},\cdots,o_T$ 的概率为后向概率，记作

$$\beta_t(i) = P(o_{t+1},o_{t+2},\cdots,o_T\mid i_t = q_i,\lambda) \qquad(10.18)$$

可以用递推的方法求得后向概率 $\beta_t(i)$ 及观测序列概率 $P(O\mid\lambda)$．

算法 10.3　（观测序列概率的后向算法）

输入：隐马尔可夫模型 λ，观测序列 O；

输出：观测序列概率 $P(O\mid\lambda)$．

（1）

$$\beta_T(i) = 1，\quad i = 1,2,\cdots,N \qquad(10.19)$$

（2）对 $t = T-1, T-2,\cdots,1$

$$\beta_t(i) = \sum_{j=1}^{N}a_{ij}b_j(o_{t+1})\beta_{t+1}(j)，\quad i = 1,2,\cdots,N \qquad(10.20)$$

（3）

$$P(O\mid\lambda) = \sum_{i=1}^{N}\pi_i b_i(o_1)\beta_1(i) \qquad(10.21)\quad\blacksquare$$

步骤（1）初始化后向概率，对最终时刻的所有状态 q_i 规定 $\beta_T(i) = 1$．步骤（2）是后向概率的递推公式．如图 10.3 所示，为了计算在时刻 t 状态为 q_i 条件下时刻 $t+1$ 之后的观测序列为 $o_{t+1},o_{t+2},\cdots,o_T$ 的后向概率 $\beta_t(i)$，只需考虑在时刻 $t+1$ 所有

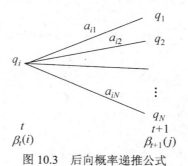

图 10.3　后向概率递推公式

可能的 N 个状态 q_j 的转移概率（即 a_{ij} 项），以及在此状态下的观测 o_{t+1} 的观测概率（即 $b_j(o_{t+1})$ 项），然后考虑状态 q_j 之后的观测序列的后向概率（即 $\beta_{t+1}(j)$ 项）. 步骤（3）求 $P(O|\lambda)$ 的思路与步骤（2）一致，只是初始概率 π_i 代替转移概率.

利用前向概率和后向概率的定义可以将观测序列概率 $P(O|\lambda)$ 统一写成

$$P(O|\lambda) = \sum_{i=1}^{N}\sum_{j=1}^{N}\alpha_t(i)a_{ij}b_j(o_{t+1})\beta_{t+1}(j), \quad t=1,2,\cdots,T-1 \tag{10.22}$$

此式当 $t=1$ 和 $t=T-1$ 时分别为式(10.17)和式(10.21).

10.2.4 一些概率与期望值的计算

利用前向概率和后向概率，可以得到关于单个状态和两个状态概率的计算公式.

1. 给定模型 λ 和观测 O，在时刻 t 处于状态 q_i 的概率. 记

$$\gamma_t(i) = P(i_t = q_i | O, \lambda) \tag{10.23}$$

可以通过前向后向概率计算. 事实上，

$$\gamma_t(i) = P(i_t = q_i | O, \lambda) = \frac{P(i_t = q_i, O|\lambda)}{P(O|\lambda)}$$

由前向概率 $\alpha_t(i)$ 和后向概率 $\beta_t(i)$ 定义可知：

$$\alpha_t(i)\beta_t(i) = P(i_t = q_i, O|\lambda)$$

于是得到：

$$\gamma_t(i) = \frac{\alpha_t(i)\beta_t(i)}{P(O|\lambda)} = \frac{\alpha_t(i)\beta_t(i)}{\sum_{j=1}^{N}\alpha_t(j)\beta_t(j)} \tag{10.24}$$

2. 给定模型 λ 和观测 O，在时刻 t 处于状态 q_i 且在时刻 $t+1$ 处于状态 q_j 的概率. 记

$$\xi_t(i,j) = P(i_t = q_i, i_{t+1} = q_j | O, \lambda) \tag{10.25}$$

可以通过前向后向概率计算：

$$\xi_t(i,j) = \frac{P(i_t = q_i, i_{t+1} = q_j, O|\lambda)}{P(O|\lambda)} = \frac{P(i_t = q_i, i_{t+1} = q_j, O|\lambda)}{\sum_{i=1}^{N}\sum_{j=1}^{N}P(i_t = q_i, i_{t+1} = q_j, O|\lambda)}$$

而

$$P(i_t = q_i, i_{t+1} = q_j, O|\lambda) = \alpha_t(i)a_{ij}b_j(o_{t+1})\beta_{t+1}(j)$$

所以

$$\xi_t(i,j) = \frac{\alpha_t(i)a_{ij}b_j(o_{t+1})\beta_{t+1}(j)}{\sum_{i=1}^{N}\sum_{j=1}^{N}\alpha_t(i)a_{ij}b_j(o_{t+1})\beta_{t+1}(j)} \tag{10.26}$$

3．将 $\gamma_t(i)$ 和 $\xi_t(i,j)$ 对各个时刻 t 求和，可以得到一些有用的期望值：

（1）在观测 O 下状态 i 出现的期望值

$$\sum_{t=1}^{T}\gamma_t(i) \tag{10.27}$$

（2）在观测 O 下由状态 i 转移的期望值

$$\sum_{t=1}^{T-1}\gamma_t(i) \tag{10.28}$$

（3）在观测 O 下由状态 i 转移到状态 j 的期望值

$$\sum_{t=1}^{T-1}\xi_t(i,j) \tag{10.29}$$

10.3 学 习 算 法

隐马尔可夫模型的学习，根据训练数据是包括观测序列和对应的状态序列还是只有观测序列，可以分别由监督学习与非监督学习实现．本节首先介绍监督学习算法，而后介绍非监督学习算法——Baum-Welch 算法（也就是 EM 算法）．

10.3.1 监督学习方法

假设已给训练数据包含 S 个长度相同的观测序列和对应的状态序列 $\{(O_1,I_1),(O_2,I_2),\cdots,(O_S,I_S)\}$，那么可以利用极大似然估计法来估计隐马尔可夫模型的参数．具体方法如下．

1．转移概率 a_{ij} 的估计

设样本中时刻 t 处于状态 i 时刻 $t+1$ 转移到状态 j 的频数为 A_{ij}，那么状态转移概率 a_{ij} 的估计是

$$\hat{a}_{ij} = \frac{A_{ij}}{\sum_{j=1}^{N}A_{ij}}, \quad i=1,2,\cdots,N \ ; \ j=1,2,\cdots,N \tag{10.30}$$

2．观测概率 $b_j(k)$ 的估计

设样本中状态为 j 并观测为 k 的频数是 B_{jk}，那么状态为 j 观测为 k 的概率

$b_j(k)$ 的估计是

$$\hat{b}_j(k) = \frac{B_{jk}}{\sum_{k=1}^{M} B_{jk}}, \qquad j = 1, 2, \cdots, N ; \quad k = 1, 2, \cdots, M \qquad (10.31)$$

3. 初始状态概率 π_i 的估计 $\hat{\pi}_i$ 为 S 个样本中初始状态为 q_i 的频率

由于监督学习需要使用训练数据，而人工标注训练数据往往代价很高，有时就会利用非监督学习的方法.

10.3.2 Baum-Welch 算法

假设给定训练数据只包含 S 个长度为 T 的观测序列 $\{O_1, O_2, \cdots, O_S\}$ 而没有对应的状态序列，目标是学习隐马尔可夫模型 $\lambda = (A, B, \pi)$ 的参数. 我们将观测序列数据看作观测数据 O，状态序列数据看作不可观测的隐数据 I，那么隐马尔可夫模型事实上是一个含有隐变量的概率模型

$$P(O \mid \lambda) = \sum_I P(O \mid I, \lambda) P(I \mid \lambda) \qquad (10.32)$$

它的参数学习可以由 EM 算法实现.

1. 确定完全数据的对数似然函数

所有观测数据写成 $O = (o_1, o_2, \cdots, o_T)$，所有隐数据写成 $I = (i_1, i_2, \cdots, i_T)$，完全数据是 $(O, I) = (o_1, o_2, \cdots, o_T, i_1, i_2, \cdots, i_T)$. 完全数据的对数似然函数是 $\log P(O, I \mid \lambda)$.

2. EM 算法的 E 步：求 Q 函数 $Q(\lambda, \bar{\lambda})$[①]

$$Q(\lambda, \bar{\lambda}) = \sum_I \log P(O, I \mid \lambda) P(O, I \mid \bar{\lambda}) \qquad (10.33)$$

其中，$\bar{\lambda}$ 是隐马尔可夫模型参数的当前估计值，λ 是要极大化的隐马尔可夫模型参数.

$$P(O, I \mid \lambda) = \pi_{i_1} b_{i_1}(o_1) a_{i_1 i_2} b_{i_2}(o_2) \cdots a_{i_{T-1} i_T} b_{i_T}(o_T)$$

于是函数 $Q(\lambda, \bar{\lambda})$ 可以写成：

$$Q(\lambda, \bar{\lambda}) = \sum_I \log \pi_{i_1} P(O, I \mid \bar{\lambda})$$
$$+ \sum_I \left(\sum_{t=1}^{T-1} \log a_{i_t i_{t+1}} \right) P(O, I \mid \bar{\lambda}) + \sum_I \left(\sum_{t=1}^{T} \log b_{i_t}(o_t) \right) P(O, I \mid \bar{\lambda}) \qquad (10.34)$$

式中求和都是对所有训练数据的序列总长度 T 进行的.

---

① 按照 Q 函数的定义

$$Q(\lambda, \bar{\lambda}) = E_I[\log P(O, I \mid \lambda) \mid O, \bar{\lambda}]$$

式 (10.33) 略去了对 λ 而言的常数因子 $1/P(O \mid \bar{\lambda})$.

3．EM 算法的 M 步：极大化 Q 函数 $Q(\lambda,\overline{\lambda})$ 求模型参数 A,B,π

由于要极大化的参数在式 (10.34) 中单独地出现在 3 个项中，所以只需对各项分别极大化．

（1）式 (10.34) 的第 1 项可以写成：

$$\sum_{I}\log\pi_{i_0}P(O,I\,|\,\overline{\lambda})=\sum_{i=1}^{N}\log\pi_{i}P(O,i_1=i\,|\,\overline{\lambda})$$

注意到 π_i 满足约束条件 $\sum_{i=1}^{N}\pi_i=1$，利用拉格朗日乘子法，写出拉格朗日函数：

$$\sum_{i=1}^{N}\log\pi_{i}P(O,i_1=i\,|\,\overline{\lambda})+\gamma\left(\sum_{i=1}^{N}\pi_i-1\right)$$

对其求偏导数并令结果为 0

$$\frac{\partial}{\partial\pi_i}\left[\sum_{i=1}^{N}\log\pi_{i}P(O,i_1=i\,|\,\overline{\lambda})+\gamma\left(\sum_{i=1}^{N}\pi_i-1\right)\right]=0 \qquad (10.35)$$

得

$$P(O,i_1=i\,|\,\overline{\lambda})+\gamma\pi_i=0$$

对 i 求和得到 γ

$$\gamma=-P(O\,|\,\overline{\lambda})$$

代入式 (10.35) 即得

$$\pi_i=\frac{P(O,i_1=i\,|\,\overline{\lambda})}{P(O\,|\,\overline{\lambda})} \qquad (10.36)$$

（2）式 (10.34) 的第 2 项可以写成

$$\sum_{I}\left(\sum_{t=1}^{T-1}\log a_{i_t i_{t+1}}\right)P(O,I\,|\,\overline{\lambda})=\sum_{i=1}^{N}\sum_{j=1}^{N}\sum_{t=1}^{T-1}\log a_{ij}P(O,i_t=i,i_{t+1}=j\,|\,\overline{\lambda})$$

类似第 1 项，应用具有约束条件 $\sum_{j=1}^{N}a_{ij}=1$ 的拉格朗日乘子法可以求出

$$a_{ij}=\frac{\displaystyle\sum_{t=1}^{T-1}P(O,i_t=i,i_{t+1}=j\,|\,\overline{\lambda})}{\displaystyle\sum_{t=1}^{T-1}P(O,i_t=i\,|\,\overline{\lambda})} \qquad (10.37)$$

（3）式 (10.34) 的第 3 项为

$$\sum_{I}\left(\sum_{t=1}^{T}\log b_{i_t}(o_t)\right)P(O,I\,|\,\overline{\lambda})=\sum_{j=1}^{N}\sum_{t=1}^{T}\log b_{j}(o_t)P(O,i_t=j\,|\,\overline{\lambda})$$

同样用拉格朗日乘子法，约束条件是 $\sum_{k=1}^{M} b_j(k) = 1$. 注意，只有在 $o_t = v_k$ 时 $b_j(o_t)$ 对 $b_j(k)$ 的偏导数才不为 0，以 $I(o_t = v_k)$ 表示．求得

$$b_j(k) = \frac{\sum_{t=1}^{T} P(O, i_t = j \mid \bar{\lambda}) I(o_t = v_k)}{\sum_{t=1}^{T} P(O, i_t = j \mid \bar{\lambda})} \tag{10.38}$$

10.3.3 Baum-Welch 模型参数估计公式

将式 (10.36) ～式 (10.38) 中的各概率分别用 $\gamma_t(i)$，$\xi_t(i, j)$ 表示，则可将相应的公式写成：

$$a_{ij} = \frac{\sum_{t=1}^{T-1} \xi_t(i, j)}{\sum_{t=1}^{T-1} \gamma_t(i)} \tag{10.39}$$

$$b_j(k) = \frac{\sum_{t=1, o_t = v_k}^{T} \gamma_t(j)}{\sum_{t=1}^{T} \gamma_t(j)} \tag{10.40}$$

$$\pi_i = \gamma_1(i) \tag{10.41}$$

其中，$\gamma_t(i)$，$\xi_t(i, j)$ 分别由式 (10.24) 及式 (10.26) 给出．式 (10.39) ～式 (10.41) 就是 Baum-Welch 算法（Baum-Welch algorithm），它是 EM 算法在隐马尔可夫模型学习中的具体实现，由 Baum 和 Welch 提出．

算法 10.4（Baum-Welch 算法）

输入：观测数据 $O = (o_1, o_2, \cdots, o_T)$；

输出：隐马尔可夫模型参数．

（1）初始化

对 $n = 0$，选取 $a_{ij}^{(0)}$，$b_j(k)^{(0)}$，$\pi_i^{(0)}$，得到模型 $\lambda^{(0)} = (A^{(0)}, B^{(0)}, \pi^{(0)})$．

（2）递推．对 $n = 1, 2, \cdots$，

$$a_{ij}^{(n+1)} = \frac{\sum_{t=1}^{T-1} \xi_t(i, j)}{\sum_{t=1}^{T-1} \gamma_t(i)}$$

$$b_j(k)^{(n+1)} = \frac{\sum\limits_{t=1,o_t=v_k}^{T} \gamma_t(j)}{\sum\limits_{t=1}^{T} \gamma_t(j)}$$

$$\pi_i^{(n+1)} = \gamma_1(i)$$

右端各值按观测 $O = (o_1, o_2, \cdots, o_T)$ 和模型 $\lambda^{(n)} = (A^{(n)}, B^{(n)}, \pi^{(n)})$ 计算. 式中 $\gamma_t(i)$，$\xi_t(i,j)$ 由式 (10.24) 和式 (10.26) 给出.

（3）终止. 得到模型参数 $\lambda^{(n+1)} = (A^{(n+1)}, B^{(n+1)}, \pi^{(n+1)})$.　　　　　　　　　■

10.4   预 测 算 法

下面介绍隐马尔可夫模型预测的两种算法：近似算法与维特比算法（Viterbi algorithm）.

10.4.1   近似算法

近似算法的想法是，在每个时刻 t 选择在该时刻最有可能出现的状态 i_t^*，从而得到一个状态序列 $I^* = (i_1^*, i_2^*, \cdots, i_T^*)$，将它作为预测的结果.

给定隐马尔可夫模型 λ 和观测序列 O，在时刻 t 处于状态 q_i 的概率 $\gamma_t(i)$ 是

$$\gamma_t(i) = \frac{\alpha_t(i)\beta_t(i)}{P(O \mid \lambda)} = \frac{\alpha_t(i)\beta_t(i)}{\sum\limits_{j=1}^{N} \alpha_t(j)\beta_t(j)} \tag{10.42}$$

在每一时刻 t 最有可能的状态 i_t^* 是

$$i_t^* = \arg\max_{1 \le i \le N}[\gamma_t(i)], \quad t = 1, 2, \cdots, T \tag{10.43}$$

从而得到状态序列 $I^* = (i_1^*, i_2^*, \cdots, i_T^*)$.

近似算法的优点是计算简单，其缺点是不能保证预测的状态序列整体是最有可能的状态序列，因为预测的状态序列可能有实际不发生的部分. 事实上，上述方法得到的状态序列中有可能存在转移概率为 0 的相邻状态，即对某些 i, j，$a_{ij} = 0$ 时. 尽管如此，近似算法仍然是有用的.

10.4.2   维特比算法

维特比算法实际是用动态规划解隐马尔可夫模型预测问题，即用动态规划（dynamic programming）求概率最大路径（最优路径）. 这时一条路径对应着一个状态序列.

根据动态规划原理，最优路径具有这样的特性：如果最优路径在时刻 t 通过结点 i_t^*，那么这一路径从结点 i_t^* 到终点 i_T^* 的部分路径，对于从 i_t^* 到 i_T^* 的所有可能

的部分路径来说，必须是最优的. 因为假如不是这样，那么从 i_t^* 到 i_T^* 就有另一条更好的部分路径存在，如果把它和从 i_1^* 到达 i_t^* 的部分路径连接起来，就会形成一条比原来的路径更优的路径，这是矛盾的. 依据这一原理，我们只需从时刻 $t=1$ 开始，递推地计算在时刻 t 状态为 i 的各条部分路径的最大概率，直至得到时刻 $t=T$ 状态为 i 的各条路径的最大概率. 时刻 $t=T$ 的最大概率即为最优路径的概率 P^*，最优路径的终结点 i_T^* 也同时得到. 之后，为了找出最优路径的各个结点，从终结点 i_T^* 开始，由后向前逐步求得结点 $i_{T-1}^*,\cdots,i_1^*$，得到最优路径 $I^*=(i_1^*,i_2^*,\cdots,i_T^*)$. 这就是维特比算法.

首先导入两个变量 δ 和 ψ. 定义在时刻 t 状态为 i 的所有单个路径 $(i_1,i_2,\cdots,i_t)$ 中概率最大值为

$$\delta_t(i)=\max_{i_1,i_2,\cdots,i_{t-1}}P(i_t=i,i_{t-1},\cdots,i_1,o_t,\cdots,o_1\mid\lambda),\quad i=1,2,\cdots,N \tag{10.44}$$

由定义可得变量 δ 的递推公式：

$$\delta_{t+1}(i)=\max_{i_1,i_2,\cdots,i_t}P(i_{t+1}=i,i_t,\cdots,i_1,o_{t+1},\cdots,o_1\mid\lambda)$$
$$=\max_{1\leqslant j\leqslant N}[\delta_t(j)a_{ji}]b_i(o_{t+1}),\quad i=1,2,\cdots,N;\ t=1,2,\cdots,T-1 \tag{10.45}$$

定义在时刻 t 状态为 i 的所有单个路径 $(i_1,i_2,\cdots,i_{t-1},i)$ 中概率最大的路径的第 $t-1$ 个结点为

$$\psi_t(i)=\arg\max_{1\leqslant j\leqslant N}[\delta_{t-1}(j)a_{ji}],\quad i=1,2,\cdots,N \tag{10.46}$$

下面介绍维特比算法.

算法 10.5（维特比算法）

输入：模型 $\lambda=(A,B,\pi)$ 和观测 $O=(o_1,o_2,\cdots,o_T)$；

输出：最优路径 $I^*=(i_1^*,i_2^*,\cdots,i_T^*)$.

（1）初始化

$$\delta_1(i)=\pi_ib_i(o_1),\quad i=1,2,\cdots,N$$
$$\psi_1(i)=0,\quad i=1,2,\cdots,N$$

（2）递推. 对 $t=2,3,\cdots,T$

$$\delta_t(i)=\max_{1\leqslant j\leqslant N}[\delta_{t-1}(j)a_{ji}]b_i(o_t),\quad i=1,2,\cdots,N$$
$$\psi_t(i)=\arg\max_{1\leqslant j\leqslant N}[\delta_{t-1}(j)a_{ji}],\quad i=1,2,\cdots,N$$

（3）终止

$$P^*=\max_{1\leqslant i\leqslant N}\delta_T(i)$$
$$i_T^*=\arg\max_{1\leqslant i\leqslant N}[\delta_T(i)]$$

（4）最优路径回溯. 对 $t = T-1, T-2, \cdots, 1$

$$i_t^* = \psi_{t+1}(i_{t+1}^*)$$

求得最优路径 $I^* = (i_1^*, i_2^*, \cdots, i_T^*)$.

下面通过一个例子来说明维特比算法.

例 10.3   例 10.2 的模型 $\lambda = (A, B, \pi)$，

$$A = \begin{bmatrix} 0.5 & 0.2 & 0.3 \\ 0.3 & 0.5 & 0.2 \\ 0.2 & 0.3 & 0.5 \end{bmatrix}, \quad B = \begin{bmatrix} 0.5 & 0.5 \\ 0.4 & 0.6 \\ 0.7 & 0.3 \end{bmatrix}, \quad \pi = (0.2, 0.4, 0.4)^{\mathrm{T}}$$

已知观测序列 $O = (红, 白, 红)$，试求最优状态序列，即最优路径 $I^* = (i_1^*, i_2^*, i_3^*)$.

解   如图 10.4 所示，要在所有可能的路径中选择一条最优路径，按照以下步骤处理：

（1）初始化. 在 $t = 1$ 时，对每一个状态 i，$i = 1, 2, 3$，求状态为 i 观测 o_1 为红的概率，记此概率为 $\delta_1(i)$，则

$$\delta_1(i) = \pi_i b_i(o_1) = \pi_i b_i(红), \quad i = 1, 2, 3$$

代入实际数据

$$\delta_1(1) = 0.10, \quad \delta_1(2) = 0.16, \quad \delta_1(3) = 0.28$$

记 $\psi_1(i) = 0$，$i = 1, 2, 3$.

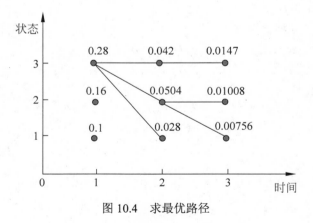

图 10.4   求最优路径

（2）在 $t = 2$ 时，对每个状态 i，$i = 1, 2, 3$，求在 $t = 1$ 时状态为 j 观测为红并在 $t = 2$ 时状态为 i 观测 o_2 为白的路径的最大概率，记此最大概率为 $\delta_2(i)$，则

$$\delta_2(i) = \max_{1 \leqslant j \leqslant 3} [\delta_1(j) a_{ji}] b_i(o_2)$$

同时，对每个状态 i ， $i=1,2,3$ ，记录概率最大路径的前一个状态 j ：

$$\psi_2(i) = \arg\max_{1 \leqslant j \leqslant 3}[\delta_1(j)a_{ji}], \qquad i=1,2,3$$

计算：

$$\begin{aligned}\delta_2(1) &= \max_{1 \leqslant j \leqslant 3}[\delta_1(j)a_{j1}]b_1(o_2) \\ &= \max_j\{0.10 \times 0.5, 0.16 \times 0.3, 0.28 \times 0.2\} \times 0.5 \\ &= 0.028\end{aligned}$$

$$\psi_2(1)=3$$
$$\delta_2(2)=0.0504, \quad \psi_2(2)=3$$
$$\delta_2(3)=0.042, \quad \psi_2(3)=3$$

同样，在 $t=3$ 时，

$$\delta_3(i) = \max_{1 \leqslant j \leqslant 3}[\delta_2(j)a_{ji}]b_i(o_3)$$
$$\psi_3(i) = \arg\max_{1 \leqslant j \leqslant 3}[\delta_2(j)a_{ji}]$$
$$\delta_3(1)=0.00756, \quad \psi_3(1)=2$$
$$\delta_3(2)=0.01008, \quad \psi_3(2)=2$$
$$\delta_3(3)=0.0147, \quad \psi_3(3)=3$$

（3）以 P^* 表示最优路径的概率，则

$$P^* = \max_{1 \leqslant i \leqslant 3}\delta_3(i) = 0.0147$$

最优路径的终点是 i_3^*：

$$i_3^* = \arg\max_i[\delta_3(i)] = 3$$

（4）由最优路径的终点 i_3^* ，逆向找到 i_2^*, i_1^*：

$$在 t=2 时，\quad i_2^* = \psi_3(i_3^*) = \psi_3(3) = 3$$
$$在 t=1 时，\quad i_1^* = \psi_2(i_2^*) = \psi_2(3) = 3$$

于是求得最优路径，即最优状态序列 $I^* = (i_1^*, i_2^*, i_3^*) = (3,3,3)$.   ∎

本 章 概 要

1. 隐马尔可夫模型是关于时序的概率模型，描述由一个隐藏的马尔可夫链随机生成不可观测的状态的序列，再由各个状态随机生成一个观测而产生观测的序列的过程.

隐马尔可夫模型由初始状态概率向量 π、状态转移概率矩阵 A 和观测概率矩阵 B 决定. 因此，隐马尔可夫模型可以写成 $\lambda = (A, B, \pi)$.

隐马尔可夫模型是一个生成模型，表示状态序列和观测序列的联合分布，但是状态序列是隐藏的，不可观测的.

隐马尔可夫模型可以用于标注，这时状态对应着标记. 标注问题是给定观测序列预测其对应的标记序列.

2．概率计算问题．给定模型 $\lambda = (A, B, \pi)$ 和观测序列 $O = (o_1, o_2, \cdots, o_T)$，计算在模型 λ 下观测序列 O 出现的概率 $P(O|\lambda)$. 前向-后向算法是通过递推地计算前向-后向概率可以高效地进行隐马尔可夫模型的概率计算.

3．学习问题．已知观测序列 $O = (o_1, o_2, \cdots, o_T)$，估计模型 $\lambda = (A, B, \pi)$ 参数，使得在该模型下观测序列概率 $P(O|\lambda)$ 最大. 即用极大似然估计的方法估计参数. Baum-Welch 算法，也就是 EM 算法可以高效地对隐马尔可夫模型进行训练. 它是一种非监督学习算法.

4．预测问题．已知模型 $\lambda = (A, B, \pi)$ 和观测序列 $O = (o_1, o_2, \cdots, o_T)$，求对给定观测序列条件概率 $P(I|O)$ 最大的状态序列 $I = (i_1, i_2, \cdots, i_T)$. 维特比算法应用动态规划高效地求解最优路径，即概率最大的状态序列.

继 续 阅 读

隐马尔可夫模型的介绍可见文献[1, 2]，特别地，文献[1]是经典的介绍性论文. 关于 Baum-Welch 算法可见文献[3, 4]. 可以认为概率上下文无关文法（probabilistic context-free grammar）是隐马尔可夫模型的一种推广，隐马尔可夫模型的不可观测数据是状态序列，而概率上下文无关文法的不可观测数据是上下文无关文法树[5]. 动态贝叶斯网络（dynamic Bayesian network）是定义在时序数据上的贝叶斯网络，它包含隐马尔可夫模型，是一种特例[6].

习　　题

10.1　给定盒子和球组成的隐马尔可夫模型 $\lambda = (A, B, \pi)$，其中，

$$A = \begin{bmatrix} 0.5 & 0.2 & 0.3 \\ 0.3 & 0.5 & 0.2 \\ 0.2 & 0.3 & 0.5 \end{bmatrix}, \quad B = \begin{bmatrix} 0.5 & 0.5 \\ 0.4 & 0.6 \\ 0.7 & 0.3 \end{bmatrix}, \quad \pi = (0.2, 0.4, 0.4)^{\mathrm{T}}$$

设 $T = 4$，$O = (红，白，红，白)$，试用后向算法计算 $P(O|\lambda)$.

10.2 考虑盒子和球组成的隐马尔可夫模型 $\lambda = (A, B, \pi)$ ，其中，

$$A = \begin{bmatrix} 0.5 & 0.1 & 0.4 \\ 0.3 & 0.5 & 0.2 \\ 0.2 & 0.2 & 0.6 \end{bmatrix}, \quad B = \begin{bmatrix} 0.5 & 0.5 \\ 0.4 & 0.6 \\ 0.7 & 0.3 \end{bmatrix}, \quad \pi = (0.2, 0.3, 0.5)^{\mathrm{T}}$$

设 $T = 8$ ，$O = (红,白,红,红,白,红,白,白)$ ，用前向后向概率计算 $P(i_4 = q_3 | O, \lambda)$.

10.3 在习题 10.1 中，试用维特比算法求最优路径 $I^* = (i_1^*, i_2^*, i_3^*, i_4^*)$.

10.4 试用前向概率和后向概率推导

$$P(O | \lambda) = \sum_{i=1}^{N} \sum_{j=1}^{N} \alpha_t(i) a_{ij} b_j(o_{t+1}) \beta_{t+1}(j), \quad t = 1, 2, \cdots, T-1$$

10.5 比较维特比算法中变量 δ 的计算和前向算法中变量 α 的计算的主要区别.

参 考 文 献

[1] Rabiner L, Juang B. An introduction to hidden markov Models. IEEE ASSP Magazine, January 1986

[2] Rabiner L. A tutorial on hidden Markov models and selected applications in speech recognition. Proceedings of IEEE, 1989

[3] Baum L, et al. A maximization technique occuring in the statistical analysis of probabilistic functions of Markov chains. Annals of Mathematical Statistics, 1970, 41: 164–171

[4] Bilmes JA. A gentle tutorial of the EM algorithm and its application to parameter estimation for Gaussian mixture and hidden Markov models. http://ssli.ee.washington.edu/~bilmes/mypubs/bilmes1997-em.pdf

[5] Lari K, Young SJ. Applications of stochastic context-free grammars using the Inside-Outside algorithm, Computer Speech & Language, 1991, 5(3): 237–257

[6] Ghahramani Z. Learning Dynamic Bayesian Networks. Lecture Notes in Computer Science, Vol. 1387, 1997, 168–197

第11章 条件随机场

条件随机场（conditional random field, CRF）是给定一组输入随机变量条件下另一组输出随机变量的条件概率分布模型，其特点是假设输出随机变量构成马尔可夫随机场．条件随机场可以用于不同的预测问题，本书仅论及它在标注问题的应用．因此主要讲述线性链（linear chain）条件随机场，这时，问题变成了由输入序列对输出序列预测的判别模型，形式为对数线性模型，其学习方法通常是极大似然估计或正则化的极大似然估计．线性链条件随机场应用于标注问题是由Lafferty 等人于 2001 年提出的．

本章首先介绍概率无向图模型，然后叙述条件随机场的定义和各种表示方法，最后介绍条件随机场的 3 个基本问题：概率计算问题、学习问题和预测问题．

11.1 概率无向图模型

概率无向图模型（probabilistic undirected graphical model），又称为马尔可夫随机场（Markov random field），是一个可以由无向图表示的联合概率分布．本节首先叙述概率无向图模型的定义，然后介绍概率无向图模型的因子分解．

11.1.1 模型定义

图（graph）是由结点（node）及连接结点的边（edge）组成的集合．结点和边分别记作 v 和 e，结点和边的集合分别记作 V 和 E，图记作 $G=(V,E)$．无向图是指边没有方向的图．

概率图模型（probabilistic graphical model）是由图表示的概率分布．设有联合概率分布 $P(Y)$，$Y\in\mathcal{Y}$ 是一组随机变量．由无向图 $G=(V,E)$ 表示概率分布 $P(Y)$，即在图 G 中，结点 $v\in V$ 表示一个随机变量 Y_v，$Y=(Y_v)_{v\in V}$；边 $e\in E$ 表示随机变量之间的概率依赖关系．

给定一个联合概率分布 $P(Y)$ 和表示它的无向图 G．首先定义无向图表示的随机变量之间存在的成对马尔可夫性（pairwise Markov property）、局部马尔可夫性（local Markov property）和全局马尔可夫性（global Markov property）．

成对马尔可夫性：设 u 和 v 是无向图 G 中任意两个没有边连接的结点，结点 u 和 v 分别对应随机变量 Y_u 和 Y_v．其他所有结点为 O，对应的随机变量组是 Y_O．成对马尔可夫性是指给定随机变量组 Y_O 的条件下随机变量 Y_u 和 Y_v 是条件独立的，即

$$P(Y_u, Y_v \mid Y_O) = P(Y_u \mid Y_O)P(Y_v \mid Y_O) \tag{11.1}$$

局部马尔可夫性：设 $v \in V$ 是无向图 G 中任意一个结点，W 是与 v 有边连接的所有结点，O 是 v，W 以外的其他所有结点. v 表示的随机变量是 Y_v，W 表示的随机变量组是 Y_W，O 表示的随机变量组是 Y_O. 局部马尔可夫性是指在给定随机变量组 Y_W 的条件下随机变量 Y_v 与随机变量组 Y_O 是独立的，即

$$P(Y_v, Y_O \mid Y_W) = P(Y_v \mid Y_W)P(Y_O \mid Y_W) \tag{11.2}$$

在 $P(Y_O \mid Y_W) > 0$ 时，等价地，

$$P(Y_v \mid Y_W) = P(Y_v \mid Y_W, Y_O) \tag{11.3}$$

图 11.1 表示由式 (11.2) 或式 (11.3) 所示的局部马尔可夫性.

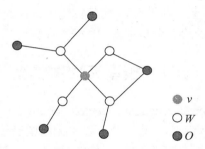

图 11.1   局部马尔可夫性

全局马尔可夫性：设结点集合 A，B 是在无向图 G 中被结点集合 C 分开的任意结点集合，如图 11.2 所示. 结点集合 A，B 和 C 所对应的随机变量组分别是 Y_A，Y_B 和 Y_C. 全局马尔可夫性是指给定随机变量组 Y_C 条件下随机变量组 Y_A 和 Y_B 是条件独立的，即

$$P(Y_A, Y_B \mid Y_C) = P(Y_A \mid Y_C)P(Y_B \mid Y_C) \tag{11.4}$$

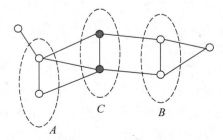

图 11.2   全局马尔可夫性

上述成对的、局部的、全局的马尔可夫性定义是等价的[2].

下面定义概率无向图模型.

定义 11.1（概率无向图模型）　设有联合概率分布 $P(Y)$，由无向图 $G = (V, E)$ 表示，在图 G 中，结点表示随机变量，边表示随机变量之间的依赖关系. 如果联合概率分布 $P(Y)$ 满足成对、局部或全局马尔可夫性，就称此联合概率分布为概率无向图模型（probability undirected graphical model），或马尔可夫随机场（Markov random field）.

以上是概率无向图模型的定义，实际上，我们更关心的是如何求其联合概率分布. 对给定的概率无向图模型，我们希望将整体的联合概率写成若干子联合概率的乘积的形式，也就是将联合概率进行因子分解，这样便于模型的学习与计算. 事实上，概率无向图模型的最大特点就是易于因子分解. 下面介绍这一结果.

11.1.2　概率无向图模型的因子分解

首先给出无向图中的团与最大团的定义.

定义 11.2（团与最大团）　无向图 G 中任何两个结点均有边连接的结点子集称为团（clique）. 若 C 是无向图 G 的一个团，并且不能再加进任何一个 G 的结点使其成为一个更大的团，则称此 C 为最大团（maximal clique）.

图 11.3 表示由 4 个结点组成的无向图. 图中由 2 个结点组成的团有 5 个：$\{Y_1, Y_2\}$，$\{Y_2, Y_3\}$，$\{Y_3, Y_4\}$，$\{Y_4, Y_2\}$ 和 $\{Y_1, Y_3\}$. 有 2 个最大团：$\{Y_1, Y_2, Y_3\}$ 和 $\{Y_2, Y_3, Y_4\}$. 而 $\{Y_1, Y_2, Y_3, Y_4\}$ 不是一个团，因为 Y_1 和 Y_4 没有边连接.

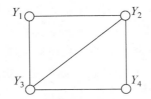

图 11.3　无向图的团和最大团

将概率无向图模型的联合概率分布表示为其最大团上的随机变量的函数的乘积形式的操作，称为概率无向图模型的因子分解（factorization）.

给定概率无向图模型，设其无向图为 G，C 为 G 上的最大团，Y_C 表示 C 对应的随机变量. 那么概率无向图模型的联合概率分布 $P(Y)$ 可写作图中所有最大团 C 上的函数 $\Psi_C(Y_C)$ 的乘积形式，即

$$P(Y) = \frac{1}{Z} \prod_C \Psi_C(Y_C) \tag{11.5}$$

其中，Z 是规范化因子（normalization factor），由式

$$Z = \sum_Y \prod_C \Psi_C(Y_C) \tag{11.6}$$

给出. 规范化因子保证 $P(Y)$ 构成一个概率分布. 函数 $\Psi_C(Y_C)$ 称为势函数（potential function）. 这里要求势函数 $\Psi_C(Y_C)$ 是严格正的，通常定义为指数函数：

$$\Psi_C(Y_C) = \exp\{-E(Y_C)\} \tag{11.7}$$

概率无向图模型的因子分解由下述定理来保证.

定理 11.1（Hammersley-Clifford 定理）　概率无向图模型的联合概率分布 $P(Y)$ 可以表示为如下形式：

$$P(Y) = \frac{1}{Z} \prod_C \Psi_C(Y_C)$$

$$Z = \sum_Y \prod_C \Psi_C(Y_C)$$

其中，C 是无向图的最大团，Y_C 是 C 的结点对应的随机变量，$\Psi_C(Y_C)$ 是 C 上定义的严格正函数，乘积是在无向图所有的最大团上进行的. ∎

11.2　条件随机场的定义与形式

11.2.1　条件随机场的定义

条件随机场（conditional random field）是给定随机变量 X 条件下，随机变量 Y 的马尔可夫随机场. 这里主要介绍定义在线性链上的特殊的条件随机场，称为线性链条件随机场（linear chain conditional random field）. 线性链条件随机场可以用于标注等问题. 这时，在条件概率模型 $P(Y\,|\,X)$ 中，Y 是输出变量，表示标记序列，X 是输入变量，表示需要标注的观测序列. 也把标记序列称为状态序列（参见隐马尔可夫模型）. 学习时，利用训练数据集通过极大似然估计或正则化的极大似然估计得到条件概率模型 $\hat{P}(Y\,|\,X)$；预测时，对于给定的输入序列 x，求出条件概率 $\hat{P}(y\,|\,x)$ 最大的输出序列 $\hat{y}$.

首先定义一般的条件随机场，然后定义线性链条件随机场.

定义 11.3（条件随机场）　设 X 与 Y 是随机变量，$P(Y\,|\,X)$ 是在给定 X 的条件下 Y 的条件概率分布. 若随机变量 Y 构成一个由无向图 $G=(V,E)$ 表示的马尔可夫随机场，即

$$P(Y_v\,|\,X,Y_w,w \neq v) = P(Y_v\,|\,X,Y_w,w \sim v) \tag{11.8}$$

对任意结点 v 成立，则称条件概率分布 $P(Y\,|\,X)$ 为条件随机场. 式中 $w \sim v$ 表示在图 $G=(V,E)$ 中与结点 v 有边连接的所有结点 w，$w \neq v$ 表示结点 v 以外的所有结点，Y_v，Y_u 与 Y_w 为结点 v，u 与 w 对应的随机变量.

在定义中并没有要求 X 和 Y 具有相同的结构. 现实中, 一般假设 X 和 Y 有相同的图结构. 本书主要考虑无向图为如图 11.4 与图 11.5 所示的线性链的情况, 即

$$G = (V = \{1, 2, \cdots, n\}, \quad E = \{(i, i+1)\}), \quad i = 1, 2, \cdots, n-1$$

在此情况下, $X = (X_1, X_2, \cdots, X_n)$, $Y = (Y_1, Y_2, \cdots, Y_n)$, 最大团是相邻两个结点的集合. 线性链条件随机场有下面的定义.

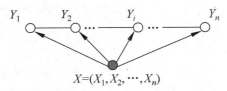

图 11.4 线性链条件随机场

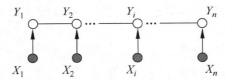

图 11.5 X 和 Y 有相同的图结构的线性链条件随机场

定义 11.4（线性链条件随机场） 设 $X = (X_1, X_2, \cdots, X_n)$, $Y = (Y_1, Y_2, \cdots, Y_n)$ 均为线性链表示的随机变量序列, 若在给定随机变量序列 X 的条件下, 随机变量序列 Y 的条件概率分布 $P(Y \mid X)$ 构成条件随机场, 即满足马尔可夫性

$$P(Y_i \mid X, Y_1, \cdots, Y_{i-1}, Y_{i+1}, \cdots, Y_n) = P(Y_i \mid X, Y_{i-1}, Y_{i+1})$$

$$i = 1, 2, \cdots, n \text{（在 } i = 1 \text{ 和 } n \text{ 时只考虑单边）} \tag{11.9}$$

则称 $P(Y \mid X)$ 为线性链条件随机场. 在标注问题中, X 表示输入观测序列, Y 表示对应的输出标记序列或状态序列.

11.2.2 条件随机场的参数化形式

根据定理 11.1, 可以给出线性链条件随机场 $P(Y \mid X)$ 的因子分解式, 各因子是定义在相邻两个结点上的函数.

定理 11.2（线性链条件随机场的参数化形式） 设 $P(Y \mid X)$ 为线性链条件随机场, 则在随机变量 X 取值为 x 的条件下, 随机变量 Y 取值为 y 的条件概率具有如下形式:

$$P(y \mid x) = \frac{1}{Z(x)} \exp\left(\sum_{i,k} \lambda_k t_k(y_{i-1}, y_i, x, i) + \sum_{i,l} \mu_l s_l(y_i, x, i) \right) \tag{11.10}$$

其中,

$$Z(x) = \sum_y \exp\left(\sum_{i,k} \lambda_k t_k(y_{i-1}, y_i, x, i) + \sum_{i,l} \mu_l s_l(y_i, x, i) \right) \tag{11.11}$$

式中,t_k 和 s_l 是特征函数,λ_k 和 μ_l 是对应的权值. $Z(x)$ 是规范化因子,求和是在所有可能的输出序列上进行的. ■

　　式 (11.10) 和式 (11.11) 是线性链条件随机场模型的基本形式,表示给定输入序列 x,对输出序列 y 预测的条件概率. 式 (11.10) 和式 (11.11) 中 t_k 是定义在边上的特征函数,称为转移特征,依赖于当前和前一个位置,s_l 是定义在结点上的特征函数,称为状态特征,依赖于当前位置. t_k 和 s_l 都依赖于位置,是局部特征函数. 通常,特征函数 t_k 和 s_l 取值为 1 或 0;当满足特征条件时取值为 1,否则为 0. 条件随机场完全由特征函数 t_k,s_l 和对应的权值 λ_k,μ_l 确定.

　　线性链条件随机场也是对数线性模型(log linear model).

　　下面看一个简单的例子.

　　例 11.1　设有一标注问题:输入观测序列为 $X = (X_1, X_2, X_3)$,输出标记序列为 $Y = (Y_1, Y_2, Y_3)$,Y_1, Y_2, Y_3 取值于 $\mathcal{Y} = \{1, 2\}$.

　　假设特征 t_k,s_l 和对应的权值 λ_k,μ_l 如下:

$$t_1 = t_1(y_{i-1} = 1, y_i = 2, x, i), \quad i = 2, 3, \quad \lambda_1 = 1$$

这里只注明特征取值为 1 的条件,取值为 0 的条件省略,即

$$t_1(y_{i-1}, y_i, x, i) = \begin{cases} 1, & y_{i-1} = 1, y_i = 2, x, i, (i = 2, 3) \\ 0, & \text{其他} \end{cases}$$

下同.

$$
\begin{aligned}
t_2 &= t_2(y_1 = 1, y_2 = 1, x, 2) & \lambda_2 &= 0.5 \\
t_3 &= t_3(y_2 = 2, y_3 = 1, x, 3) & \lambda_3 &= 1 \\
t_4 &= t_4(y_1 = 2, y_2 = 1, x, 2), & \lambda_4 &= 1 \\
t_5 &= t_5(y_2 = 2, y_3 = 2, x, 3), & \lambda_5 &= 0.2 \\
s_1 &= s_1(y_1 = 1, x, 1), & \mu_1 &= 1 \\
s_2 &= s_2(y_i = 2, x, i), \quad i = 1, 2 & \mu_2 &= 0.5 \\
s_3 &= s_3(y_i = 1, x, i), \quad i = 2, 3 & \mu_3 &= 0.8 \\
s_4 &= s_4(y_3 = 2, x, 3), & \mu_4 &= 0.5
\end{aligned}
$$

对给定的观测序列 x,求标记序列为 $y = (y_1, y_2, y_3) = (1, 2, 2)$ 的非规范化条件概率(即没有除以规范化因子的条件概率).

　　解　由式(11.10),线性链条件随机场模型为

$$P(y \mid x) \propto \exp\left[\sum_{k=1}^{5} \lambda_k \sum_{i=2}^{3} t_k(y_{i-1}, y_i, x, i) + \sum_{k=1}^{4} \mu_k \sum_{i=1}^{3} s_k(y_i, x, i)\right]$$

对给定的观测序列 x，标记序列 $y=(1,2,2)$ 的非规范化条件概率为

$$P(y_1=1, y_2=2, y_3=2 \mid x) \propto \exp \quad\quad (3.2)$$

■

11.2.3 条件随机场的简化形式

条件随机场还可以由简化形式表示．注意到条件随机场式 (11.10) 中同一特征在各个位置都有定义，可以对同一个特征在各个位置求和，将局部特征函数转化为一个全局特征函数，这样就可以将条件随机场写成权值向量和特征向量的内积形式，即条件随机场的简化形式．

为简便起见，首先将转移特征和状态特征及其权值用统一的符号表示．设有 K_1 个转移特征，K_2 个状态特征，$K=K_1+K_2$，记

$$f_k(y_{i-1}, y_i, x, i) = \begin{cases} t_k(y_{i-1}, y_i, x, i), & k=1, 2, \cdots, K_1 \\ s_l(y_i, x, i), & k=K_1+l; \ l=1, 2, \cdots, K_2 \end{cases} \quad (11.12)$$

然后，对转移与状态特征在各个位置 i 求和，记作

$$f_k(y, x) = \sum_{i=1}^{n} f_k(y_{i-1}, y_i, x, i), \quad k=1, 2, \cdots, K \quad (11.13)$$

用 w_k 表示特征 $f_k(y, x)$ 的权值，即

$$w_k = \begin{cases} \lambda_k, & k=1, 2, \cdots, K_1 \\ \mu_l, & k=K_1+l; l=1, 2, \cdots, K_2 \end{cases} \quad (11.14)$$

于是，条件随机场 (11.11) ～ (11.12) 可表示为

$$P(y \mid x) = \frac{1}{Z(x)} \exp \sum_{k=1}^{K} w_k f_k(y, x) \quad (11.15)$$

$$Z(x) = \sum_y \exp \sum_{k=1}^{K} w_k f_k(y, x) \quad (11.16)$$

若以 w 表示权值向量，即

$$w = (w_1, w_2, \cdots, w_K)^T \quad (11.17)$$

以 $F(y, x)$ 表示全局特征向量，即

$$F(y, x) = (f_1(y, x), f_2(y, x), \cdots, f_K(y, x))^T \quad (11.18)$$

则条件随机场可以写成向量 w 与 $F(y,x)$ 的内积的形式：

$$P_w(y\mid x) = \frac{\exp\bigl(w \cdot F(y,x)\bigr)}{Z_w(x)} \tag{11.19}$$

其中，

$$Z_w(x) = \sum_y \exp\bigl(w \cdot F(y,x)\bigr) \tag{11.20}$$

11.2.4　条件随机场的矩阵形式

条件随机场还可以由矩阵表示. 假设 $P_w(y\mid x)$ 是由式 (11.15) ～ (11.16) 给出的线性链条件随机场，表示对给定观测序列 x，相应的标记序列 y 的条件概率. 引进特殊的起点和终点状态标记 $y_0 = \mathrm{start}$，$y_{n+1} = \mathrm{stop}$，这时 $P_w(y\mid x)$ 可以通过矩阵形式表示.

对观测序列 x 的每一个位置 $i = 1, 2, \cdots, n+1$，定义一个 m 阶矩阵（m 是标记 y_i 取值的个数）

$$M_i(x) = \bigl[M_i(y_{i-1}, y_i \mid x) \bigr] \tag{11.21}$$

$$M_i(y_{i-1}, y_i \mid x) = \exp\bigl(W_i(y_{i-1}, y_i \mid x) \bigr) \tag{11.22}$$

$$W_i(y_{i-1}, y_i \mid x) = \sum_{k=1}^{K} w_k f_k(y_{i-1}, y_i, x, i) \tag{11.23}$$

这样，给定观测序列 x，标记序列 y 的非规范化概率可以通过 $n+1$ 个矩阵的乘积 $\prod_{i=1}^{n+1} M_i(y_{i-1}, y_i \mid x)$ 表示，于是，条件概率 $P_w(y\mid x)$ 是

$$P_w(y\mid x) = \frac{1}{Z_w(x)} \prod_{i=1}^{n+1} M_i(y_{i-1}, y_i \mid x) \tag{11.24}$$

其中，$Z_w(x)$ 为规范化因子，是 $n+1$ 个矩阵的乘积的 $(\mathrm{start}, \mathrm{stop})$ 元素：

$$Z_w(x) = \bigl(M_1(x) M_2(x) \cdots M_{n+1}(x) \bigr)_{\mathrm{start}, \mathrm{stop}} \tag{11.25}$$

注意，$y_0 = \mathrm{start}$ 与 $y_{n+1} = \mathrm{stop}$ 表示开始状态与终止状态，规范化因子 $Z_w(x)$ 是以 start 为起点 stop 为终点通过状态的所有路径 $y_1 y_2 \cdots y_n$ 的非规范化概率 $\prod_{i=1}^{n+1} M_i(y_{i-1}, y_i \mid x)$ 之和. 下面的例子说明了这一事实.

例 11.2　给定一个由图 11.6 所示的线性链条件随机场，观测序列 x，状态序列 y，$i = 1, 2, 3$，$n = 3$，标记 $y_i \in \{1, 2\}$，假设 $y_0 = \mathrm{start} = 1$，$y_4 = \mathrm{stop} = 1$，各个位置的随机矩阵 $M_1(x)$，$M_2(x)$，$M_3(x)$，$M_4(x)$ 分别是

$$M_1(x) = \begin{bmatrix} a_{01} & a_{02} \\ 0 & 0 \end{bmatrix}, \quad M_2(x) = \begin{bmatrix} b_{11} & b_{12} \\ b_{21} & b_{22} \end{bmatrix}$$

$$M_3(x) = \begin{bmatrix} c_{11} & c_{12} \\ c_{21} & c_{22} \end{bmatrix}, \quad M_4(x) = \begin{bmatrix} 1 & 0 \\ 1 & 0 \end{bmatrix}$$

试求状态序列 y 以 start 为起点 stop 为终点所有路径的非规范化概率及规范化因子.

解 首先计算图 11.6 中从 start 到 stop 对应于 $y = (1,1,1)$，$y = (1,1,2)$，$\cdots$，$y = (2,2,2)$ 各路径的非规范化概率分别是

$$a_{01}b_{11}c_{11}, \quad a_{01}b_{11}c_{12}, \quad a_{01}b_{12}c_{21}, \quad a_{01}b_{12}c_{22}$$
$$a_{02}b_{21}c_{11}, \quad a_{02}b_{21}c_{12}, \quad a_{02}b_{22}c_{21}, \quad a_{02}b_{22}c_{22}$$

然后按式 (11.25) 求规范化因子. 通过计算矩阵乘积 $M_1(x)M_2(x)M_3(x)M_4(x)$ 可知，其第 1 行第 1 列的元素为

$$a_{01}b_{11}c_{11} + a_{02}b_{21}c_{11} + a_{01}b_{12}c_{21} + a_{02}b_{22}c_{22}$$
$$+ a_{01}b_{11}c_{12} + a_{02}b_{21}c_{12} + a_{01}b_{12}c_{22} + a_{02}b_{22}c_{21}$$

恰好等于从 start 到 stop 的所有路径的非规范化概率之和，即规范化因子 $Z(x)$. ∎

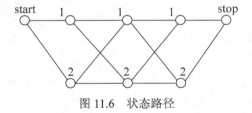

图 11.6 状态路径

11.3 条件随机场的概率计算问题

条件随机场的概率计算问题是给定条件随机场 $P(Y | X)$，输入序列 x 和输出序列 y，计算条件概率 $P(Y_i = y_i | x)$，$P(Y_{i-1} = y_{i-1}, Y_i = y_i | x)$ 以及相应的数学期望的问题. 为了方便起见，像隐马尔可夫模型那样，引进前向-后向向量，递归地计算以上概率及期望值. 这样的算法称为前向-后向算法.

11.3.1 前向–后向算法

对每个指标 $i = 0, 1, \cdots, n+1$，定义前向向量 $\alpha_i(x)$:

$$\alpha_0(y | x) = \begin{cases} 1, & y = \text{start} \\ 0, & \text{否则} \end{cases} \tag{11.26}$$

递推公式为

$$\alpha_i^{\mathrm{T}}(y_i \mid x) = \alpha_{i-1}^{\mathrm{T}}(y_{i-1} \mid x) M_i(y_{i-1}, y_i \mid x), \quad i = 1, 2, \cdots, n+1 \tag{11.27}$$

又可表示为

$$\alpha_i^{\mathrm{T}}(x) = \alpha_{i-1}^{\mathrm{T}}(x) M_i(x) \tag{11.28}$$

$\alpha_i(y_i \mid x)$ 表示在位置 i 的标记是 y_i 并且到位置 i 的前部分标记序列的非规范化概率，y_i 可取的值有 m 个，所以 $\alpha_i(x)$ 是 m 维列向量.

同样，对每个指标 $i = 0, 1, \cdots, n+1$，定义后向向量 $\beta_i(x)$：

$$\beta_{n+1}(y_{n+1} \mid x) = \begin{cases} 1, & y_{n+1} = \mathrm{stop} \\ 0, & \text{否则} \end{cases} \tag{11.29}$$

$$\beta_i(y_i \mid x) = M_i(y_i, y_{i+1} \mid x) \beta_{i-1}(y_{i+1} \mid x) \tag{11.30}$$

又可表示为

$$\beta_i(x) = M_{i+1}(x) \beta_{i+1}(x) \tag{11.31}$$

$\beta_i(y_i \mid x)$ 表示在位置 i 的标记为 y_i 并且从 $i+1$ 到 n 的后部分标记序列的非规范化概率.

由前向-后向向量定义不难得到：

$$Z(x) = \alpha_n^{\mathrm{T}}(x) \cdot \mathbf{1} = \mathbf{1}^{\mathrm{T}} \cdot \beta_1(x)$$

这里，$\mathbf{1}$ 是元素均为 1 的 m 维列向量.

11.3.2　概率计算

按照前向-后向向量的定义，很容易计算标记序列在位置 i 是标记 y_i 的条件概率和在位置 $i-1$ 与 i 是标记 y_{i-1} 和 y_i 的条件概率：

$$P(Y_i = y_i \mid x) = \frac{\alpha_i^{\mathrm{T}}(y_i \mid x) \beta_i(y_i \mid x)}{Z(x)} \tag{11.32}$$

$$P(Y_{i-1} = y_{i-1}, Y_i = y_i \mid x) = \frac{\alpha_{i-1}^{\mathrm{T}}(y_{i-1} \mid x) M_i(y_{i-1}, y_i \mid x) \beta_i(y_i \mid x)}{Z(x)} \tag{11.33}$$

其中，

$$Z(x) = \alpha_n^{\mathrm{T}}(x) \cdot \mathbf{1}$$

11.3.3　期望值的计算

利用前向-后向向量，可以计算特征函数关于联合分布 $P(X,Y)$ 和条件分布 $P(Y\,|\,X)$ 的数学期望.

特征函数 f_k 关于条件分布 $P(Y\,|\,X)$ 的数学期望是

$$E_{P(Y|X)}[f_k] = \sum_y P(y|x) f_k(y,x)$$

$$\doteq \sum_{i=1}^{n+1} \sum_{y_{i-1} y_i} f_k(y_{i-1}, y_i, x, i) \frac{\alpha_{i-1}^{\mathrm{T}}(y_{i-1}\,|\,x) M_i(y_{i-1}, y_i\,|\,x) \beta_i(y_i\,|\,x)}{Z(x)}$$

$$k = 1, 2, \cdots, K \tag{11.34}$$

其中,

$$Z(x) = \alpha_n^{\mathrm{T}}(x) \cdot \mathbf{1}$$

假设经验分布为 $\tilde{P}(X)$ ，特征函数 f_k 关于联合分布 $P(X,Y)$ 的数学期望是

$$E_{P(X,Y)}[f_k] = \sum_{x,y} P(x,y) \sum_{i=1}^{n+1} f_k(y_{i-1}, y_i, x, i)$$

$$= \sum_x \tilde{P}(x) \sum_y P(y\,|\,x) \sum_{i=1}^{n+1} f_k(y_{i-1}, y_i, x, i)$$

$$= \sum_x \tilde{P}(x) \sum_{i=1}^{n+1} \sum_{y_{i-1} y_i} f_k(y_{i-1}, y_i, x, i) \frac{\alpha_{i-1}^{\mathrm{T}}(y_{i-1}\,|\,x) M_i(y_{i-1}, y_i\,|\,x) \beta_i(y_i\,|\,x)}{Z(x)}$$

$$k = 1, 2, \cdots, K \tag{11.35}$$

其中,

$$Z(x) = \alpha_n^{\mathrm{T}}(x) \cdot \mathbf{1}$$

式 (11.34) 和式 (11.35) 是特征函数数学期望的一般计算公式. 对于转移特征 $t_k(y_{i-1}, y_i, x, i)$，$k = 1, 2, \cdots, K_1$，可以将式中的 f_k 换成 t_k；对于状态特征，可以将式中的 f_k 换成 s_i，表示为 $s_l(y_i, x, i)$，$k = K_1 + l$，$l = 1, 2, \cdots, K_2$.

有了式 (11.32)～式 (11.35)，对于给定的观测序列 x 与标记序列 y，可以通过一次前向扫描计算 α_i 及 $Z(x)$，通过一次后向扫描计算 β_i，从而计算所有的概率和特征的期望.

11.4　条件随机场的学习算法

本节讨论给定训练数据集估计条件随机场模型参数的问题，即条件随机场的学习问题. 条件随机场模型实际上是定义在时序数据上的对数线形模型，其学习

方法包括极大似然估计和正则化的极大似然估计. 具体的优化实现算法有改进的
迭代尺度法 IIS、梯度下降法以及拟牛顿法（参阅附录 A 和附录 B）.

11.4.1　改进的迭代尺度法

已知训练数据集，由此可知经验概率分布 $\tilde{P}(X,Y)$. 可以通过极大化训练数
据的对数似然函数来求模型参数.

训练数据的对数似然函数为

$$L(w) = L_{\tilde{P}}(P_w) = \log \prod_{x,y} P_w(y \mid x)^{\tilde{P}(x,y)} = \sum_{x,y} \tilde{P}(x,y) \log P_w(y \mid x)$$

当 P_w 是一个由式 (11.15) 和式 (11.16) 给出的条件随机场模型时，对数似然函数为

$$
\begin{aligned}
L(w) &= \sum_{x,y} \tilde{P}(x,y) \log P_w(y \mid x) \\
&= \sum_{x,y} \left[\tilde{P}(x,y) \sum_{k=1}^{K} w_k f_k(y,x) - \tilde{P}(x,y) \log Z_w(x) \right] \\
&= \sum_{j=1}^{N} \sum_{k=1}^{K} w_k f_k(y_j, x_j) - \sum_{j=1}^{N} \log Z_w(x_j)
\end{aligned}
$$

改进的迭代尺度法通过迭代的方法不断优化对数似然函数改变量的下界，达
到极大化对数似然函数的目的. 假设模型的当前参数向量为 $w = (w_1, w_2, \cdots, w_K)^{\mathrm{T}}$，
向量的增量为 $\delta = (\delta_1, \delta_2, \cdots, \delta_K)^{\mathrm{T}}$，更新参数向量为 $w + \delta = (w_1 + \delta_1, w_2 + \delta_2, \cdots,$
$w_K + \delta_K)^{\mathrm{T}}$. 在每步迭代过程中，改进的迭代尺度法通过依次求解式 (11.36) 和
式 (11.37)，得到 $\delta = (\delta_1, \delta_2, \cdots, \delta_K)^{\mathrm{T}}$. 推导可参考本书 6.3.1 节.

关于转移特征 t_k 的更新方程为

$$
\begin{aligned}
E_{\tilde{P}}[t_k] &= \sum_{x,y} \tilde{P}(x,y) \sum_{i=1}^{n+1} t_k(y_{i-1}, y_i, x, i) \\
&= \sum_{x,y} \tilde{P}(x) P(y \mid x) \sum_{i=1}^{n+1} t_k(y_{i-1}, y_i, x, i) \exp(\delta_k T(x,y)) \\
& \qquad\qquad k = 1, 2, \cdots, K_1
\end{aligned}
\tag{11.36}
$$

关于状态特征 s_l 的更新方程为

$$
\begin{aligned}
E_{\tilde{P}}[s_l] &= \sum_{x,y} \tilde{P}(x,y) \sum_{i=1}^{n+1} s_l(y_i, x, i) \\
&= \sum_{x,y} \tilde{P}(x) P(y \mid x) \sum_{i=1}^{n} s_l(y_i, x, i) \exp(\delta_{K_1+l} T(x,y)) \\
& \qquad\qquad l = 1, 2, \cdots, K_2
\end{aligned}
\tag{11.37}
$$

这里，$T(x,y)$ 是在数据 (x,y) 中出现所有特征数的总和：

$$T(x,y) = \sum_k f_k(y,x) = \sum_{k=1}^{K} \sum_{i=1}^{n+1} f_k(y_{i-1}, y_i, x, i) \tag{11.38}$$

算法 11.1（条件随机场模型学习的改进的迭代尺度法）

输入：特征函数 $t_1, t_2, \cdots, t_{K_1}$，$s_1, s_2, \cdots, s_{K_2}$；经验分布 $\tilde{P}(x,y)$；

输出：参数估计值 $\hat{w}$；模型 $P_{\hat{w}}$.

（1）对所有 $k \in \{1, 2, \cdots, K\}$，取初值 $w_k = 0$

（2）对每一 $k \in \{1, 2, \cdots, K\}$：

（a）当 $k = 1, 2, \cdots, K_1$ 时，令 δ_k 是方程

$$\sum_{x,y} \tilde{P}(x) P(y \mid x) \sum_{i=1}^{n+1} t_k(y_{i-1}, y_i, x, i) \exp(\delta_k T(x,y)) = E_{\tilde{P}}[t_k]$$

的解；

当 $k = K_1 + l$，$l = 1, 2, \cdots, K_2$ 时，令 δ_{K_1+l} 是方程

$$\sum_{x,y} \tilde{P}(x) P(y \mid x) \sum_{i=1}^{n} s_l(y_i, x, i) \exp(\delta_{K_1+l} T(x,y)) = E_{\tilde{P}}[s_l]$$

的解，式中 $T(x,y)$ 由式 (11.38) 给出.

（b）更新 w_k 值：$w_k \leftarrow w_k + \delta_k$

（3）如果不是所有 w_k 都收敛，重复步骤(2). ■

在式 (11.36) 和式 (11.37) 中，$T(x,y)$ 表示数据 (x,y) 中的特征总数，对不同的数据 (x,y) 取值可能不同. 为了处理这个问题，定义松弛特征

$$s(x,y) = S - \sum_{i=1}^{n+1} \sum_{k=1}^{K} f_k(y_{i-1}, y_i, x, i) \tag{11.39}$$

式中 S 是一个常数. 选择足够大的常数 S 使得对训练数据集的所有数据 (x,y)，$s(x,y) \geqslant 0$ 成立. 这时特征总数可取 S.

由式 (11.36)，对于转移特征 t_k，δ_k 的更新方程是

$$\sum_{x,y} \tilde{P}(x) P(y \mid x) \sum_{i=1}^{n+1} t_k(y_{i-1}, y_i, x, i) \exp(\delta_k S) = E_{\tilde{P}}[t_k] \tag{11.40}$$

$$\delta_k = \frac{1}{S} \log \frac{E_{\tilde{P}}[t_k]}{E_P[t_k]} \tag{11.41}$$

其中，

$$E_P(t_k) = \sum_x \tilde{P}(x) \sum_{i=1}^{n+1} \sum_{y_{i-1}, y_i} t_k(y_{i-1}, y_i, x, i) \frac{\alpha_{i-1}^{\mathrm{T}}(y_{i-1} \mid x) M_i(y_{i-1}, y_i \mid x) \beta_i(y_i \mid x)}{Z(x)} \tag{11.42}$$

同样由式 (11.37)，对于状态特征 s_l，δ_k 的更新方程是

$$\sum_{x,y} \tilde{P}(x)P(y\,|\,x)\sum_{i=1}^{n} s_l(y_i,x,i)\exp(\delta_{K_1+l}S) = E_{\tilde{P}}[s_l] \tag{11.43}$$

$$\delta_{K_1+l} = \frac{1}{S}\log\frac{E_{\tilde{P}}[s_l]}{E_P[s_l]} \tag{11.44}$$

其中，

$$E_P(s_l) = \sum_x \tilde{P}(x)\sum_{i=1}^{n}\sum_{y_i} s_l(y_i,x,i)\frac{\alpha_i^{\mathrm{T}}(y_i\,|\,x)\beta_i(y_i\,|\,x)}{Z(x)} \tag{11.45}$$

以上算法称为算法 S. 在算法 S 中需要使常数 S 取足够大，这样一来，每步迭代的增量向量会变大，算法收敛会变慢. 算法 T 试图解决这个问题. 算法 T 对每个观测序列 x 计算其特征总数最大值 $T(x)$：

$$T(x) = \max_y T(x,y) \tag{11.46}$$

利用前向-后向递推公式，可以很容易地计算 $T(x) = t$.

这时，关于转移特征参数的更新方程可以写成：

$$\begin{aligned}
E_{\tilde{P}}[t_k] &= \sum_{x,y}\tilde{P}(x)P(y\,|\,x)\sum_{i=1}^{n+1} t_k(y_{i-1},y_i,x,i)\exp(\delta_k T(x))\\
&= \sum_x \tilde{P}(x)\sum_y P(y\,|\,x)\sum_{i=1}^{n+1} t_k(y_{i-1},y_i,x,i)\exp(\delta_k T(x))\\
&= \sum_x \tilde{P}(x)a_{k,t}\exp(\delta_k \cdot t)\\
&= \sum_{t=0}^{T_{\max}} a_{k,t}\beta_k^{t}
\end{aligned} \tag{11.47}$$

这里，$a_{k,t}$ 是特征 t_k 的期待值，$\delta_k = \log\beta_k$. β_k 是多项式方程 (11.47) 唯一的实根，可以用牛顿法求得. 从而求得相关的 δ_k.

同样，关于状态特征的参数更新方程可以写成：

$$\begin{aligned}
E_{\tilde{P}}[s_l] &= \sum_{x,y}\tilde{P}(x)P(y\,|\,x)\sum_{i=1}^{n} s_l(y_i,x,i)\exp(\delta_{K_1+l}T(x))\\
&= \sum_x \tilde{P}(x)\sum_y P(y\,|\,x)\sum_{i=1}^{n} s_l(y_i,x,i)\exp(\delta_{K_1+l}T(x))\\
&= \sum_x \tilde{P}(x)b_{l,t}\exp(\delta_k \cdot t)\\
&= \sum_{t=0}^{T_{\max}} b_{l,t}\gamma_l^{t}
\end{aligned} \tag{11.48}$$

这里，$b_{l,t}$ 是特征 s_l 的期望值，$\delta_l = \log \gamma_l$，γ_l 是多项式方程 (11.48) 唯一的实根，也可以用牛顿法求得．

11.4.2 拟牛顿法

条件随机场模型学习还可以应用牛顿法或拟牛顿法 (参阅附录 B)．对于条件随机场模型

$$P_w(y\,|\,x) = \frac{\exp\left(\sum_{i=1}^{n} w_i f_i(x,y)\right)}{\sum_y \exp\left(\sum_{i=1}^{n} w_i f_i(x,y)\right)} \tag{11.49}$$

学习的优化目标函数是

$$\min_{w\in \mathbf{R}^n}\; f(w) = \sum_x \tilde{P}(x)\log\sum_y \exp\left(\sum_{i=1}^{n} w_i f_i(x,y)\right) - \sum_{x,y}\tilde{P}(x,y)\sum_{i=1}^{n} w_i f_i(x,y) \tag{11.50}$$

其梯度函数是

$$g(w) = \sum_{x,y}\tilde{P}(x)P_w(y\,|\,x)f(x,y) - E_{\tilde{P}}(f) \tag{11.51}$$

拟牛顿法的 BFGS 算法如下．

算法 11.2（条件随机场模型学习的 BFGS 算法）

输入：特征函数 $f_1,f_2,\cdots,f_n$；经验分布 $\tilde{P}(X,Y)$；

输出：最优参数值 $\hat{w}$；最优模型 $P_{\hat{w}}(y\,|\,x)$．

（1）选定初始点 $w^{(0)}$，取 $\boldsymbol{B}_0$ 为正定对称矩阵，置 $k=0$

（2）计算 $g_k = g(w^{(k)})$．若 $g_k = 0$，则停止计算；否则转 (3)

（3）由 $B_k p_k = -g_k$ 求出 p_k

（4）一维搜索：求 λ_k 使得

$$f(w^{(k)} + \lambda_k p_k) = \min_{\lambda \geqslant 0} f(w^{(k)} + \lambda p_k)$$

（5）置 $w^{(k+1)} = w^{(k)} + \lambda_k p_k$

（6）计算 $g_{k+1} = g(w^{(k+1)})$，若 $g_k = 0$，则停止计算；否则，按下式求出 B_{k+1}：

$$B_{k+1} = B_k + \frac{y_k y_k^{\mathrm{T}}}{y_k^{\mathrm{T}}\delta_k} - \frac{B_k \delta_k \delta_k^{\mathrm{T}} B_k}{\delta_k^{\mathrm{T}} B_k \delta_k}$$

其中，

$$y_k = g_{k+1} - g_k, \quad \delta_k = w^{(k+1)} - w^{(k)}$$

（7）置 $k = k+1$，转 (3)．　■

11.5 条件随机场的预测算法

条件随机场的预测问题是给定条件随机场 $P(Y\mid X)$ 和输入序列（观测序列）x，求条件概率最大的输出序列（标记序列）y^*，即对观测序列进行标注. 条件随机场的预测算法是著名的维特比算法（参阅本书 10.4 节）.

由式 (11.19) 可得：

$$
\begin{aligned}
y^* &= \arg\max_y P_w(y\mid x)\\
&= \arg\max_y \frac{\exp(w\cdot F(y,x))}{Z_w(x)}\\
&= \arg\max_y \exp(w\cdot F(y,x))\\
&= \arg\max_y (w\cdot F(y,x))
\end{aligned}
$$

于是，条件随机场的预测问题成为求非规范化概率最大的最优路径问题

$$
\max_y (w\cdot F(y,x)) \tag{11.52}
$$

这里，路径表示标记序列. 其中，

$$
w = (w_1, w_2, \cdots, w_K)^{\mathrm{T}}
$$
$$
F(y,x) = (f_1(y,x), f_2(y,x), \cdots, f_K(y,x))^{\mathrm{T}}
$$
$$
f_k(y,x) = \sum_{i=1}^n f_k(y_{i-1}, y_i, x, i), \quad k=1,2,\cdots,K
$$

注意，这时只需计算非规范化概率，而不必计算概率，可以大大提高效率. 为了求解最优路径，将式 (11.52) 写成如下形式：

$$
\max_y \sum_{i=1}^n w\cdot F_i(y_{i-1}, y_i, x) \tag{11.53}
$$

其中，

$$
F_i(y_{i-1}, y_i, x) = (f_1(y_{i-1}, y_i, x, i), f_2(y_{i-1}, y_i, x, i), \cdots, f_K(y_{i-1}, y_i, x, i))^{\mathrm{T}}
$$

是局部特征向量.

下面叙述维特比算法. 首先求出位置 1 的各个标记 $j=1,2,\cdots,m$ 的非规范化概率：

$$
\delta_1(j) = w\cdot F_1(y_0=start, y_1=j, x), \quad j=1,2,\cdots,m \tag{11.54}
$$

一般地，由递推公式，求出到位置 i 的各个标记 $l=1,2,\cdots,m$ 的非规范化概率的最大值，同时记录非规范化概率最大值的路径

$$
\delta_i(l) = \max_{1\leqslant j\leqslant m}\{\delta_{i-1}(j) + w\cdot F_i(y_{i-1}=j, y_i=l, x)\}, \quad l=1,2,\cdots,m \tag{11.55}
$$

$$\Psi_i(l) = \arg \max_{1 \leqslant j \leqslant m} \{\delta_{i-1}(j) + w \cdot F_i(y_{i-1} = j, y_i = l, x)\}, \quad l = 1, 2, \cdots, m \quad (11.56)$$

直到 $i = n$ 时终止. 这时求得非规范化概率的最大值为

$$\max_{y}(w \cdot F(y, x)) = \max_{1 \leqslant j \leqslant m} \delta_n(j) \quad (11.57)$$

及最优路径的终点

$$y_n^* = \arg \max_{1 \leqslant j \leqslant m} \delta_n(j) \quad (11.58)$$

由此最优路径终点返回,

$$y_i^* = \Psi_{i+1}(y_{i+1}^*), \quad i = n-1, n-2, \cdots, 1 \quad (11.59)$$

求得最优路径 $y^* = (y_1^*, y_2^*, \cdots, y_n^*)^\mathrm{T}$.

综上所述, 得到条件随机场预测的维特比算法:

算法 11.3 (条件随机场预测的维特比算法)

输入: 模型特征向量 $F(y, x)$ 和权值向量 w, 观测序列 $x = (x_1, x_2, \cdots, x_n)$;

输出: 最优路径 $y^* = (y_1^*, y_2^*, \cdots, y_n^*)$.

(1) 初始化

$$\delta_1(j) = w \cdot F_1(y_0 = start, y_1 = j, x), \quad j = 1, 2, \cdots, m$$

(2) 递推. 对 $i = 2, 3, \cdots, n$

$$\delta_i(l) = \max_{1 \leqslant j \leqslant m} \{\delta_{i-1}(j) + w \cdot F_i(y_{i-1} = j, y_i = l, x)\}, \quad l = 1, 2, \cdots, m$$

$$\Psi_i(l) = \arg \max_{1 \leqslant j \leqslant m} \{\delta_{i-1}(j) + w \cdot F_i(y_{i-1} = j, y_i = l, x)\}, \quad l = 1, 2, \cdots, m$$

(3) 终止

$$\max_{y}(w \cdot F(y, x)) = \max_{1 \leqslant j \leqslant m} \delta_n(j)$$

$$y_n^* = \arg \max_{1 \leqslant j \leqslant m} \delta_n(j)$$

(4) 返回路径

$$y_i^* = \Psi_{i+1}(y_{i+1}^*), \quad i = n-1, n-2, \cdots, 1$$

求得最优路径 $y^* = (y_1^*, y_2^*, \cdots, y_n^*)$. ∎

下面通过一个例子说明维特比算法.

例 11.3 在例 11.1 中, 用维特比算法求给定的输入序列 (观测序列) x 对应的最优输出序列 (标记序列) $y^* = (y_1^*, y_2^*, y_3^*)$.

解   特征函数及对应的权值均在例 11.1 中给出.

现在利用维特比算法求最优路径问题:

$$\max \sum_{i=1}^{3} w \cdot F_i(y_{i-1}, y_i, x)$$

（1）初始化

$$\delta_1(j) = w \cdot F_1(y_0 = start, y_1 = j, x), \quad j = 1, 2$$

$i = 1$，$\delta_1(1) = 1$，$\delta_1(2) = 0.5$.

（2）递推

$i = 2$ $\delta_2(l) = \max_j \{\delta_1(j) + w \cdot F_2(j, l, x)\}$

$\delta_2(1) = \max\{1 + \lambda_2 t_2, 0.5 + \lambda_4 t_4\} = 1.6$， $\Psi_2(1) = 1$

$\delta_2(2) = \max\{1 + \lambda_1 t_1 + \mu_2 s_2, 0.5 + \mu_2 s_2\} = 2.5$， $\Psi_2(2) = 1$

$i = 3$ $\delta_3(l) = \max_j \{\delta_2(j) + w \cdot F_3(j, l, x)\}$

$\delta_3(1) = \max\{1.6 + \mu_5 s_5, 2.5 + \lambda_3 t_3 + \mu_3 s_3\} = 4.3$， $\Psi_3(1) = 2$

$\delta_3(2) = \max\{1.6 + \lambda_1 t_1 + \mu_4 s_4, 2.5 + \lambda_5 t_5 + \mu_4 s_4\} = 3.2$， $\Psi_3(2) = 1$

（3）终止

$$\max_y (w \cdot F(y, x)) = \max \delta_3(l) = \delta_3(1) = 4.3$$

$$y_3^* = \arg\max_l \delta_3(l) = 1$$

（4）返回

$$y_2^* = \Psi_3(y_3^*) = \Psi_3(1) = 2$$

$$y_1^* = \Psi_2(y_2^*) = \Psi_2(2) = 1$$

最优标记序列

$$y^* = (y_1^*, y_2^*, y_3^*) = (1, 2, 1)$$ ∎

本 章 概 要

1. 概率无向图模型是由无向图表示的联合概率分布. 无向图上的结点之间的连接关系表示了联合分布的随机变量集合之间的条件独立性，即马尔可夫性. 因此，概率无向图模型也称为马尔可夫随机场.

概率无向图模型或马尔可夫随机场的联合概率分布可以分解为无向图最大团上的正值函数的乘积的形式.

2. 条件随机场是给定输入随机变量 X 条件下，输出随机变量 Y 的条件概率分布模型，其形式为参数化的对数线性模型. 条件随机场的最大特点是假设输出变量之间的联合概率分布构成概率无向图模型，即马尔可夫随机场. 条件随机场是判别模型.

3. 线性链条件随机场是定义在观测序列与标记序列上的条件随机场. 线性链条件随机场一般表示为给定观测序列条件下的标记序列的条件概率分布，由参数化的对数线性模型表示. 模型包含特征及相应的权值，特征是定义在线性链的边与结点上的. 线性链条件随机场的数学表达式是

$$P(y \mid x) = \frac{1}{Z(x)} \exp\left(\sum_{i,k} \lambda_k t_k(y_{i-1}, y_i, x, i) + \sum_{i,l} \mu_l s_l(y_i, x, i) \right)$$

其中，

$$Z(x) = \sum_y \exp\left(\sum_{i,k} \lambda_k t_k(y_{i-1}, y_i, x, i) + \sum_{i,l} \mu_l s_l(y_i, x, i) \right)$$

4. 线性链条件随机场的概率计算通常利用前向-后向算法.

5. 条件随机场的学习方法通常是极大似然估计方法或正则化的极大似然估计，即在给定训练数据下，通过极大化训练数据的对数似然函数以估计模型参数. 具体的算法有改进的迭代尺度算法、梯度下降法、拟牛顿法等.

6. 线性链条件随机场的一个重要应用是标注. 维特比算法是给定观测序列求条件概率最大的标记序列的方法.

继 续 阅 读

关于概率无向图模型可以参阅文献[1, 2]. 关于条件随机场可以参阅文献[3, 4]. 在条件随机场提出之前已有最大熵马尔可夫模型等模型被提出[5]. 条件随机场可以看作是最大熵马尔可夫模型在标注问题上的推广. 支持向量机模型也被推广到标注问题上[6, 7].

习 题

11.1 写出图 11.3 中无向图描述的概率图模型的因子分解式.

11.2 证明 $Z(x) = \alpha_n^T(x) \cdot \mathbf{1} = \mathbf{1}^T \cdot \beta_1(x)$，其中 $\mathbf{1}$ 是元素均为 1 的 m 维列向量.

11.3 写出条件随机场模型学习的梯度下降法.

11.4 参考图 11.6 的状态路径图，假设随机矩阵 $M_1(x)$，$M_2(x)$，$M_3(x)$，$M_4(x)$
分别是

$$M_1(x) = \begin{bmatrix} 0 & 0 \\ 0.5 & 0.5 \end{bmatrix}, \quad M_2(x) = \begin{bmatrix} 0.3 & 0.7 \\ 0.7 & 0.3 \end{bmatrix}$$

$$M_3(x) = \begin{bmatrix} 0.5 & 0.5 \\ 0.6 & 0.4 \end{bmatrix}, \quad M_4(x) = \begin{bmatrix} 0 & 1 \\ 0 & 1 \end{bmatrix}$$

求以 $start = 2$ 为起点 $stop = 2$ 为终点的所有路径的状态序列 y 的概率及概
率最大的状态序列.

参 考 文 献

[1] Bishop M. Pattern Recognition and Machine Learning. Springer-Verlag, 2006

[2] Koller D, Friedman N. Probabilistic Graphical Models: Principles and Techniques. MIT Press, 2009

[3] Lafferty J, McCallum A, Pereira F. Conditional random fields: probabilistic models for segmenting and labeling sequence data. In: International Conference on Machine Learning, 2001

[4] Sha F, Pereira F. Shallow parsing with conditional random fields. In: Proceedings of the 2003 Conference of the North American Chapter of Association for Computational Linguistics on Human Language Technology, Vol.1, 2003

[5] McCallum A, Freitag D, Pereira F. Maximum entropy Markov models for information extraction and segmentation. In: Proc of the International Conference on Machine Learning, 2000

[6] Taskar B, Guestrin C, Koller D. Max-margin Markov networks. In: Proc of the NIPS 2003, 2003

[7] Tsochantaridis I, Hofmann T, Joachims T. Support vector machine learning for interdependent and structured output spaces. In: ICML, 2004

第12章 统计学习方法总结

本书共介绍了 10 种主要的统计学习方法：感知机、k 近邻法、朴素贝叶斯法、决策树、逻辑斯谛回归与最大熵模型、支持向量机、提升方法、EM 算法、隐马尔可夫模型和条件随机场. 这 10 种统计学习方法的特点概括总结在表 12.1 中.

表 12.1 10 种统计学习方法特点的概括总结

方法	适用问题	模型特点	模型类型	学习策略	学习的损失函数	学习算法
感知机	二类分类	分离超平面	判别模型	极小化误分点到超平面距离	误分点到超平面距离	随机梯度下降
k 近邻法	多类分类，回归	特征空间，样本点	判别模型			
朴素贝叶斯法	多类分类	特征与类别的联合概率分布，条件独立假设	生成模型	极大似然估计，极大后验概率估计	对数似然损失	概率计算公式，EM 算法
决策树	多类分类，回归	分类树，回归树	判别模型	正则化的极大似然估计	对数似然损失	特征选择，生成，剪枝
逻辑斯谛回归与最大熵模型	多类分类	特征条件下类别的条件概率分布，对数线形模型	判别模型	极大似然估计，正则化的极大似然估计	逻辑斯谛损失	改进的迭代尺度算法，梯度下降，拟牛顿法
支持向量机	二类分类	分离超平面，核技巧	判别模型	极小化正则化合页损失，软间隔最大化	合页损失	序列最小最优化算法（SMO）
提升方法	二类分类	弱分类器的线性组合	判别模型	极小化加法模型的指数损失	指数损失	前向分步加法算法
EM 算法[①]	概率模型参数估计	含隐变量概率模型		极大似然估计，极大后验概率估计	对数似然损失	迭代算法
隐马尔可夫模型	标注	观测序列与状态序列的联合概率分布模型	生成模型	极大似然估计，极大后验概率估计	对数似然损失	概率计算公式，EM 算法
条件随机场	标注	状态序列条件下观测序列的条件概率分布，对数线性模型	判别模型	极大似然估计，正则化极大似然估计	对数似然损失	改进的迭代尺度算法，梯度下降，拟牛顿法

①EM 算法在这里有些特殊，它是个一般方法，不具有具体模型.

下面对各种方法的特点及其关系进行简单的讨论.

1. 适用问题

本书主要介绍监督学习方法. 监督学习可以认为是学习一个模型，使它能对给定的输入预测相应的输出. 监督学习包括分类、标注、回归. 本书主要考虑前两者的学习方法. 分类问题是从实例的特征向量到类标记的预测问题，标注问题是从观测序列到标记序列（或状态序列）的预测问题. 可以认为分类问题是标注问题的特殊情况. 分类问题中可能的预测结果是二类或多类. 而标注问题中可能的预测结果是所有的标记序列，其数目是指数级的.

感知机、k 近邻法、朴素贝叶斯法、决策树、逻辑斯谛回归与最大熵模型、支持向量机、提升方法是分类方法. 原始的感知机、支持向量机以及提升方法是针对二类分类的，可以将它们扩展到多类分类. 隐马尔可夫模型、条件随机场是标注方法. EM 算法是含有隐变量的概率模型的一般学习算法，可以用于生成模型的非监督学习.

感知机、k 近邻法、朴素贝叶斯法、决策树是简单的分类方法，具有模型直观、方法简单、实现容易等特点. 逻辑斯谛回归与最大熵模型、支持向量机、提升方法是更复杂但更有效的分类方法，往往分类准确率更高. 隐马尔可夫模型、条件随机场是主要的标注方法. 通常条件随机场的标注准确率更高.

2. 模型

分类问题与标注问题的预测模型都可以认为是表示从输入空间到输出空间的映射. 它们可以写成条件概率分布 $P(Y|X)$ 或决策函数 $Y=f(X)$ 的形式. 前者表示给定输入条件下输出的概率模型，后者表示输入到输出的非概率模型. 有时，模型更直接地表示为概率模型，或者非概率模型；但有时模型兼有两种解释.

朴素贝叶斯法、隐马尔可夫模型是概率模型. 感知机、k 近邻法、支持向量机、提升方法是非概率模型. 而决策树、逻辑斯谛回归与最大熵模型、条件随机场既可以看作是概率模型，又可以看作是非概率模型.

直接学习条件概率分布 $P(Y|X)$ 或决策函数 $Y=f(X)$ 的方法为判别方法，对应的模型是判别模型. 感知机、k 近邻法、决策树、逻辑斯谛回归与最大熵模型、支持向量机、提升方法、条件随机场是判别方法. 首先学习联合概率分布 $P(X,Y)$，从而求得条件概率分布 $P(Y|X)$ 的方法是生成方法，对应的模型是生成模型. 朴素贝叶斯法、隐马尔可夫模型是生成方法. 图 12.1 给出部分模型之间的关系。

可以用非监督学习的方法学习生成模型. 具体地，应用 EM 算法可以学习朴素贝叶斯模型以及隐马尔可夫模型.

决策树是定义在一般的特征空间上的，可以含有连续变量或离散变量. 感知机、支持向量机、k 近邻法的特征空间是欧氏空间（更一般地，是希尔伯特空

间）. 提升方法的模型是弱分类器的线性组合，弱分类器的特征空间就是提升方
法模型的特征空间.

感知机模型是线性模型，而逻辑斯谛回归与最大熵模型、条件随机场是对数
线性模型. k 近邻法、决策树、支持向量机（包含核函数）、提升方法使用的是
非线性模型.

图 12.1 从生成与判别、分类与标注两个方面描述了几个统计学习方法之间的
关系.

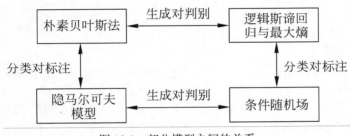

图 12.1　部分模型之间的关系

3. 学习策略

在二类分类的监督学习中，支持向量机、逻辑斯谛回归与最大熵模型、提升
方法各自使用合页损失函数、逻辑斯谛损失函数、指数损失函数. 3 种损失函数
分别写为

$$[1 - yf(x)]_+ \tag{12.1}$$

$$\log[1 + \exp(-yf(x))] \tag{12.2}$$

$$\exp(-yf(x)) \tag{12.3}$$

这 3 种损失函数都是 0-1 损失函数的上界，具有相似的形状，如图 12.2 所示. 所以，
可以认为支持向量机、逻辑斯谛回归与最大熵模型、提升方法使用不同的代理损
失函数（surrogate loss function）表示分类的损失，定义经验风险或结构风险函数，
实现二类分类学习任务. 学习的策略是优化以下结构风险函数:

$$\min_{f \in H} \frac{1}{N} \sum_{i=1}^{N} L(y_i, f(x_i)) + \lambda J(f) \tag{12.4}$$

这里，第 1 项为经验风险（经验损失），第 2 项为正则化项，$L(y, f(x))$ 为损失函
数，$J(f)$ 为模型的复杂度，$\lambda \geq 0$ 为系数.

支持向量机用 L_2 范数表示模型的复杂度. 原始的逻辑斯谛回归与最大熵模型
没有正则化项，可以给它们加上 L_2 范数正则化项. 提升方法没有显式的正则化项，
通常通过早停止（early stopping）的方法达到正则化的效果.

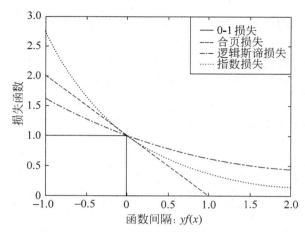

图 12.2　0-1 损失函数、合页损失函数、逻辑斯谛损失函数、指数损失函数的关系

以上二类分类的学习方法可以扩展到多类分类学习以及标注问题，比如标注问题的条件随机场可以看作是分类问题的最大熵模型的推广．

概率模型的学习可以形式化为极大似然估计或贝叶斯估计的极大后验概率估计．这时，学习的策略是极小化对数似然损失或极小化正则化的对数似然损失．对数似然损失可以写成

$$-\log P(y \mid x)$$

极大后验概率估计时，正则化项是先验概率的负对数．

决策树学习的策略是正则化的极大似然估计，损失函数是对数似然损失，正则化项是决策树的复杂度．

逻辑斯谛回归与最大熵模型、条件随机场的学习策略既可以看成是极大似然估计（或正则化的极大似然估计），又可以看成是极小化逻辑斯谛损失（或正则化的逻辑斯谛损失）．

朴素贝叶斯模型、隐马尔可夫模型的非监督学习也是极大似然估计或极大后验概率估计，但这时模型含有隐变量．

4. 学习算法

统计学习的问题有了具体的形式以后，就变成了最优化问题．有时，最优化问题比较简单，解析解存在，最优解可以由公式简单计算．但在多数情况下，最优化问题没有解析解，需要用数值计算的方法或启发式的方法求解．

朴素贝叶斯法与隐马尔可夫模型的监督学习，最优解即极大似然估计值，可以由概率计算公式直接计算．

感知机、逻辑斯谛回归与最大熵模型、条件随机场的学习利用梯度下降法、拟牛顿法等．这些都是一般的无约束最优化问题的解法．

支持向量机学习，可以解凸二次规划的对偶问题．有序列最小最优化算法等方法．

决策树学习是基于启发式算法的典型例子．可以认为特征选择、生成、剪枝是启发式地进行正则化的极大似然估计．

提升方法利用学习的模型是加法模型、损失函数是指数损失函数的特点，启发式地从前向后逐步学习模型，以达到逼近优化目标函数的目的．

EM 算法是一种迭代的求解含隐变量概率模型参数的方法，它的收敛性可以保证，但是不能保证收敛到全局最优．

支持向量机学习、逻辑斯谛回归与最大熵模型学习、条件随机场学习是凸优化问题，全局最优解保证存在．而其他学习问题则不是凸优化问题．

附录 A　梯度下降法

梯度下降法（gradient descent）或最速下降法（steepest descent）是求解无约束最优化问题的一种最常用的方法，有实现简单的优点．梯度下降法是迭代算法，每一步需要求解目标函数的梯度向量．

假设 $f(x)$ 是 $\mathbf{R}^n$ 上具有一阶连续偏导数的函数．要求解的无约束最优化问题是

$$\min_{x \in \mathbf{R}^n}\ f(x) \tag{A.1}$$

x^* 表示目标函数 $f(x)$ 的极小点．

梯度下降法是一种迭代算法．选取适当的初值 $x^{(0)}$，不断迭代，更新 x 的值，进行目标函数的极小化，直到收敛．由于负梯度方向是使函数值下降最快的方向，在迭代的每一步，以负梯度方向更新 x 的值，从而达到减少函数值的目的．

由于 $f(x)$ 具有一阶连续偏导数，若第 k 次迭代值为 $x^{(k)}$，则可将 $f(x)$ 在 $x^{(k)}$ 附近进行一阶泰勒展开：

$$f(x) = f(x^{(k)}) + g_k^{\mathrm{T}}(x - x^{(k)}) \tag{A.2}$$

这里，$g_k = g(x^{(k)}) = \nabla f(x^{(k)})$ 为 $f(x)$ 在 $x^{(k)}$ 的梯度．

求出第 $k+1$ 次迭代值 $x^{(k+1)}$：

$$x^{(k+1)} \leftarrow x^{(k)} + \lambda_k p_k \tag{A.3}$$

其中，p_k 是搜索方向，取负梯度方向 $p_k = -\nabla f(x^{(k)})$，λ_k 是步长，由一维搜索确定，即 λ_k 使得

$$f(x^{(k)} + \lambda_k p_k) = \min_{\lambda \geq 0} f(x^{(k)} + \lambda p_k) \tag{A.4}$$

梯度下降法算法如下：

算法 A.1（梯度下降法）

输入：目标函数 $f(x)$，梯度函数 $g(x) = \nabla f(x)$，计算精度 ε；

输出：$f(x)$ 的极小点 x^*．

（1）取初始值 $x^{(0)} \in \mathbf{R}^n$，置 $k = 0$

（2）计算 $f(x^{(k)})$

（3）计算梯度 $g_k = g(x^{(k)})$，当 $\|g_k\| < \varepsilon$ 时，停止迭代，令 $x^* = x^{(k)}$；否则，令 $p_k = -g(x^{(k)})$，求 λ_k，使

$$f(x^{(k)} + \lambda_k p_k) = \min_{\lambda \geqslant 0} f(x^{(k)} + \lambda p_k)$$

（4）置 $x^{(k+1)} = x^{(k)} + \lambda_k p_k$，计算 $f(x^{(k+1)})$

当 $\left\| f(x^{(k+1)}) - f(x^{(k)}) \right\| < \varepsilon$ 或 $\left\| x^{(k+1)} - x^{(k)} \right\| < \varepsilon$ 时，停止迭代，令 $x^* = x^{(k+1)}$

（5）否则，置 $k = k+1$，转 (3). ∎

当目标函数是凸函数时，梯度下降法的解是全局最优解. 一般情况下，其解不保证是全局最优解. 梯度下降法的收敛速度也未必是很快的.

附录 B　牛顿法和拟牛顿法

牛顿法（Newton method）和拟牛顿法（quasi Newton method）也是求解无约束最优化问题的常用方法，有收敛速度快的优点．牛顿法是迭代算法，每一步需要求解目标函数的海赛矩阵的逆矩阵，计算比较复杂．拟牛顿法通过正定矩阵近似海赛矩阵的逆矩阵或海赛矩阵，简化了这一计算过程．

1. 牛顿法

考虑无约束最优化问题

$$\min_{x \in \mathbf{R}^n} \ f(x) \tag{B.1}$$

其中 x^* 为目标函数的极小点．

假设 $f(x)$ 具有二阶连续偏导数，若第 k 次迭代值为 $x^{(k)}$，则可将 $f(x)$ 在 $x^{(k)}$ 附近进行二阶泰勒展开：

$$f(x) = f(x^{(k)}) + g_k^{\mathrm{T}}(x - x^{(k)}) + \frac{1}{2}(x - x^{(k)})^{\mathrm{T}} H(x^{(k)})(x - x^{(k)}) \tag{B.2}$$

这里，$g_k = g(x^{(k)}) = \nabla f(x^{(k)})$ 是 $f(x)$ 的梯度向量在点 $x^{(k)}$ 的值，$H(x^{(k)})$ 是 $f(x)$ 的海赛矩阵（Hesse matrix）

$$H(x) = \left[\frac{\partial^2 f}{\partial x_i \partial x_j} \right]_{n \times n} \tag{B.3}$$

在点 $x^{(k)}$ 的值．函数 $f(x)$ 有极值的必要条件是在极值点处一阶导数为 0，即梯度向量为 0．特别是当 $H(x^{(k)})$ 是正定矩阵时，函数 $f(x)$ 的极值为极小值．

牛顿法利用极小点的必要条件

$$\nabla f(x) = 0 \tag{B.4}$$

每次迭代中从点 $x^{(k)}$ 开始，求目标函数的极小点，作为第 $k+1$ 次迭代值 $x^{(k+1)}$．具体地，假设 $x^{(k+1)}$ 满足：

$$\nabla f(x^{(k+1)}) = 0 \tag{B.5}$$

由式 (B.2) 有

$$\nabla f(x) = g_k + H_k(x - x^{(k)}) \tag{B.6}$$

其中 $H_k = H(x^{(k)})$．这样，式 (B.5) 成为

$$g_k + H_k(x^{(k+1)} - x^{(k)}) = 0 \tag{B.7}$$

因此，

$$x^{(k+1)} = x^{(k)} - H_k^{-1} g_k \qquad\qquad (B.8)$$

或者

$$x^{(k+1)} = x^{(k)} + p_k \qquad\qquad (B.9)$$

其中，

$$H_k p_k = -g_k \qquad\qquad (B.10)$$

用式 (B.8) 作为迭代公式的算法就是牛顿法．

算法 B.1（牛顿法）

输入：目标函数 $f(x)$，梯度 $g(x) = \nabla f(x)$，海赛矩阵 $H(x)$，精度要求 ε；
输出：$f(x)$ 的极小点 x^*．

（1）取初始点 $x^{(0)}$，置 $k = 0$

（2）计算 $g_k = g(x^{(k)})$

（3）若 $\| g_k \| < \varepsilon$，则停止计算，得近似解 $x^* = x^{(k)}$

（4）计算 $H_k = H(x^{(k)})$，并求 p_k

$$H_k p_k = -g_k$$

（5）置 $x^{(k+1)} = x^{(k)} + p_k$

（6）置 $k = k + 1$，转（2）．

步骤（4）求 p_k，$p_k = -H_k^{-1} g_k$，要求 H_k^{-1}，计算比较复杂，所以有其他改进的方法．

2. 拟牛顿法的思路

在牛顿法的迭代中，需要计算海赛矩阵的逆矩阵 H^{-1}，这一计算比较复杂，考虑用一个 n 阶矩阵 $G_k = G(x^{(k)})$ 来近似代替 $H_k^{-1} = H^{-1}(x^{(k)})$．这就是拟牛顿法的基本想法．

先看牛顿法迭代中海赛矩阵 H_k 满足的条件．首先，H_k 满足以下关系．在式 (B.6) 中取 $x = x^{(k+1)}$，即得

$$g_{k+1} - g_k = H_k(x^{(k+1)} - x^{(k)}) \qquad\qquad (B.11)$$

记 $y_k = g_{k+1} - g_k$，$\delta_k = x^{(k+1)} - x^{(k)}$，则

$$y_k = H_k \delta_k \qquad\qquad (B.12)$$

或

$$H_k^{-1} y_k = \delta_k \qquad\qquad (B.13)$$

式 (B.12) 或式 (B.13) 称为拟牛顿条件.

如果 H_k 是正定的（H_k^{-1} 也是正定的），那么可以保证牛顿法搜索方向 p_k 是下降方向. 这是因为搜索方向是 $p_k = -\lambda g_k$，由式 (B.8) 有

$$x = x^{(k)} + \lambda p_k = x^{(k)} - \lambda H_k^{-1} g_k \tag{B.14}$$

所以 $f(x)$ 在 $x^{(k)}$ 的泰勒展开式 (B.2) 可以近似写成：

$$f(x) = f(x^{(k)}) - \lambda g_k^{\mathrm{T}} H_k^{-1} g_k \tag{B.15}$$

因 H_k^{-1} 正定，故有 $g_k^{\mathrm{T}} H_k^{-1} g_k > 0$. 当 λ 为一个充分小的正数时，总有 $f(x) < f(x^{(k)})$，也就是说 p_k 是下降方向.

拟牛顿法将 G_k 作为 H_k^{-1} 的近似，要求矩阵 G_k 满足同样的条件. 首先，每次迭代矩阵 G_k 是正定的. 同时，G_k 满足下面的拟牛顿条件：

$$G_{k+1} y_k = \delta_k \tag{B.16}$$

按照拟牛顿条件选择 G_k 作为 H_k^{-1} 的近似或选择 B_k 作为 H_k 的近似的算法称为拟牛顿法.

按照拟牛顿条件，在每次迭代中可以选择更新矩阵 G_{k+1}：

$$G_{k+1} = G_k + \Delta G_k \tag{B.17}$$

这种选择有一定的灵活性，因此有多种具体实现方法. 下面介绍 Broyden 类拟牛顿法.

3. DFP（Davidon-Fletcher-Powell）算法（DFP algorithm）

DFP 算法选择 G_{k+1} 的方法是，假设每一步迭代中矩阵 G_{k+1} 是由 G_k 加上两个附加项构成的，即

$$G_{k+1} = G_k + P_k + Q_k \tag{B.18}$$

其中 P_k，Q_k 是待定矩阵. 这时，

$$G_{k+1} y_k = G_k y_k + P_k y_k + Q_k y_k \tag{B.19}$$

为使 G_{k+1} 满足拟牛顿条件，可使 P_k 和 Q_k 满足：

$$P_k y_k = \delta_k \tag{B.20}$$

$$Q_k y_k = -G_k y_k \tag{B.21}$$

事实上，不难找出这样的 P_k 和 Q_k，例如取

$$P_k = \frac{\delta_k \delta_k^{\mathrm{T}}}{\delta_k^{\mathrm{T}} y_k} \tag{B.22}$$

$$Q_k = -\frac{G_k y_k y_k^{\mathrm{T}} G_k}{y_k^{\mathrm{T}} G_k y_k} \tag{B.23}$$

这样就可得到矩阵 G_{k+1} 的迭代公式：

$$G_{k+1} = G_k + \frac{\delta_k \delta_k^{\mathrm{T}}}{\delta_k^{\mathrm{T}} y_k} - \frac{G_k y_k y_k^{\mathrm{T}} G_k}{y_k^{\mathrm{T}} G_k y_k} \tag{B.24}$$

称为 DFP 算法.

可以证明，如果初始矩阵 G_0 是正定的，则迭代过程中的每个矩阵 G_k 都是正定的.

DFP 算法如下：

算法 B.2（DFP 算法）

输入：目标函数 $f(x)$，梯度 $g(x) = \nabla f(x)$，精度要求 ε；

输出： $f(x)$ 的极小点 x^*.

（1）选定初始点 $x^{(0)}$，取 G_0 为正定对称矩阵，置 $k = 0$

（2）计算 $g_k = g(x^{(k)})$. 若 $\| g_k \| < \varepsilon$，则停止计算，得近似解 $x^* = x^{(k)}$；否则转 (3)

（3）置 $p_k = -G_k g_k$

（4）一维搜索：求 λ_k 使得

$$f(x^{(k)} + \lambda_k p_k) = \min_{\lambda \geqslant 0} f(x^{(k)} + \lambda p_k)$$

（5）置 $x^{(k+1)} = x^{(k)} + \lambda_k p_k$

（6）计算 $g_{k+1} = g(x^{(k+1)})$，若 $\| g_{k+1} \| < \varepsilon$，则停止计算，得近似解 $x^* = x^{(k+1)}$；否则，按式 (B.24) 算出 G_{k+1}

（7）置 $k = k + 1$，转 (3).   ∎

4. BFGS（Broyden-Fletcher-Goldfarb–Shanno）算法（BFGS algorithm）

BFGS 算法是最流行的拟牛顿算法.

可以考虑用 G_k 逼近海赛矩阵的逆矩阵 H^{-1}，也可以考虑用 B_k 逼近海赛矩阵 H. 这时，相应的拟牛顿条件是

$$B_{k+1} \delta_k = y_k \tag{B.25}$$

可以用同样的方法得到另一迭代公式. 首先令

$$B_{k+1} = B_k + P_k + Q_k \tag{B.26}$$

$$B_{k+1}\delta_k = B_k\delta_k + P_k\delta_k + Q_k\delta_k \tag{B.27}$$

考虑使 P_k 和 Q_k 满足:

$$P_k\delta_k = y_k \tag{B.28}$$

$$Q_k\delta_k = -B_k\delta_k \tag{B.29}$$

找出适合条件的 P_k 和 Q_k,得到 BFGS 算法矩阵 B_{k+1} 的迭代公式:

$$B_{k+1} = B_k + \frac{y_k y_k^{\mathrm{T}}}{y_k^{\mathrm{T}}\delta_k} - \frac{B_k\delta_k\delta_k^{\mathrm{T}}B_k}{\delta_k^{\mathrm{T}}B_k\delta_k} \tag{B.30}$$

可以证明,如果初始矩阵 B_0 是正定的,则迭代过程中的每个矩阵 B_k 都是正定的.

下面写出 BFGS 拟牛顿算法.

算法 B.3(BFGS 算法)

输入:目标函数 $f(x)$, $g(x) = \nabla f(x)$,精度要求 ε;

输出: $f(x)$ 的极小点 x^*.

(1)选定初始点 $x^{(0)}$,取 B_0 为正定对称矩阵,置 $k = 0$

(2)计算 $g_k = g(x^{(k)})$. 若 $\| g_k \| < \varepsilon$,则停止计算,得近似解 $x^* = x^{(k)}$;否则转 (3)

(3)由 $B_k p_k = -g_k$ 求出 p_k

(4)一维搜索:求 λ_k 使得

$$f(x^{(k)} + \lambda_k p_k) = \min_{\lambda \geqslant 0} f(x^{(k)} + \lambda p_k)$$

(5)置 $x^{(k+1)} = x^{(k)} + \lambda_k p_k$

(6)计算 $g_{k+1} = g(x^{(k+1)})$,若 $\| g_{k+1} \| < \varepsilon$,则停止计算,得近似解 $x^* = x^{(k+1)}$;否则,按式 (B.30) 算出 B_{k+1}

(7)置 $k = k+1$,转 (3). ■

5. Broyden 类算法(Broyden's algorithm)

我们可以从 BFGS 算法矩阵 B_k 的迭代公式 (B.30) 得到 BFGS 算法关于 G_k 的迭代公式. 事实上,若记 $G_k = B_k^{-1}$, $G_{k+1} = B_{k+1}^{-1}$,那么对式 (B.30) 两次应用 Sherman-Morrison 公式[①]即得

---

① Sherman-Morrison 公式:假设 A 是 n 阶可逆矩阵, u, v 是 n 维向量,且 $A + uv^{\mathrm{T}}$ 也是可逆矩阵,则

$$(A + uv^{\mathrm{T}})^{-1} = A^{-1} - \frac{A^{-1}uv^{\mathrm{T}}A^{-1}}{1 + v^{\mathrm{T}}A^{-1}u}$$

$$G_{k+1} = \left(I - \frac{\delta_k y_k^{\mathrm{T}}}{\delta_k^{\mathrm{T}} y_k} \right) G_k \left(I - \frac{\delta_k y_k^{\mathrm{T}}}{\delta_k^{\mathrm{T}} y_k} \right)^{\mathrm{T}} + \frac{\delta_k \delta_k^{\mathrm{T}}}{\delta_k^{\mathrm{T}} y_k} \tag{B.31}$$

称为 BFGS 算法关于 G_k 的迭代公式.

由 DFP 算法 G_k 的迭代公式 (B.23) 得到的 G_{k+1} 记作 G^{DFP}，由 BFGS 算法 G_k 的迭代公式 (B.31) 得到的 G_{k+1} 记作 G^{BFGS}，它们都满足方程拟牛顿条件式，所以它们的线性组合

$$G_{k+1} = \alpha G^{\mathrm{DFP}} + (1 - \alpha) G^{\mathrm{BFGS}} \tag{B.32}$$

也满足拟牛顿条件式，而且是正定的. 其中 $0 \leqslant \alpha \leqslant 1$. 这样就得到了一类拟牛顿法，称为 Broyden 类算法.

附录 C　拉格朗日对偶性

在约束最优化问题中，常常利用拉格朗日对偶性（Lagrange duality）将原始问题转换为对偶问题，通过解对偶问题而得到原始问题的解. 该方法应用在许多统计学习方法中，例如，最大熵模型与支持向量机. 这里简要叙述拉格朗日对偶性的主要概念和结果.

1. 原始问题

假设 $f(x)$，$c_i(x)$，$h_j(x)$ 是定义在 $\mathbf{R}^n$ 上的连续可微函数. 考虑约束最优化问题

$$\min_{x \in \mathbf{R}^n} \ f(x) \tag{C.1}$$

$$\text{s.t.} \quad c_i(x) \leqslant 0 \ , \quad i=1,2,\cdots,k \tag{C.2}$$

$$h_j(x)=0 \ , \quad j=1,2,\cdots,l \tag{C.3}$$

称此约束最优化问题为原始最优化问题或原始问题.

首先，引进广义拉格朗日函数（generalized Lagrange function）

$$L(x,\alpha,\beta)=f(x)+\sum_{i=1}^{k}\alpha_i c_i(x)+\sum_{j=1}^{l}\beta_j h_j(x) \tag{C.4}$$

这里，$x=(x^{(1)},x^{(2)},\cdots,x^{(n)})^{\mathrm{T}} \in \mathbf{R}^n$，$\alpha_i,\beta_j$ 是拉格朗日乘子，$\alpha_i \geqslant 0$. 考虑 x 的函数：

$$\theta_P(x)=\max_{\alpha,\beta:\alpha_i \geqslant 0} L(x,\alpha,\beta) \tag{C.5}$$

这里，下标 P 表示原始问题.

假设给定某个 x. 如果 x 违反原始问题的约束条件，即存在某个 i 使得 $c_i(w)>0$ 或者存在某个 j 使得 $h_j(w) \neq 0$，那么就有

$$\theta_P(x)=\max_{\alpha,\beta:\alpha_i \geqslant 0}\left[f(x)+\sum_{i=1}^{k}\alpha_i c_i(x)+\sum_{j=1}^{l}\beta_j h_j(x) \right]=+\infty \tag{C.6}$$

因为若某个 i 使约束 $c_i(x)>0$，则可令 $\alpha_i \to +\infty$，若某个 j 使 $h_j(x) \neq 0$，则可令 β_j 使 $\beta_j h_j(x) \to +\infty$，而将其余各 α_i，β_j 均取为 0.

相反地，如果 x 满足约束条件式 (C.2) 和式 (C.3)，则由式 (C.5) 和式 (C.4) 可知，$\theta_P(x)=f(x)$. 因此，

$$\theta_P(x) = \begin{cases} f(x), & x\text{满足原始问题约束} \\ +\infty, & \text{其他} \end{cases} \tag{C.7}$$

所以如果考虑极小化问题

$$\min_x \theta_P(x) = \min_x \max_{\alpha,\beta:\alpha_i \geqslant 0} L(x,\alpha,\beta) \tag{C.8}$$

它是与原始最优化问题 (C.1) ~ (C.3) 等价的，即它们有相同的解．问题 $\min_x \max_{\alpha,\beta:\alpha_i \geqslant 0} L(x,\alpha,\beta)$ 称为广义拉格朗日函数的极小极大问题．这样一来，就把原始最优化问题表示为广义拉格朗日函数的极小极大问题．为了方便，定义原始问题的最优值

$$p^* = \min_x \theta_P(x) \tag{C.9}$$

称为原始问题的值．

2. 对偶问题

定义

$$\theta_D(\alpha,\beta) = \min_x L(x,\alpha,\beta) \tag{C.10}$$

再考虑极大化 $\theta_D(\alpha,\beta) = \min_x L(x,\alpha,\beta)$，即

$$\max_{\alpha,\beta:\alpha_i \geqslant 0} \theta_D(\alpha,\beta) = \max_{\alpha,\beta:\alpha_i \geqslant 0} \min_x L(x,\alpha,\beta) \tag{C.11}$$

问题 $\max_{\alpha,\beta:\alpha_i \geqslant 0} \min_x L(x,\alpha,\beta)$ 称为广义拉格朗日函数的极大极小问题．

可以将广义拉格朗日函数的极大极小问题表示为约束最优化问题：

$$\max_{\alpha,\beta} \theta_D(\alpha,\beta) = \max_{\alpha,\beta} \min_x L(x,\alpha,\beta) \tag{C.12}$$

$$\text{s.t.} \quad \alpha_i \geqslant 0, \quad i = 1,2,\cdots,k \tag{C.13}$$

称为原始问题的对偶问题．定义对偶问题的最优值

$$d^* = \max_{\alpha,\beta:\alpha_i \geqslant 0} \theta_D(\alpha,\beta) \tag{C.14}$$

称为对偶问题的值．

3. 原始问题和对偶问题的关系

下面讨论原始问题和对偶问题的关系．

定理 C.1 若原始问题和对偶问题都有最优值,则

$$d^* = \max_{\alpha,\beta:\alpha_i \geq 0} \min_x L(x,\alpha,\beta) \leq \min_x \max_{\alpha,\beta:\alpha_i \geq 0} L(x,\alpha,\beta) = p^* \tag{C.15}$$

证明 由式 (C.12) 和式 (C.5),对任意的 α,β 和 x,有

$$\theta_D(\alpha,\beta) = \min_x L(x,\alpha,\beta) \leq L(x,\alpha,\beta) \leq \max_{\alpha,\beta:\alpha_i \geq 0} L(x,\alpha,\beta) = \theta_P(x) \tag{C.16}$$

即

$$\theta_D(\alpha,\beta) \leq \theta_P(x) \tag{C.17}$$

由于原始问题和对偶问题均有最优值,所以,

$$\max_{\alpha,\beta:\alpha_i \geq 0} \theta_D(\alpha,\beta) \leq \min_x \theta_P(x) \tag{C.18}$$

即

$$d^* = \max_{\alpha,\beta:\alpha_i \geq 0} \min_x L(x,\alpha,\beta) \leq \min_x \max_{\alpha,\beta:\alpha_i \geq 0} L(x,\alpha,\beta) = p^* \tag{C.19}$$

∎

推论 C.1 设 x^* 和 α^*,β^* 分别是原始问题 (C.1) ~ (C.3) 和对偶问题 (C.12) ~ (C.13) 的可行解,并且 $d^* = p^*$,则 x^* 和 α^*,β^* 分别是原始问题和对偶问题的最优解.

在某些条件下,原始问题和对偶问题的最优值相等,$d^* = p^*$. 这时可以用解对偶问题替代解原始问题. 下面以定理的形式叙述有关的重要结论而不予证明.

定理 C.2 考虑原始问题 (C.1) ~ (C.3) 和对偶问题 (C.12) ~ (C.13). 假设函数 $f(x)$ 和 $c_i(x)$ 是凸函数,$h_j(x)$ 是仿射函数;并且假设不等式约束 $c_i(x)$ 是严格可行的,即存在 x,对所有 i 有 $c_i(x) < 0$,则存在 x^*,α^*,β^*,使 x^* 是原始问题的解,α^*,β^* 是对偶问题的解,并且

$$p^* = d^* = L(x^*,\alpha^*,\beta^*) \tag{C.20}$$

定理 C.3 对原始问题 (C.1) ~ (C.3) 和对偶问题 (C.12) ~ (C.13),假设函数 $f(x)$ 和 $c_i(x)$ 是凸函数,$h_j(x)$ 是仿射函数,并且不等式约束 $c_i(x)$ 是严格可行的,则 x^* 和 α^*,β^* 分别是原始问题和对偶问题的解的充分必要条件是 x^*,α^*,β^* 满足下面的 Karush-Kuhn-Tucker (KKT)条件:

$$\nabla_x L(x^*,\alpha^*,\beta^*) = 0 \tag{C.21}$$

$$\nabla_\alpha L(x^*,\alpha^*,\beta^*) = 0 \tag{C.22}$$

$$\nabla_\beta L(x^*,\alpha^*,\beta^*) = 0 \tag{C.23}$$

$$\alpha_i^* c_i(x^*) = 0, \quad i = 1, 2, \cdots, k \tag{C.24}$$

$$c_i(x^*) \leqslant 0, \quad i = 1, 2, \cdots, k \tag{C.25}$$

$$\alpha_i^* \geqslant 0, \quad i = 1, 2, \cdots, k \tag{C.26}$$

$$h_j(x^*) = 0 \quad j = 1, 2, \cdots, l \tag{C.27}$$

特别指出，式 (C.24) 称为 KKT 的对偶互补条件. 由此条件可知：若 $\alpha_i^* > 0$，则 $c_i(x^*) = 0$.

索　引

统计学习方法 李航 著

李 航　日本京都大学电气工程系毕业，日本东京大学计算机科学博士。曾任日本NEC公司中央研究所研究员，微软亚洲研究院高级研究员及主任研究员，现任华为诺亚方舟实验室首席科学家。北京大学、南京大学客座教授。研究方向包括信息检索、自然语言处理、统计机器学习及数据挖掘。

清华大学出版社数字出版网站

WQBook　书文局泉
www.wqbook.com

ISBN 978-7-302-27595-4

9 787302 275954 >

定价：38.00元